CÂN Y FFYDD
Ysgrifau ar emynyddiaeth

CÂN Y FFYDD
Ysgrifau ar emynyddiaeth

gan

KATHRYN JENKINS

Detholwyd a golygwyd gan Rhidian Griffiths

Cymdeithas Emynau Cymru
mewn cydweithrediad â Gwasg y Bwthyn
2011

ISBN: 978-1-907424-17-5

Cyhoeddwyd yn 2011 gan Gymdeithas Emynau Cymru
Argraffwyd gan Wasg y Bwthyn, Caernarfon

Cynnwys

Rhagair

Wedi marwolaeth ddisyfyd Dr Kathryn Jenkins ar 3 Mai 2009 mynegodd Pwyllgor Gwaith Cymdeithas Emynau Cymru ei awydd i'w choffáu trwy gyhoeddi detholiad o'i hysgrifau ar emynyddiaeth. Cafwyd cytundeb caredig a pharod Mr Allan Jones, priod Kathryn, a bu'r cyfraniadau ariannol a dderbyniwyd gan y Gymdeithas er cof amdani yn gymorth mawr i sylweddoli'r amcan o gyhoeddi. Rhoddodd golygyddion y cylchgronau a'r cyfrolau lle'r ymddang-osodd yr erthyglau gwreiddiol eu caniatâd parod i'w hail-gyhoeddi yma. Cafwyd cymorth medrus Mrs Iona Bailey i ailosod yr erthyglau i gyd ar ddisg yn barod i'r wasg. Bu Gwasg y Bwthyn a'i Rheolwr, Mrs June Jones, yn hynod gefnogol a chydweithredol. Mae diolch arbennig yn ddyledus hefyd i Dr Brynley F. Roberts am ei gymorth yntau, yn enwedig am gyfieithu darlith Kathryn a welir isod (tt.205–22) ac am ychwanegu cyfeiriadau llyfryddol at y testun. Bu'r Parchedig Tudor Davies yn ddigon hynaws i ganiatáu ail-gyhoeddi ei gerdd, 'Y Gweddill': ysywaeth ni chafodd fyw i weld y gyfrol orffenedig.

Ceisiwyd cyflwyno'r ysgrifau fel y'u cyhoeddwyd, gan dderbyn bod peth ailadrodd hwnt ac yma.

Cyflwynir y gyfrol i goffadwriaeth annwyl un o ysgolheigion pennaf yr emyn yng Nghymru.

Rhidian Griffiths
Llywydd Cymdeithas Emynau Cymru

Y Gweddill

Er cof am Dr Kathryn Jenkins, 1961–2009

Rhown iti ddiolch, Dduw ein Tad,
am weddill ffyddlon yn ein gwlad
sy'n hau yr had mewn cyndyn dir
yn gryf eu ffydd, er gaeaf hir.

Cofiwn rai annwyl dros y ffin
mewn byd uwch loes ac angau blin,
tystion i hael lawenydd Crist
sydd yn trawsnewid ofnau trist.

O Dduw, gwna ni yn weddill cry',
nid hen weddillion oes a fu:
daw in daer wŷs drwy wyrth y groes
a her Crist byw – gobaith pob oes.

Tudor Davies, 1923–2010

Rhagymadrodd

Gyrfa ddaearol fer a gafodd Kathryn Jenkins, ond fe'i llanwodd i'r ymylon. Ymgymerai â phob dim gyda brwdfrydedd heintus a miniogrwydd meddwl, a daeth yn fedrus mewn mwy nag un maes. Yr argraff sy'n aros yn y cof yw o ferch feistrolgar a galluog.

Fe'i ganed yn Nhonypandy ar 9 Mehefin 1961 yn unig blentyn Clement a Marian Jenkins. Peiriannydd gyda'r Bwrdd Trydan oedd ei thad, ac roedd y teulu'n aelodau yng nghapel Bethania, Llwynypia. Er eu bod yn addoli mewn capel Cymraeg ac yn deall y Gymraeg yn iawn o'i chlywed yng ngenau pregethwyr a'i chanu yn emynau'r oedfaon, Saesneg oedd iaith arferol yr aelwyd, profiad nid anghyffredin ymhlith teuluoedd yn ne Cymru yn y cyfnod hwnnw. Ond yn ystod ei chyfnod yn Ysgol Uwchradd Tonypandy taniwyd serch Kathryn at y Gymraeg fel pwnc i'w astudio. Gosododd ei bryd ar astudio'r Gymraeg yn brif bwnc yng Ngholeg y Brifysgol yn Aberystwyth, ac yno ymddisgleiriodd, gan ennill ei gradd ag anrhydedd yn y dosbarth cyntaf ym 1982. Aeth yn ei blaen i wneud gwaith ymchwil. Treuliodd flwyddyn o'i chyfnod ymchwil fel Ysgolor Syr John Rhŷs yng Ngholeg Iesu, Rhydychen, ac ym 1987 cyflwynodd ei thraethawd am radd Ph.D. Prifysgol Cymru, 'Yr emyn a Williams Pantycelyn: astudiaeth'. Yr oedd y traethawd hwn i fod yn sylfaen i lawer o'i gwaith academaidd yn y blynyddoedd wedi hynny.

Ar ôl cyfnod byr yn is-warden Coleg Trefeca dychwelodd i'r Adran Gymraeg yn Aberystwyth yn gymrawd cyn cael ei phenodi'n ddarlithydd yn yr Adran Gymraeg yn Llanbedr Pont Steffan. Dyma gychwyn cyfnod ffrwythlon iawn o astudiaethau nid yn unig ym maes yr emyn ond ym maes llenyddiaeth yn gyffredinol, gan gynnwys llenyddiaeth y ferch, ac roedd yn ymddangos bod ei gyrfa academaidd wedi ei mapio'n eglur o'i blaen. Ond – yn annisgwyl i lawer o'i chydnabod – penderfynodd gefnu ar y byd academaidd ym 1999 a symud i swydd yn y Cynulliad Cenedlaethol newydd, gan ddechrau ar yrfa yr un mor llwyddiannus yn y gwasanaeth sifil Cymreig, lle bu ei chefndir academaidd yn gymorth iddi ddatblygu ei sgiliau gweinyddol. Bu'n Is-olygydd Cofnod y Cynulliad ac yna'n Glerc i nifer o wahanol bwyllgorau, gan ddwyn cyfrifoldeb ar lefel uchel ac ennill serch a pharch nid yn unig ei chydweithwyr ond hefyd Aelodau'r Cynulliad a Gweinidogion ei Lywodraeth. Bu farw'n gwbl ddisymwth ar 3 Mai 2009, yn 47 oed. Arwydd o'r parch mawr ati oedd i Lywydd y Cynulliad a sawl A.C. ddod i'w hangladd yn Llangybi, ynghyd â llu o'i chydweithwyr a'i chyfeillion mewn sawl maes, a oedd wedi eu llorio o'i cholli mor sydyn ac mor annhymig.

Yr oedd ei diddordeb mewn emynyddiaeth yn lletach o dipyn na'i gwaith ymchwil ar gyfer Ph.D. Fe'i maged yn sŵn emynau, yng nghyfnod olaf traddodiad canu cynulleidfaol nodedig cymoedd Rhondda; etifeddodd ddiddordeb ei theulu mewn cerddoriaeth, a chanu'n arbennig, ac ymddatblygodd yn organyddes fedrus. Yn ystod ei chyfnod fel myfyriwr yn Aberystwyth mynychai'r oedfaon yng nghapel Seilo, ac yno daeth i adnabod Dr E. Morrice Job, mab y bardd a'r emynydd J. T. Job. Nid yw'n syndod felly i Kathryn ddewis trafod emynau J. T. Job mewn seminâr yn y Ganolfan Uwchefrydiau Cymreig a Cheltaidd, ac mae'r papur a gyflwynodd wedi ei gynnwys yn y detholiad hwn (isod, tt.172–93). Mae'n bapur diddorol a chynhwysfawr, sy'n dangos nodweddion ei hysgolheictod ddiweddarach: trylwyredd, gwrthrychedd a chydbwysedd beirn-iadol. Cadwodd ei diddordeb yn emynyddiaeth yr ugeinfed ganrif yn fyw trwy'r blynyddoedd, a hynny er canolbwyntio'n academaidd ar gyfnod cynharach. Yn 2001 cafwyd ganddi drafodaeth dreiddgar ar agweddau ar yr emyn Cymraeg diweddar, a ganolbwyntiodd ar rai o'r emynwyr cyfoes yr oedd eu gwaith wedi'i gyhoeddi yn *Caneuon Ffydd* (isod, tt.194–204). Yma mae'n mynegi gwerthfawrogiad o waith diweddar ac yn ei glymu wrth y traddodiad clasurol, gan dynnu cymariaethau â gwaith Pantycelyn, ond gan nodi'r gwahaniaethau hefyd, a phwysleisio mai traddodiad byw sy'n esblygu yw traddodiad yr emyn. Dengys y drafodaeth hon eto wrthrychedd meddwl nas ceir yn aml mewn trafodaethau ar emynau Cymraeg, lle mae'r maes wedi ei feddiannu i raddau pell gan emynwyr a chantorion, nid gan feirniaid llenyddol.

Dyma yn wir yr allwedd i lwyddiant Kathryn yn y maes a dyna paham mae ei gwaith yn arwyddocaol. Deuai at yr emyn wedi ei harfogi â chefndir o feirniadaeth lenyddol. Roedd wedi astudio'r Gymraeg, ond roedd yn gyfarwydd â llenyddiaeth Saesneg hefyd. Deallai'r hyn oedd wedi ei ysgrifennu yn y maes yn Lloegr a Gogledd America gan ysgolheigion megis J. R. Watson, awdur yr astudiaeth glasurol *The English Hymn* a gyhoeddwyd gan Wasg Prifysgol Rhydychen ym 1997. Fel Watson ac eraill roedd yn gwybod beth oedd canonau beirniadaeth lenyddol, a gallai eu cymhwyso i'w thrafodaeth ar emynau Cymraeg. Ond ochr yn ochr â'i gallu beirniadol a hogwyd trwy flynyddoedd o ddysgu'r Gymraeg a'i llenyddiaeth ar lefel academaidd, cadwodd gydymdeimlad dwfn a didwyll â'r emyn yn ei gynefin cynulleidfaol.

Dyma mae'n debyg arbenigrwydd ei chyfraniad ar emynau Pantycelyn. Mynnai weld Williams nid yn fardd rhamantaidd yn bennaf, ond yn llais y seiadau Methodistaidd. Profiad – ei brofiad ei hun a phrofiadau ei gyd-Fethodistiaid – oedd sylfaen ei ganu. Nid oedd Kathryn wrth reswm yn esgeuluso agweddau eraill ar waith Williams. Cyhoeddodd astudiaethau cyffredinol yn *A Guide to Welsh Literature*[1] ac ym Mwletin Cymdeithas Emynau Prydain ac Iwerddon[2] a oedd yn ceisio ei ddarlunio yn erbyn cefndir ehangach. Rhoddodd sylw – unigryw efallai – i'r merched yng ngwaith Pantycelyn mewn ysgrif ddiddorol a gyhoeddwyd yn rhan o gyfres o astudiaethau ar ferched mewn crefydd.[3] Ond dro ar ôl tro mae'n dychwelyd at ei darlun sylfaenol ohono yn fardd y seiat, a'i idiom a'i ddelweddaeth yn adlewyrchu profiadau seiadwyr ac yn ddrych i brofiadau'r saint drwy'r oesau. Yn anad dim roedd Williams yn fardd yr Ecsodus, yn cymharu pererindod pobl ffydd yn ei gyfnod â phrofiad yr Israeliaid yn croesi o Aifft eu caethiwed i baradwys Canaan:

> Wrth ddisgrifio profiadau'r enaid yn nhermau epig yr Ecsodus, yr oedd Williams yn dweud wrth ei gynulleidfa fod gwaith

rhyfeddol Duw yn eu presennol, sef ffenomen y Diwygiad, yn barhad o waith achubol Duw ac ymwneud Duw â'i bobl yn y gorffennol.

('Motiffau Emynau Pantycelyn', t.144)

Ond pwysleisiai hefyd mai bardd y groes oedd Williams, a bod gwaith achubol Duw trwy aberth Crist yn ganolog i'w ganu:

Prif bwnc yr Efengyl, yn ôl dealltwriaeth Pantycelyn o'r ffydd Gristnogol, yw marwolaeth Crist ar y groes. O amgylch aruthredd yr aberth y try holl gynnwys ei emynau, a'r ymateb i'r waredigaeth a gaed drwy'r aberth honno a rydd iddynt eu cyffro.

('Motiffau Emynau Pantycelyn', t.137)

Yn ogystal, roedd y Beibl, ei iaith a'i ddelweddau, hefyd yn gwbl ganolog i'w ganu, i'r fath raddau fel yr oedd bron yn anadlu iaith yr Ysgrythur. Golygai hyn y gallai fynegi ystod eang profiadau'r credinwyr:

Drwy adael i feddwl a mynegiant yr Ysgrythur siarad drosto fel hyn, drwy fabwysiadu arddulleg neu farddoneg drwyadl feiblaidd, y mae Williams yn goresgyn problem greiddiol y bardd Cristnogol, sef anhawster disgrifio profiad a ddylai fod, yn ôl amodau ystyr, y tu hwnt i fynegiant mewn iaith.

('Williams Pantycelyn a'r Beibl', t.81)

Ond os oedd yn ddiamheuol mai:

Pantycelyn yw tad yr emyn Cymraeg, ar sail maintioli ei gynnyrch, ac ansawdd ei waith gorau

('Williams Pantycelyn yr Emynydd', t.61)

yr oedd Kathryn hefyd yn mynegi ei hamheuaeth a allai mawredd ac amrywiaeth profiadau'r seiadau a fynegodd ef mor ysgytwol fod yn brofiadau dilys i gynulleidfaoedd heddiw:

Am y posibilrwydd y gall fod yn emynydd i ni heddiw, mae'r dyfarniad, ysywaeth, yn agored, oherwydd yr ydym yn enbydus o agos at y diwrnod pryd y bydd *diwedd canu* a *diwedd canmol* ymhlith y Cymry ar ei emynau.

('Williams Pantycelyn yr Emynydd', t.74)

Pantycelyn yn ei fyd ei hun yw Pantycelyn Kathryn, yn fardd y seiadau, ac yn fardd a roddodd lais i'w brofiadau eneidiol cynhyrfus ei hun a phrofiadau ei gyd-seiadwyr yn y ddeunawfed ganrif. Mae'n wir ei fod yn mynegi profiadau oesol y saint, ond mae ei osod fel hyn yn gyson yng nghyd-destun y Diwygiad Methodistaidd yn rhoi hygrededd i'w dadansoddiad o'i waith.

Â Phantycelyn y bu'n ymwneud yn bennaf, a bu ei ddaucan-mlwyddiant ym 1991 yn gyfle euraid iddi draddodi a chyhoeddi arno. Yn y flwyddyn honno cafwyd ganddi gasgliad nodedig o fyfyrdodau ar ei emynau dan y teitl *Anthem Angau Calfari,* a oedd yn pwysleisio ei hawydd i weld cynulleidfaoedd Cymru o hyd yn darllen a gwerthfawrogi gwaith prif emynydd y genedl. Ond ni chyfyngodd ei sylw i Williams. Pan wahoddwyd hi i draddodi Darlith Goffa Syr T. H. Parry-Williams yn Eisteddfod Genedlaethol 1995 trafododd yn feddylgar agwedd dau fardd at farwolaeth, gan gymharu gwaith Robert ap Gwilym Ddu a gwaith Parry-Williams ei hun.[4] Rhoddodd sylw hefyd i gyfoeswr Pantycelyn, Morgan Rhys, yn sgil cyhoeddi argraffiad Gregynog o'i emynau (isod, tt.40–48); ac fel y gwelwyd eisoes, rhoddodd sylw i emynyddiaeth yr ugeinfed ganrif. Ond y mae ei darlith yn Nova Scotia (isod, tt.205–22) yn dangos hefyd ffrwyth myfyrdod nid yn unig ar waith emynwyr ond ar yr emyn yn gyfrwng mawl ac yn fynegiant o ffydd. Y mae cael y dadansoddiad gloyw hwn yn peri inni resynu na chafodd Kathryn fwy o gyfle i gyhoeddi astudiaethau ar y thema bwysig hon. Yn wir, mae tristwch yn cwmpasu'r gyfrol hon ar ei hyd, sef y tristwch o golli gallu mor fawr yn greulon o gynamserol. Serch hynny, mae lle inni lawenhau bod y gwaith a gyflawnodd Kathryn yn tystio'n gadarn i'w hysgolheictod ym maes emynyddiaeth a llenyddiaeth yr emyn ac yn wir i'w ffydd bersonol. Am Bantycelyn dywedodd:

Camp arbennig Pantycelyn oedd iddo ddisgrifio profiad ffydd yn ei amryfal agweddau a'i fynegi'n drydanol a dramatig.

('Ysbrydoledd Pantycelyn', t.123)

Gellir dweud i Kathryn hithau ddisgrifio a dadansoddi profiad a thechneg yr emyn Cymraeg yn ei amryfal agweddau a mynegi ei chasgliadau'n gofiadwy ac yn arhosol.

1 'Williams Pantycelyn' yn Branwen Jarvis (gol.), *A Guide to Welsh Literature c. 1700–1800* (Cardiff, 2000), tt.256–78.
2 ' "Songs of praises" (William Williams and Ann Griffiths)', *Bulletin of the Hymn Society of Great Britain and Ireland* 214 (January 1998), tt.98–109.
3 'Pantycelyn's women – fact and fiction: an assessment' yn John R. Guy, Kathryn Jenkins and Frances Knight (eds.), *Wales, Women and Religion in Historical Perspective (Journal of Welsh Religious History* 7 (1999)), tt.77–94.
4 ' "Angau arfog, miniog mawr": dau fardd, un braw', *Trafodion Anrhydeddus Gymdeithas y Cymmrodorion* 1995, tt.167–83.

Cân y Ffydd*

Mae tri phen i sylwadau rhagarweiniol y drafodaeth hon ar yr emyn Methodistaidd: Gwenallt, Gweinidogaeth, Gwerin.

Yn gyntaf, Gwenallt. Fe ŵyr y cyfarwydd y daw teitl y ddarlith hon o'i soned enwog i Bantycelyn, ac o'r chwechawd anfarwol:

> I wladwyr, a gadwynid wrth y pridd
> Fel ychen wrth y dres, drwy gydol oes,
> Cenaist yn eu tafodiaith, gân y ffydd
> A glywit ar ddigangen bren y Groes,
> A'u codi fry uwch cors a chraig a rhiw
> A'u rhoi wrth fyrddau crwn danteithion Duw.

Doedd dim amheuaeth gan y bardd mai tarddiad awen yr emynydd yw croes Calfaria. 'Canu wrth y groes' a wnaeth Pantycelyn a llawer o'r emynwyr Methodistaidd fel y cawn weld. Y mae rhyfeddod ynghlwm wrth hyn, wrth gwrs, fel yr esboniodd Hugh Bevan yn ei ddehongliad o'r gerdd:

> Pren mawr yw pren digangen, a phren sydd wedi'i docio'n fwriadus gan ddyn ar gyfer y croeshoelio . . . Y pren hwn yn ei farweidd-dra mud a di-ddygyfor, yw tarddiad mwyaf annisgwyl y gân weddnewidiol.[1]

Gwyrth y gân weddnewidiol hon yw cyfoeth ein traddodiad emynyddol Methodistaidd.

Yn ail, Gweinidogaeth. Mae'n bwysig pwysleisio yn y fan hon pa mor weddus yw trafodaeth ar yr emyn Methodistaidd mewn

---

* Darlith a draddodwyd yng Nghymanfa Gyffredinol Eglwys Bresbyteraidd Cymru, 1995. Cyhoeddwyd yn *Cylchgrawn Hanes Cymdeithas Hanes y Methodistiaid Calfinaidd* 20 (1996), tt.5–30.

Cymanfa Gyffredinol a ddug y thema, 'Gweinidogaeth Pobl Dduw'. Fe ddywedwyd yn yr erthygl-hysbys tra effeithiol i'r Gymanfa hon yn *Y Goleuad*:

> . . . fod pob un o'n haelodau, lleyg ac ordeiniedig, dynion a merched o bob oedran, gan gynnwys plant a phobl ifanc, yn bobl i Dduw, ac â rhan hanfodol bwysig i'w chwarae yn ei weinidogaeth.

Mae'r emyn mor gyffredinol a chatholig â gweinidogaeth pobl Dduw. Ers dyddiau'r Diwygiad Methodistaidd, bu'r emyn ym meddiant gwryw a benyw, hen ac ifanc yn ddi-wahân, ac yn rhan anhepgorol werthfawr o'n haddoliad cyhoeddus fel enwad. Fel y dywedodd Thomas Charles:

> Y mae dawn prydyddiaeth ymhob oes wedi bod yn rhodd ardderchog a defnyddiol iawn, er gogoniant Duw a diddanwch ei eglwys.[2]

Ac yn drydydd, Gwerin. Yn soned enwog Gwenallt, ar gyfer 'gwladwyr a gadwynid wrth y pridd' y canai Pantycelyn gân y ffydd. I gychwyn, anelid yr emynau at y werin, ac yn aml iawn hefyd yr oeddynt wedi eu cyfansoddi gan werinwyr o feirdd gwlad. Yn naturiol, effeithiodd hyn yn ddirfawr ar fywyd cefn gwlad Cymru yn sir Gaerfyrddin, yn sir Aberteifi, yn sir Frycheiniog i gychwyn, ac wedyn i'r Gogledd ar ôl Diwygiad Mawr Llangeitho ym 1762. Wele dystiolaeth Pantycelyn am hyn yn ei gampwaith rhyddiaith, *Drws y Society Profiad*, 1777:

> Yn awr fe gyfnewidiodd y dôn trwy ein holl ardal; yn lle chwarae ar y Sabath, dawnsio, tyngu, rhegi, cablu enw Duw, canu caniadau ofer, gwag siarad, holi hanesion, hela chwedlau, dweud celwyddau ac erlid y saint, yn lle hyn meddaf, daeth bugeiliaid i ganu hymnau ar hyd pen y glennydd, yr aradwr a'r geilwad yn fynych yn ymbyncio mewn salmau ac odlau ysbrydol ar hyd y meysydd . . .[3]

Rhoddwyd i werin gyffredin leferydd a thafod ar gyfer holl gymhlethdodau eu profiadau o Dduw, a bu Cymru gyfan yn atseinio yn sŵn y moliant.

Hoffwn sôn yn awr am ddatblygiad emynyddiaeth ym mlynyddoedd cyntaf Methodistiaeth. Ar y cychwyn nid emynau a genid yn y seiadau a'r cyfarfodydd ond salmau. Cyn canol y ddeunawfed ganrif 'doedd fawr o draddodiad emynyddol yng Nghymru. Mae'n wir y cafwyd salmau cân Edmwnd Prys ym 1621, ac ar hyd yr ail ganrif ar bymtheg cynhyrchodd yr hen Ymneilltuwyr benillion defosiynol ac ambell emyn ar gyfer sacrament Swper yr Arglwydd. Yn sicr, nid oedd dim yn y traddodiad hwnnw a fyddai'n addas i ddiwallu awydd anniwall y Methodistiaid am ddeunydd cân i'w profiadau angerddol newydd. Rhaid cydnabod mai'n ddigon araf y cychwynnodd y diwydiant emynyddol Methodistaidd – a diwydiant ydoedd, oblegid fe lifodd casgliadau bychain o emynau yn gyson o weisg yng Nghaerfyrddin, Llanymddyfri, Aberhonddu a Bryste o ganol pedwardegau'r ddeunawfed ganrif ymlaen.

Heblaw am ddwy lawysgrif amheuthun o werthfawr a adwaenir fel Ysgriflyfr Llangeitho ac Ysgriflyfr Pantycelyn (ac a gynnwys emynau gan yr arweinwyr yn eu llawysgrifen eu hunain), y cyhoeddiad emynyddol cyntaf o bwys ar ddechrau'r Diwygiad Methodistaidd oedd *Llyfr o Hymnau o Waith Amryw Awdwyr* a argraffwyd gan Nicholas Thomas yng Nghaerfyrddin ym 1740. Ymhlith yr awduron, cafwyd emynau gan Griffith Jones, Llanddowror a Howel Harris. Er mai dim ond tri ar ddeg o emynau a gafwyd yn y pamffledyn un tudalen ar bymtheg hwn, dywed pob tystiolaeth iddo gael croeso brwd gan y seiadwyr.

Ymddangosodd y cyhoeddiad nesaf o bwys ym 1742 ac yn fuan ar ôl y Sasiwn yn Llwynyberllan ar 11 Chwefror. Cydweithiodd Daniel Rowland a Howel Harris i ddwyn allan gyfaddasiad o waith Josiah Woodward, dan y pennawd *Sail, Dibenion a Rheolau'r Societies* . . . Mae cynnwys y pedwar tudalen ar hugain yn driw i'w teitl, ac at ddiwedd y gyfrol atodwyd pedwar o 'hymnau duwiol' gan Howel Harris, Daniel Rowland, Morgan Jones a Herbert Jenkins. Yr oedd y ddau awdur diwethaf hyn ymhlith y lleng o arwyr anadnabyddus Methodistiaeth fore. Yn ôl pob tebyg un o bobl Howel Harris oedd Morgan Jones. Y mae cryn ddiddordeb a phwysigrwydd i emyn Herbert Jenkins sy'n dechrau:

Rhaid, rhaid
i Grist deyrnasu yn ddibaid.

Y mesur yw 2.88.888. (sef mesur yr emyn adnabyddus, 'Braint, braint/Yw cael cymdeithas gyda'r saint'). Yr oedd y mesur hwn yn newydd i'r Gymraeg ym 1742, a chredaf mai dyma'r enghraifft brintiedig gynharaf ohono. Mae emyn Daniel Rowland yn y casgliad bychan hwn hefyd yn ddiddorol odiaeth ac yn arddangos cryn aeddfedrwydd. Hoffwn bwysleisio mai Rowland oedd piau'r canu yn y cyfnod hwn ac fe ganai emynau nodweddiadol o'r adeg fore hon o'r Diwygiad, ac fe anelid rhai ohonynt yn benodol at y seiadau, megis *Hymnau Duwiol*, 1744, *I'w canu mewn cymdeithasau crefyddol* . . . Ar y mesur salm y mae ei emyn 'Hymn y Pererinion' yn *Sail, Dibenion, Rheolau*. Efallai mai dyma'r darlun mwyaf llywodraethol ac amlwg ohonynt i gyd a geid yng nghân y ffydd am ddwy ganrif: taith y pererin trwy Aifft ei bechod, ac anialwch y byd hwn, i ogoniannau a phleserau gwlad yr Addewid:

> Ffarwel, dwyllodrus fyd, ffarwel,
> I Ganaan gwêl ni'n myned,
> Trafaelu yr ŷm, trafaelu a wnawn
> At Dduw, ni gawn ei weled.

Bellach yr oedd y llwyfan wedi'i osod ar gyfer un o'r gyrfaoedd llenyddol gwerthfawrocaf erioed.

Yn ôl y chwedl adnabyddus fe lansiwyd gyrfa prifardd a phencerdd y Diwygiad Methodistaidd mewn Sasiwn, gyda datganiad optimistaidd a llawen Howel Harris, "Williams piau'r canu!". Heb unrhyw amheuaeth William Williams Pantycelyn yw tad yr emyn cynulleidfaol Cymraeg, oherwydd maint ei gynnyrch ac ansawdd ei waith gorau. Amhosibl, fodd bynnag, yw ysgaru ei ran fel un o arweinwyr amlycaf y Methodistiaid oddi wrth ei swyddogaeth fel emynydd eneiniedig ei bobl. Hynny yw, yr oedd y llenyddol bob amser ynghlwm wrth y pragmatig, ac y mae'n bosibl trwy ei waith i olrhain datblygiadau'r mudiad Methodistaidd. Fe welwn hyn o'r cychwyn cyntaf yn ei yrfa. Yn y Sasiwn a gynhaliwyd yn Nhrefeca ar 27 Mehefin 1744, anfonwyd Williams at gylch o seiadau yng Ngogledd Aberteifi. (Bu'n gweithio'n amser llawn dros y mudiad o leiaf er Sasiwn y Watfford y flwyddyn flaenorol). Anfonodd ei adroddiad cyntaf ar weithgareddau'r seiadau at y Sasiwn a gyfarfu, yn Nhrefeca unwaith eto, ar 23 Hydref yr un flwyddyn. Dyma gychwyn gwaith cyhoeddus Pantycelyn yn y seiat a'r sasiwn, eithr 'roedd deimensiwn ychwanegol i'w weithgarwch ef. Yn ogystal â'r seiat a'r sasiwn, rhagordeiniwyd Pantycelyn i weithio oriau hirfaith yn ei stydi, a gwelwn y cyfan yn dod at ei gilydd ym misoedd yr haf 1744 rhwng y ddwy Sasiwn a gynhaliwyd yn Nhrefeca. Oddeutu canol neu ddiwedd Medi'r flwyddyn honno, fe ymddangosodd emynau cyhoeddedig cyntaf Pantycelyn. Seinir nodyn amlwg o fawl yn nheitl y casgliad: *Aleluja, neu, Casgliad o Hymnau ar amryw ystyriaethau* . . . Argraffwyd y gyfrol fach hon gan Samuel Lewis yng Nghaerfyrddin, a'i gwerthu am geiniog. Nid oedd unrhyw amheuaeth ym meddwl Gomer Morgan Roberts mai'r cyhoeddiad hwn oedd 'digwyddiad llenyddol pwysicaf y ddeunawfed ganrif'.[4] Er distadled ei wedd a theneued ei drwch fe gynhwysai flaenffrwyth awen Pantycelyn. Fe gafwyd naw o emynau yn y gyfrol. Yr unig ddau sydd yn ein *Llyfr Emynau* erbyn heddiw yw'r pumed a'r seithfed (439, 539). Y seithfed yw emyn 539:

> Iesu 'Mrenin mawr a'm Priod;
> Bydd wrth Raid, immi'n Blaid
> I orchfygu Pechod.

O gymharu â gwaith mwy aeddfed Pantycelyn – yr emynau godidog a ymddangosodd ar ôl Diwygiad Llangeitho, 1762 – mae'n amlwg mai gwaith prentis o brifardd a geir yn *Aleluja,* 1744. Yn llenyddol mae'r emynau'n cynnwys y saith pechod marwol, beiau megis acennu geiriau dibwys a chorfannu'n anghywir. Ni throes Pantycelyn yr amatur eto yn Bantycelyn yr artist. Er hynny, nid oes unrhyw amheuaeth am wreiddioldeb ac angerdd y llais a lefara hyd yn oed yn yr emynau cynnar hyn. Wele bennill o'r pumed emyn (439):

> Yn Nglynn Gwylofain drist
> Lle bu fy NGHRIST 'rw'i'n byw,
> Ac wrth ryfela a'm Gelyn caeth,
> Fy Nghalon aeth yn friw:

Iacha bob Clwyf a Brath
A Dail y bywiol Bren –
Yn Salem fry par'to fy Lle,
Mewn Llys o fewn i'r Llen.

Yr emynydd ei hunan sydd ar ganol y ddrama a'r *trauma* a ddisgrifir yma, ac fe geir gwahoddiad i'r darllenydd neu'r cantor i ddirnad a phrofi'r trobwll mawr o deimladau a ffurfia angerdd ac eithafrwydd y profiad.

Mae'n rhyfedd meddwl fod y dyn ifanc hwn (a oedd yn saith ar hugain mlwydd oed ym 1744), eisoes â'i fryd mor arallfydol. Ond er i Williams dreulio llawer iawn o'i amser, yn brofiadol, y tu hwnt i'r llen, mewn materion ymarferol 'roedd ei draed yn gadarn ar y ddaear. Gyferbyn ag emyn cyntaf *Aleluja,* 1744, ceir hysbysiad fod yr ail ran ar fin dod o'r wasg, fod:

Casgliad arall o Hymnau, (O's caniata Duw), I ganlyn mor gynted ag yr elo hwn ymmaith, neu yn gynt, yn yr un Faintiolaeth . . .

Bu'n rhaid i Bantycelyn ildio droeon fel hyn yn ystod ei yrfa i ffenomen mor fydol â grymusterau'r farchnad. Ac fe wnaeth yr ail ran o *Aleluja* ymddangos ym 1745. Rhaid i ni gofio mai'r pamffledi bychain hyn o emynau – a gweithiau eraill Pantycelyn – oedd "bestsellers" eu cyfnod. Adroddir i dros fil dau gant o gopïau o *Môr o Wydr* gael eu gwerthu mewn byr amser adeg Diwygiad Llangeitho, 1762. Bu galw cyson ar Bantycelyn i gynhyrchu deunydd newydd ac ail-argraffu ffefrynnau'i gynulleidfa. Er enghraifft, bu'n rhaid iddo gyfaddef ar ddiwedd rhan gyntaf y gyfrol *Ffarwel Weledig* ym 1763 na fedrai sgrifennu rhagor oherwydd iddo redeg allan o fesurau i ganu arnynt:

. . . aros yr wyf i gael amryw fesurau newyddion oddi wrth y Saeson, fel na bo'r Cymry yn fyrr o'u braint hwy mewn dim i foli Duw ag a wnaeth cymaint trosom ni a hwythau.[5]

A meddyliwch am ddawn a stamina'r Methodistiaid cynnar hyn yn galw am ailargraffiad o *Theomemphus* ym 1781: 'does dim rhyfedd i ryw naw deg o gyhoeddiadau yn dwyn enw Pantycelyn ddod o'r wasg yn ystod ei oes.

Dyna, felly, beth o hinsawdd ac amgylchiadau cyhoeddi'r emynau Methodistaidd cyntaf. Mae'n werth pwysleisio eto fod emynyddiaeth Fethodistaidd yn ffurfio corff anferth o waith, a bod ei datblygiad o ganol y ddeunawfed ganrif hyd heddiw yn adlewyrchu cyfnewidiadau mewn diwinyddiaeth a diwylliant yn ogystal â hanes yr Hen Gorff. Awn ymlaen â'r drafodaeth drwy edrych ar ddirnadaeth yr emynwyr o'r Efengyl a'r profiad a oedd yn sylfaen i'w canu.

Fe gofiwch i Gwenallt yn ei soned ddweud wrthym mai pren y groes oedd tarddle awen 'cân y ffydd' Pantycelyn. Ac yr oedd yn gwbl gywir. I'r Methodistiaid cynnar croes Calfaria oedd canolbwynt yr Efengyl. Gellir gweld hyn yn eglur iawn yn y gerdd epig, *Theomemphus*. Argraffwyd y gwaith am y tro cyntaf ym 1764 ac effeithiau Diwygiad Mawr Llangeitho yn amlwg dros y wlad o hyd. Mae'n gerdd hir sy'n croniclo pererindod ysbrydol ei harwr. Yn y bumed bennod fe gawn bregeth Efangelius (a gynrychiola Daniel Rowland yn ôl pob tebyg). Wrth y groes y mae'r pregethwr ar hyd yr amser, ac yn enwedig wrth egluro canolbwynt ffydd:

> 'R Efengyl wy'n bregethu, nid yw hi ddim ond hyn,
> Mynegi'r weithred ryfedd wnawd ar Galfaria fryn;
> Cyhoeddi'r addewidion, cyhoeddi'r marwol glwy',
> A diwedd llygredigaeth i'r sawl a gredo mwy.[6]

Craidd a chalon yr Efengyl yng ngolwg y genhedlaeth gyntaf o Fethodistiaid oedd marw Crist ar y groes, a'r angen ar i'r sawl a fynn feddiannu bywyd llawn ynddo ei gofleidio'n Waredwr.

Prin bod eisiau pwysleisio'r lle llywodraethol fu gan Grist a'i groes ym mhregethu, diwinydda a llenydda'r Methodistiaid. Seriwyd arwyddocâd y groes ar galon William Williams Pantycelyn o'r bore bythgofiadwy hwnnw ym mynwent eglwys Talgarth. Flynyddoedd wedyn, ym marwnad Howel Harris ym 1773 (argraffwyd gan Evan Evans yn Aberhonddu), disgrifiodd Pantycelyn beth o gynnwys y bregeth a'i hargyhoeddodd:

Y mae'r iachawdwriaeth rasol
Yn cael ei rhoddi ma's ar led
Ag sy'n cymmell mil i'w charu
Ac i roddi ynddi eu cred.

Haeddiant Iesu yw ei araith
Cysur enaid a'i iachad
Ac euogrwydd dua pechod
Wedi'i gannu yn y gwa'd.

Gwnaeth Pantycelyn ganu i Grist a'i groes yn ganolbwynt ei strategaeth emynyddol. Ei lwyddiant diamheuol fel emynydd yw iddo droi ei adnabyddiaeth a'i ryfeddod at ddirgelwch person a gwaith Crist yn fawl effeithiol cynhwysfawr. Canlyniad canfod cariad y groes yw'r rhan fwyaf o'i emynau, ac y mae drama'r canfyddiad yn fythol bresennol, a'r Crist croeshoeliedig o flaen y credadun i ennyn ymateb ffydd. Daeth Pantycelyn wyneb yn wyneb megis â Christ, a phrofi o faddeuant a chariad y groes yn angerddol yn ei enaid ei hun. Yn ei waith ef, a'r emynwyr Methodistaidd eraill, fe gafwyd am y tro cyntaf yn hanes llenyddiaeth Gymraeg fynegiant o angerdd a sicrwydd ymollwng i afael achubiaeth Grist-ganolog hollol anghymharol. Fel y ceisiais egluro cyn hyn, awen eithafol yr anghymarol oedd awen Pantycelyn, a llawer o'n hemynwyr eraill:

O na chawn ddifyrru nyddiau
Llwythog tan dy ddwyfol groes!
A phob meddwl wedi ei glymu
Wrth dy berson ddydd a nos.
Byw bob munud
Mewn tangnefedd pur a hedd.

Yma cawn Pantycelyn yn asio pinaclau profiad erfyniol a hiraethlon â chrefft ystwyth i'w rhyfeddu. Dyna brif nodwedd ei emynau aeddfed, emynau'r *Môr o Wydr* (a gyhoeddwyd tua adeg Diwygiad Llangeitho), *Ffarwel Weledig* (a ddaeth allan yn dair rhan, 1763, 1766 a 1769) a *Gloria in Excelsis* 1771 a 1772. Cawn yn y cyfrolau hyn fynegiant cyffredinol disglair a godidog o brofiad trydanol yr emynydd o'r gwahanol gyflyrau o euogrwydd a maddeuant,

anobaith a gobaith, caethiwed, rhyddid – a phob un ohonynt yn cael
eu profi gerbron y groes:

> ARGLWYDD rhaid i mi gael bywyd,
>   Mae fy meiau yn rhy fawr,
> Fy euogrwydd sydd yn gydbwys
>   A mynyddau mwya'r llawr;
> Rhad faddeuant gwawria bellach,
>   Gwna garcharor caeth yn rhydd;
> Fu'n ymdreiglo mewn tywyllwch
>   Nawr i weled goleu'r dydd.

Mae pechod yn faich aruthrol, ond y mae dioddefaint cariad Duw ar
y groes yn ei wrthbwyso. Cyn cael ein llyncu ymhellach am y
tro i ganol drama profiad trydanol-danbaid William Williams
Pantycelyn, fe ddylid nodi na fu'r canu unigolyddol yma, y canu am
y gwaed a'r groes a'r clwyfau, ddim wrth fodd calon pawb. Mae'n
hysbys ddigon y bu gan Fethodistiaeth ei gwrthwynebwyr.
Erlidiwyd llawer o'r seiadwyr a'r pregethwyr cynnar ar sail eu
brwdfrydedd cyhoeddus a'u hymhyfrydu yng nghroes Crist. Gellir
synhwyro bod rhai o'r enwadau eraill yn eiddigeddus o awen
gynhyrchiol y beirdd Methodistaidd, a bu eraill yn lladd ar hanfod
eu cân gan boeri gwatwar. Prin y bu neb yn fwy cïaidd tuag at y
Methodistiaid na Iolo Morganwg. Yn ddiweddar, fe gyhoeddwyd
astudiaeth ddisglair hollgynhwysfawr yr Athro Ceri W. Lewis o
fywyd a gwaith yr Undodwr a'r enigma hwn. Fe geir adran yn yr
astudiaeth sy'n ymwneud ag emynau Iolo, ac fe lwyddodd ef i
gynhyrchu dros dair mil ohonynt. Yn debyg i Bantycelyn fe gredai
mewn gosod rhagymadrodd i'w gasgliadau emynau ac ynddynt fe
gymer y cyfle i ladd ar ei wrthwynebwyr. Clywch e'n cystwyo'r
Methodistiaid yn ei ragymadrodd i *Salmau yr Eglwys yn yr
Anialwch,* a gyhoeddwyd gyntaf ym 1812:

> . . . [caf] ragfarn yr anffaeledigion yn daer i'm herbyn, neu yn
> hytrach i'm brâd-ergydio drach fy nghefn . . . Gwir yw, ni chânt
> ddim yn fy ngwaith a debyga yn y mesur lleiaf i'r cyfryw
> ynfydrwydd gau-grefyddgar â bloeddio *Bryn Calfaria!* gann ei
> wneuthur (agos, os nid yn gwbl), yn wrthddrych eu heilun-
> addoliad.[7]

Efallai ei bod yn werth pwysleisio nad dyma'r unig dro i'r Undodiaid boeri gwatwar ar ein hemynwyr. Mewn erthyglau yn *Yr Ymofynydd* ganol y ganrif ddiwethaf, fe gyfenwodd Gwilym Marles, tad Undodiaeth fodern, yr emynwyr Methodistaidd yn 'sensation writers o'r fath waelaf', ac amau dilysrwydd awen Williams Pantycelyn:

> . . . mae weithiau mor dda, weithiau mor anoddefol o wael, a phrydiau eraill dros ben mesur o ysmala.[8]

Dyna gipolwg ar y gwrthwynebiad i 'Cân y Ffydd' a gafwyd o un cyfeiriad. Fe fu llawer eraill, wrth gwrs, yn collfarnu'r 'caniadau am farwol glwy', megis y Bedyddiwr, J. R. Jones, Ramoth yn cyfeirio at y 'fi fawr Fethodistaidd' ym 1814.

Hoffwn yn awr drafod gwaith eraill o'n hemynwyr heblaw Pantycelyn, a thraethu ar rai o nodweddion yr emyn.

Dau fardd hoffus iawn i mi yw 'Cryddion Caeo', y ddau frawd John a Morgan Dafydd. Yr oedd y rhain yn werinwyr anghymhleth go iawn, ac yn ffyddloniaid ac yn gynheiliaid yr achos Methodistaidd yn eu bro. Tenau yw'r dystiolaeth am eu bywyd, eithr gwyddys iddynt fod yn gyfeillion i Bantycelyn. Cynhwysodd Pantycelyn nifer o'u hemynau hwy yn ei gasgliad bore yntau, pan oedd ef yn methu â chyflenwi'r gwanc am ganeuon mawl ymhlith y seiadwyr.[9] Nodweddir gwaith y ddau frawd o Gaeo gan ffresni ac uniongyrchedd y bardd gwlad. Defnyddiant ddyfeisiau a arddelid gynt gan y baledwyr, a llwytho eu gwaith ag odlau a chyflythreniad er cynorthwyo cof y cantorion i ddysgu'r emynau. Clywch John Dafydd yn ei emyn mwyaf adnabyddus:

> Newyddion *braf* a ddaeth i'n *bro,*
> Hwy haeddant *g*ael eu dwyn ar *go*' –
> Mae'r Iesu wedi cario'r *dydd,*
> Caiff carcharorion fynd yn *rhydd.*

Ar lafar, wrth gwrs, y cludid y rhan fwyaf o'r newyddion yn y cyfnod hwn, a newyddion braf yn wir i drigolion cefn gwlad Sir Gâr oedd medru cyhoeddi bod Un yn drech na phob amgylchiad. Mae gwaith Morgan Dafydd yr un mor uniongyrchol o orfoleddus:

Yr Iesu'n ddi-lai
A'm gwared o'm gwae;
Achubodd fy mywyd
Maddeuodd fy mai;
Fe'm golchodd yn rhad,
Do'n wir, yn ei waed,
Gan selio fy mhardwn
Rhoes imi ryddhad.

Mae'r ddrama amlwg sy ynghlwm wrth y profiad o waredigaeth yn fyw iawn yma. Bron na welwn yr emynydd yn datgan ei emynau ar goedd ar ffurf adroddiad. Mae'n rhaid bod y math hwn o ganu wedi apelio'n ddirfawr at y dychweledigion. Ac er na fyddai'r beirniad llên yn cymeradwyo gwaith Morgan Dafydd fel llên aruchel, y mae'n rhan werthfawr tu hwnt o ddiwylliant gwerinol y ddeunawfed ganrif ac yn adlewyrchiad o ddidwylledd syml gwerinwr cyffredin.

Fe gafwyd, wrth gwrs, feirdd mwy soffistigedig a diwinyddion mwy craff na brodyr Caeo ymhlith y genhedlaeth gyntaf o Fethodistiaid. Un o'r gwerthfawrocaf o'r rhain oedd Morgan Rhys (1716–79).[10] Yn chwedegau'r ganrif y dechreuodd ef gyhoeddi'n sylweddol: yr oedd, felly, yn rhan o hinsawdd y pentecost a ysgubodd trwy'r wlad adeg Diwygiad Mawr Llangeitho. Ym 1764 cyhoeddodd *Golwg o Ben Nebo ar Wlad yr Addewid* (a argraffwyd gan Rhys Thomas yng Nghaerfyrddin), yn cynnwys saith deg a phedwar o emynau, sef dwbl y cyfanswm o'i waith a welwyd cyn hynny. Ceir yr un ffresni didwyll yng ngwaith yr emynydd hwn ag yng ngwaith y brodyr o Gaeo. Os ydym am ddeall hanfod profiad ysbrydol Morgan Rhys, gallwn graffu ar ei eiriau mewn llythyr at ei gyfaill John Thomas, Tre-main, a sgrifennwyd tua 1757/8:

... frawd annwyl, mae arnaf chwant byw mwyach i'r hwn fu farw yn fy lle, cyn fy mod, o gariad nid oes mesur arno.

Ie, bardd mawr yr Arfaeth yw Morgan Rhys, yn mynegi'i fawl a'i ddiolch a'i ryfeddod at ddatguddiad Duw yng Nghrist a'i gariad aberthol: 'rhyfeddod a bery'n ddiddarfod' yw'r cyfan iddo. Gall arddangos uniongyrchedd y bardd gwlad yn gwahodd 'hen wrthgilwyr trist' yn ôl at Iesu, eithr nid yn y presennol y mae ei brif ddiddordeb, ond yn y tragwyddoldeb mawr a oedd yn bod cyn amser, ac a fydd ar ôl amser:

> Fyth, fyth rhyfedda'r cariad yn nhragwyddoldeb pell,
> A drefnodd yn yr arfaeth im etifeddiaeth well;
> Na'r ddaear a'i thrysorau a'i brau bleserau ynghyd,
> Fy nghyfoeth mawr ni dderfydd yw'm Iesu Prynwr byd.

Efallai ei bod yn werth nodi yma na wnaeth neb ddioddef yn fwy na Morgan Rhys gan ysfa golygyddion ein llyfrau emynau enwadol i safoni ieithwedd ac orgraff ac i osod penillion at ei gilydd yr oeddynt hwy'n eu barnu'n unedau cyfain. Er iddynt gymhennu llawer ar gerddi gwreiddiol yr emynydd, rhaid cydnabod o hyd bod Morgan Rhys yn grefftwr o fardd yn traethu am dragwyddol gariad Duw yn trefnu ffordd i wared euog ddyn:

> Gwerthfawr drysor
> Yn y preseb Iesu a ga'd.

Rhaid i ni beidio anghofio am ei bennill enwocaf ychwaith:

> Gwnes addunedau fil
> I gadw'r llwybr cul
>   Ond ffaelu 'rwy;
> Preswylydd mawr y berth
> Chwanega eto'm nerth
> I ddringo'r creigydd serth
>   Heb flino mwy.

Gwelwn yma eto y cyferbyniadau sy'n rhan hanfodol o'r gân weddnewidiol: yn ei wendid pwysa'r emynydd ar nerth Duw, allan o'r dyfnder dymuna ddringo i'r ucheldir, ac yn ei ludded ymbilia am adnewyddiad.

Wrth ddisgrifio gwaith Williams Pantycelyn a Morgan Rhys yr ydym wedi disgrifio rhan fawr o'r *Llyfr Emynau*. Rhan fach iawn o'r un llyfr yw gwaith Ann Griffiths oblegid rhyw ddeg ar hugain o emynau'n dwyn ei henw yw'r cyfanswm a feddwn. Ac eto, y mae hon yn ffenomen ac yn enigma a gaiff sylw gan feirniaid ym mhedwar ban y byd. Sut allai merch fferm na symudodd fawr allan o'i milltir sgwâr, Dolwar Fach, plwyf Llanfihangel-yng-Ngwynfa, feddu ar y

fath brofiad unigryw, tanbaid, a'r fath ddealltwriaeth o bennaf
ddirgelion y ffydd Gristnogol? Sut yr enillodd ei gwaith y fath le yn
ein calonnau a'n treftadaeth a hithau heb erioed ysgrifennu dim oll
i lawr nac ychwaith gyhoeddi dim yn ystod ei hoes? Thomas Charles
a barodd argraffu'i gwaith am y tro cyntaf, ryw flwyddyn ar ôl ei
marw, ac yn ei ragair i *Casgliad o Hymnau* (Y Bala, 1806), dywed
hyn am ei gwaith:

> Maent [ei hemynau] yn dangos ehediadau cryfion, a golygiadau
> ar Berson Crist a'i aberth, sydd oruchel a thra gogoneddus.
> Wedi gorffen er ys dyddiau â'i thaith drafferthus yma; mae, heb
> le i amau gan neb oedd yn ei hadnabod, gyda y dorf orfoleddus
> fry, yn syllu ar y Person a garodd ac y canodd amdano mor
> hyfryd . . . Nid goleuni heb wres yw ei oleuni: nid syniad
> cnawdol am Grist, heb barch mwyaf goruchel iddo, mae yn ei
> genhedlu, ond y mae ei oleuni yn dysgu pechadur i adnabod
> Crist yn gywir, yn ôl tystiolaeth y gair amdano; a hefyd yn
> llenwi y meddwl a'r cariad a'r parch mwyaf iddo.

Person Crist yw canolbwynt profiad Ann Griffiths, felly, eithr fe
glywir yma dinc o *apologia* yn sylwadau Thomas Charles. Bu
cwestiynu ym meddwl beirniaid o bob math ers marw Ann Griffiths
ai cyfrinydd niwrotig ydoedd ynteu Calfinydd greddfol yn gosod ar
gân y modd y lloriwyd hi gan frys ac argyfwng y profiad o gywir
garu'r Cyfryngwr. Ei disgrifio fel Calfinydd yn hytrach na
Chyfrinydd a wnaeth ei thiwtor diwinyddol John Hughes,
Pontrobert, yr hwn y cyfeirir ato fel 'Garedig frawd a thad yn yr
Arglwydd' yn yr ohebiaeth a fu rhyngddynt. Ceir ei sylwadau
amheuthun o werthfawr yn yr ail gyfrol o'r *Traethodydd* yn 1846:

> . . . hi a gafodd y fath amlygiadau ysbrydol o ogoniant person
> Crist, gwerth ei aberth, grym ei eiriolaeth, anchwiliadwy olud
> ei ras, a chyflawnder yr iachawdwriaeth gogyfer â'r pennaf o
> bechaduriaid, ag a barai iddi dorri allan mewn gorfoledd
> cyhoeddus.

Bellach, gall Ann lefaru drosti ei hunan:

Diolch byth a chan mil Diolch
Diolch tra bo ynwi chwith
Am fod gwrthrych i'w addoli
A thestun cân i bara byth
Yn fy natur wedi ei Demptio
Fel y gwaela o ddynolryw
Yn ddyn bach yn wan yn ddinerth
Yr anfeidrol wir a bywiol Dduw.

Y ddiwinyddiaeth uniongred Galfinaidd am berson Crist a geir yn y pennill hwn, ac er y ceir ymadroddi cyfriniol yng ngwaith yr emynyddes, megis 'cusanu'r Mab i dragwyddoldeb' a'r cylch o ddelweddaeth o Ganiad Solomon ynghylch y priodfab a'r briodasferch, ymwybyddiaeth lywodraethol ei gwaith yw ei phechadurusrwydd, a'i chollineb, a'i hangen dybryd am Gyfryngwr:

Pechadur aflan yw fy enw
O ba rai y penna'n fyw
Rhyfeddaf fyth fe drefnwyd pabell
I'm gael yn dawel gwrdd a Duw
Yno y mae'n llond ei gyfraith
I'r troseddwr yn rhoi gwledd
Duw a dyn yn gwaeddu Digon
Yn yr Iesu'r Aberth Hedd.

Gyda chyfeiriadaeth y pennill, fe gawn ein llusgo i mewn i ddrama fawr yr Hen Destament a chanrifoedd o *Heilsgeschichte*, hanes gweithredoedd achubol Duw.

Hyd yma yr ydym wedi bwrw golwg dros ryw drigain mlynedd o weithgarwch emynyddol Methodistaidd, o'r ymdrechion bore i roi yng ngenau'r seiadwyr cynnar ganeuon o fawl, i yrfa lenyddol doreithiog odidog Pantycelyn, i gynnyrch gwerinol a nodweddiadol emynwyr Sir Gâr, cyn traethu ychydig ar waith yr emynyddes o Ddolwar Fach. Buwyd yn sôn gan mwyaf am eu cefndir a hanfod eu profiadau. Nid amhriodol fyddai ceisio dehongli a dadansoddi nodweddion 'cân y ffydd'[11] – ac wrth wneud hynny cawn wybod beth oedd Methodistiaeth a chyfeirio at sbectrwm ehangach o waith y beirdd.

Un o nodweddion cyson yr emynwyr Methodistaidd yw eithafrwydd taer eu canu. Arwydd o hyn yw'r defnydd mynych o'r ebychiad 'O!', ac fe geir cryn gyfanswm ohonynt yn y *Llyfr Emynau*. Yn bur gyson fe ddilynir y rhain gan ddatganiad eithafol. Fel yng ngwaith David Charles, Iau (1803–80) a oedd tua ugain oed ym 1823 pan ganodd ei glod:

O na foed tafod dan y rhod
Yn ddistaw am dy waith
Minnau mynegaf hyd fy medd
Dy holl ddaioni maith.

Fe geir yma ymdrech i gwmpasu'r cyfan o'i brofiad gorfoleddus ef o Dduw'r Creawdwr. Un motiff Methodistaidd nodweddiadol eithafol arall yw 'neb ond efe' neu 'dim ond Iesu'. Gwelir hyn yn emyn poblogaidd William Edwards (1773–1853), cynorthwy-ydd i Thomas Charles, gwehydd a blaenor yn y Bala. Dywed nad oes neb yn debyg i'r Iesu, ac ehanga ar ei ddatganiad:

'Does dim yn gwir ddifyrru foes
Helbulus yn y byd
Ond golwg mynych ar y groes
Lle talwyd Iawn mewn pryd.

Cyhoeddwyd yr emyn yn y gyfrol fach *Ychydig Hymnau* ym 1818. Profiad eithafol arall yn yr emynau Methodistaidd, ac un a etifeddwyd oddi wrth y Piwritaniaid, yw'r ymwybyddiaeth mai'r emynydd, neu gantor yr emyn, yw'r pechadur pennaf sy'n bod. Gwelsom eisoes i Ann Griffiths yn ei hangerdd ddisgrifio'i hunan yn y ffordd hon:

Pechadur aflan yw fy enw
O ba rai y penna'n fyw.

Ac fe geir lliaws o gyfeiriadau yn yr emynau at y 'pechadur dua' gaed', ac yn y blaen. Canodd y cynghorwr a'r bardd o Lansannan, Edward Parry (1723–86) am y ffynnon a darddodd o ystlys y croeshoeliedig:

Caned nef a daear lawr
Fe gaed ffynnon
I olchi'r pechaduriaid mawr
Yn glaer wynion.

Ceir pwyslais yma eto ar y gweddnewid sy'n hanfod y profiad
Cristnogol ond clywch hefyd yr eithafrwydd:

Hon yw'r ffynnon sy'n glanhau
Yr aflana'
Yn dragywydd mae'n parhau
Haleliwia.

Yn deillio o'r nodwedd gyntaf hon ar yr emyn Methodistaidd, sef yr
eithafrwydd taer, y mae'r ail nodwedd, yr ymdeimlad cyson o
annigonolrwydd yr awen farddonol – na ellir mynegi mewn iaith y
fath waredigaeth a ddaeth i'r credadun. Mae Pantycelyn yn
drawiadol o uniongyrchol, fel arfer:

Ac ni allai'i fyth fynegu
Pe anturiwn, tra fawn byw,
Pa mor hyfryd, pa mor felus,
Pa mor gryf ei gariad yw;
Fflam ddiderfyn,
Ddaeth o ganol nef i lawr.

Mynegodd eraill hefyd, beirdd mwy crefftus na Phantycelyn, yr
anallu awenyddol hwn. Meddyliwch am un o arweinwyr
Methodistiaeth y Gogledd yn y ganrif ddiwethaf, gweinidog
Bethesda'r Wyddgrug, y Parchedig Roger Edwards, yn cydnabod ei
fethiant i fynegi'n gyflawn yr hyn a wnaeth ei Waredwr trosto, gan
bwysleisio eithafrwydd y profiad unwaith eto:

Pa la, pa fodd dechreuaf
Foliannu'r Iesu mawr?
Olrheinio'i ras ni fedraf
Mae'n llenwi nef a llawr.
Anfeidrol ydyw'r Ceidwad,
A'i holl drysorau'n llawn;
Diderfyn yw ei gariad,
Difesur yw ei ddawn.

'Anfeidrol', 'diderfyn', 'difesur', y mae iaith yn pallu wrth i'r emynydd fynegi dramatigrwydd y gweld a'r sylweddoliad o gariad mwy a pherson mwy. Un o'r dulliau a fabwysiedid gan y beirdd Methodistaidd i oresgyn eu problemau mynegiant oedd y defnydd cyson o'r ddyfais 'paradocs'. Unwaith eto, mae hyn yn wedd ar eithafrwydd y canu: yn semantegol, dyma'r pellaf y gellir gwthio iaith, cyn i honno droi'n gwbl ddiystyr. Datganiad yw paradocs sydd yn cynnwys dwy elfen sy'n gwrth-ddweud ei gilydd yn hollol, ond sydd eto'n cyfleu rhyw wirionedd hanfodol. Megis Morgan Rhys yn canmol ei Waredwr:

> Y cyfoethoca'n bod
> Y tlotaf un erioed.

gan roi mynegiant syfrdanol i'r *kenosis* Cristnogol. A David Charles, yr hynaf, yn un o emynau mwyaf poblogaidd oll yr iaith:

> Ei thwllwch dudew sydd
>   Yn olau gwir
> Ei dryswch mwyaf mae
>   Yn drefen glir.

– tywyllwch sy'n olau, a dryswch sy'n drefn! Pencampwraig y paradocs mewn emyn oedd Ann Griffiths, ac fe weddai'r dull i'r dim i'r angerdd tanbaid a'r ymollwng eithafol a geir yn ei gwaith. Mater o ddyfalu i ni yw sut yr oedd yn medru dirnad dyfnder a dirgelwch rhai o'i datganiadau:

> Byw i weld yr Anweledig
> Fu farw ag sydd nawr yn fyw.

> Y greadigaeth ynddo'n symud
> Yntau'n farw yn y bedd.

> Rhoi awdur bywyd i farwolaeth
> A chladdu'r Atgyfodiad mawr.

> Gweld rhoddwr bod cynhaliwr helaeth
> A rheolwr pob peth sydd
> Yn y preseb mewn cadachau
> A heb le i roi ben i lawr.

31

Rhan annatod o 'gân y ffydd' yw sylweddoliad y beirdd Methodist-aidd o aruthredd hyfryd yr Ymgnawdoliad, y Croeshoeliad a'r Atgyfodiad.

Martin Luther a ddywedodd mai Beibl bach yw'r emyn, a bu'r emynwyr Methodistaidd yn driw i'r weledigaeth am Air Duw yn eu gwaith.[12] Trampodd y Methodistiaid cynnar bob modfedd o'r daith a ddisgrifir yn llyfrau cyntaf epig yr Hen Destament o'r Aifft i Wlad yr Addewid. Trwy'r ddaearyddiaeth eglurwyd diwinyddiaeth, a daeth Gosen a Nebo yn rhan o brofiad y Methodist cyffredin yng Nghymru'r ddeunawfed ganrif. Yr oedd y Methodist hwn yn ysgrythurol ac yn ysbrydol ddeallus. Cyflwyno'r gair yn graig safadwy o wirioneddau am Dduw a'i waredigaeth a wnaeth yr emynwyr, a dichon mai'r gyfeiriadaeth ysgrythurol hon yw'r nodwedd amlycaf ar 'gân y ffydd'. Yr oedd gwybodaeth yr emynwyr yn anhygoel o fanwl. Gallent ddirnad trwy sythwelediad gysylltiad gweithredoedd achubol Duw i'r bobl etholedig ar draws miloedd o flynyddoedd. Dyma briodas hapus rhwng Arfaeth ac arddull, a modd i gysylltu pinaclau'r Hen Destament wrth y Newydd. Meddyliwch am Ann Griffiths yn ein tynnu gerfydd ein pennau i ganol hanes Esther yn gofyn trugaredd gan y brenin Ahasferus:

Myfi a anturiaf yno yn eon
Teyrnwialen aur sydd yn ei law
A hon senter at bechadur
Llwyr dderbyniad pawb a ddaw
Af ymlaen Dan waeddi Maddeu
Af a syrthiaf wrth ei Draed
Am faddeuant am fy ngolchi
Am fy nghannu yn ei waed.

Mae'r ailadrodd cynyddol yn creu esgyniad sy'n cyrraedd uchafbwynt hynod briodol. Y darlun llywodraethol a ddaw o'r Gair yn ein hemynau, wrth gwrs, yw'r bererindod ysbrydol. Crwydro'r anialdir fu rhan llawer o'n hemynwyr. Yr oedd yn ddarlun arbennig o addas i egluro datblygiad a threialon yr etholedig yn y byd hwn, a bu pawb o Bantycelyn i David Charles i Moelwyn yn cyfleu eu rhyfeloedd, eu syched a'u syrffed yn anialwch eu pechodau – neb yn well na Phantycelyn:

Tyred Arglwydd i'r anialwch
Yma buost Ti o'r blaen
Arwain fi, bererin eiddil
A'th golofnau o niwl a thân;
Dal fy ysbryd sy'n llewygu
Gan ryw ofnau o bob man
Yn dy allu 'rwyf yn gadarn
Hebot Ti nid wyf ond gwan.

Oherwydd eu dibyniaeth ar y Gair, fe gynysgaeddodd yr emynwyr eu gwaith â delweddau llachar a oedd yn ddehongliad o'u cyflwr ysbrydol.

Rhaid i bob emynydd, wrth gwrs, wrth ystorfa helaeth a chyfoethog o ddelweddau i fynegi'r gwahanol agweddau ar fywyd ffydd, a'r ddiwinyddiaeth y mae'n angenrheidiol ei gosod ar gân ar gyfer addoliad Cristnogol. Bu hyn yn arbennig o wir am emynwyr y bedwaredd ganrif ar bymtheg wrth iddynt ganu'n athrawiaethol am yr Iawn a'r Cyfamod Newydd, megis John Elias ac Edward Jones, Maes-y-plwm. Duw ac Arglwydd rhyfeddol o fawr sydd yn emynau Edward Jones, yr 'Anfeidrol annherfynol fod/A'i hanfod ynddo'i Hun'. A chanu'r athrawiaeth a bregethai a wnaeth John Elias wrth ganmol yr Iawn mewn oes o ymgecru chwerw:

Cyflawnai'r gyfraith bur
Cyfiawnder gafodd Iawn,
A'r ddyled fawr, er cymaint oedd
A dalodd ef yn llawn.

Yma mae'r delweddau'n egluro'r ddiwinyddiaeth. Cawsom ychydig o emynau am yr Ysbryd Glân gan John Hughes, Pontrobert, eithr diwinydda'n ddigon sych a wnaeth ef heb ronyn o eneiniad na'r un o ddelweddau llachar ei gyfeilles o Ddolwar Fach.

Ni fu pawb o emynwyr y bedwaredd ganrif ar bymtheg yn aelodau o'r Hen Gorff, wrth gwrs, ond os nad oeddynt yn Fethodistiaid o ran eu haelodaeth, yr oeddynt yn Fethodistedig o ran eu hawen. Gŵr megis Ieuan Glan Geirionydd, y cofiwn am ddaucanmlwyddiant ei eni eleni [1995]. Eglwyswr ydoedd a oedodd 'Ar lan Iorddonen ddofn' a rhoi i ni un o emynau mwyaf yr iaith. A hefyd Robert ap Gwilym Ddu, nad ymaelododd yn ffurfiol â'r un enwad erioed, er mai gyda Bedyddwyr J. R. Jones, Ramoth, yr oedd ei gydymdeimlad. Yn y bôn fersiwn caboledig a disgybledig o awen emynyddol Pantycelyn yw eiddo Robert ap Gwilym Ddu, ac yn enwedig pan gân am y groes. Y duedd, ysywaeth, wrth i'r ganrif fynd yn ei blaen oedd i'r beirdd ganu am eu profedigaethau yn hytrach na'u profiadau. Adlais o helbulon eu bywydau a geir yn emynau adnabyddus Dafydd Jones, Treborth, yn dymuno nesu at Dduw wedi iddo golli un o'i ferched ym 1848, ac Eben Fardd pan gollodd dri o blant a'i briod – pwysodd yntau ar yr Iesu, 'unig gwmni f'enaid gwan', –

> Ym mhob adfyd a thrallodion,
> Dal fy ysbryd llesg i'r lan.

Diau iddo ymgydnabod â thrallod pan chwalwyd ei aelwyd gan y fath brofedigaeth enbyd, ond iddo dderbyn o gysur anhraethol yr Efengyl. Y fendith fawr i ni yw iddo fynegi'i ffydd ar adeg gythryblus a rhoi i ni emyn sy'n gymorth i'r credadun ar bob achlysur.

Fe welodd y bedwaredd ganrif ar bymtheg ddatblygiadau eraill a effeithiodd ar ansawdd caniadaeth y cysegr. Erbyn canol y ganrif canolid gweithgarwch aruthrol yn ysbrydol ac yn ddeallusol o amgylch y capel. Ac yr oedd capeli lu yn cael eu hadeiladu ar hyd a lled y wlad gan bob un o'r enwadau ymneilltuol.[13] Cafwyd Diwygiad ym 1859 a *Llyfr Tonau Cynulleidfaol* Ieuan Gwyllt, a chlywyd llawer corws sionc Sankey a Moody ar ôl 1874 gyda chyhoeddi *Sŵn y Jiwbili*. Yr oedd momentwm gweithgarwch cerddorol cysegredig yn symud yn anochel at ddarparu llyfrau emynau enwadol safonol, ac addysgwyd cenhedlaeth ar ôl cenhedlaeth o werin ddiwylliedig Gymraeg yng nghymhlethdodau'r tonic sol-ffa. Daeth emynyddiaeth yn rhan o sefydliad ymneilltuol y genedl a bu graen rhyfeddol ar ganu mewn cymanfaoedd a erys hyd heddiw.

Wrth i'r ugeinfed ganrif agosáu, daeth yn amlwg bod angen diwygiad arall i lenwi'r corau. Wedi iddo bregethu ar Sul y Pentecost ym 1893 ysgrifennodd y Parchedig Richard Roberts Morris (1852–1935) – a fu'n gweinidogaethu yng Nghaernarfon ac ym Mlaenau Ffestiniog – emyn ymbilgar am ymweliad gan 'Ysbryd byw y deffroadau':

> Chwyth drachefn y gwyntoedd cryfion
> Ddeffry'r meirw yn y glyn,
> Dyro anadliadau bywyd
> Yn y lladdedigion hyn.

Yr oedd yma hiraeth am adfywio'r eglwys eto yn ein gwlad, ac fe ddaeth sŵn fel gwynt grymus yn rhuthro ddegawd yn ddiweddarach ym 1904. Dadl y beirniaid mwyaf sinicaidd yw na lwyddodd Diwygiad 1904 i gyflawni dim namyn sicrhau cenhedlaeth arall o ffyddloniaid i'r cysegr. Yn ôl yr adroddiadau ar y pryd yr oedd yn ffenomen byw iawn i rai pobl. Nid cyn diwedd y flwyddyn y cyrhaeddodd yr effeithiau y Gogledd. Un a oedd yn gweinidogaethu ym Methesda, Carneddi, Arfon oedd J. T. Job, eisteddfodwr, bardd, emynydd.[14] Dyma'i ddisgrifiad ef o un o'r cyfarfodydd a gynhaliwyd yn y cylch:

> Yr holl le yn foddfa, ac yn ochneidio yn llwythog – a'r beichiau yn cael eu taflu i lawr wrth droed y Groes.

Ar bwys y groes y mae crefydda yng Nghymru ar ddechrau'r ganrif o hyd felly, eithr y mae'r pwyslais yn newid. Nid profiad personol angerddol o faddeuant wrth y groes yw eiddo Job bellach, ond gweledigaeth wrthddyneiddiol o bosibiliadau'r Efengyl gymdeithasol:

> Ac yr wyf heddiw yn teimlo fy mod yn perthyn i bawb. O dyma lydanu calon dyn y mae cariad Crist – yr hyn a garwn yn awr fyddai gwaeddi Iesu nes y clywo'r byd i gyd.

Themâu emynau Job, o ganlyniad, yw undod y greadigaeth; undod Cristnogion yng nghariad Crist; undod y teulu dynol mewn mawl am ei aberth; undod yr Eglwys fel corff Crist, ac undod nef a daear yn y Deyrnas Newydd.[15] Yng ngwaith Job, gwelwn ben draw neu benllanw canu emynwyr Sir Gâr y ddeunawfed ganrif. Mae'n fardd crefftus sydd â chenadwri rymus berthnasol i'w oes:

O! Arglwydd grasol, trugarha
A symud bla y gwledydd;
Darostwng falchder calon dyn
A nwydau'r blin orthrymydd;
A dysg genhedloedd byd o'r bron
I rodio'n isel ger dy fron;
Iôr union, bydd Arweinydd.

Cynnyrch y Rhyfel Byd Cyntaf yw'r emyn a gynnwys feirniadaeth gref ar ddyneiddiaeth fodern. Traethu gyda dwyster ac angerdd argyhoeddiad y mae Job am fychander a chollineb dyn o flaen maintioli'r Hollalluog Dduw.

Gwelwn erbyn ein canrif ni y modd y newidiodd proffeil yr emynydd Methodistaidd ers dyddiau Pantycelyn. Crwydryn o bererin anfonedig i'n gwlad ydoedd ef, eithr erbyn cyfnod J. T. Job gweinidogion ordeiniedig oedd ein hemynwyr pwysicaf – Dyfed, Nantlais, Moelwyn. Yr oedd y rhain yn feirdd-bregethwyr a gyhoeddai eu gwaith mewn cyfrolau o 'ganiadau', ac yr oeddynt hefyd, bron yn ddieithriad, yn arweinwyr amlwg Ymneilltuaeth y dydd yn ogystal â bod yn ffigurau lliwgar yn yr Eisteddfod Genedlaethol. Braf yw cyhoeddi y ceir parhad godidog i'r emyn, felly, yn yr ugeinfed ganrif, er i ffurfiau eraill ar farddoniaeth, megis y delyneg serch, ei ddisodli mewn poblogrwydd. Mae emynau'r ganrif – megis emynau'r canrifoedd blaenorol – yn adlewyrchu ansawdd crefydd yr oes, a'r beirdd yn ymwybodol o'r cilio o'r cynteddau, y bylchu amlwg yn rhengoedd y ffyddloniaid, dirywiad ac erydiad y capelydda traddodiadol a gychwynnodd adeg y Rhyfel Byd Cyntaf. Mae'n werth sôn am waith George Rees, awdur yr emyn anfarwol 'O Fab y Dyn, Eneiniog Duw, fy Mrawd a'm Ceidwad cry'.' Sylweddolodd yntau fod yn rhaid eiriol ar ran ei genhedlaeth gerbron y Duw nad yw ei gariad yn oeri:

O! tosturia wrth genhedlaeth
Gyndyn, wamal, falch ei bryd
Sy'n dirmygu'i hetifeddiaeth
A dibrisio'i breintiau drud.[16]

Fe geir yr emyn hwn, fel y gŵyr y cyfarwydd, yn yr *Atodiad,* y casgliad diweddaraf o emynyddiaeth ar gyfer ein henwad a gyhoeddwyd ddegawd yn ôl [1985]. Manteisiodd y golygyddion ar y cyfle i gynnwys yn yr *Atodiad* emynau a anwybyddwyd ar gyfer casgliad 1927, megis emyn enwog Dyfed, 'I Galfaria trof fy wyneb'. Prif fendith yr *Atodiad* i ni, fodd bynnag (ac y mae i'r casgliad ei felltith hefyd) yw ei fod yn cynnwys gwaith emynwyr pwysicaf ein henwad yn ail hanner y ganrif megis R. Gwilym Hughes; John Roberts, Llanfwrog. Pregethwyr, bugeiliaid, a gweinidogion ordeiniedig oedd y rhain hefyd, wrth gwrs. Y mae eu hemynau hwy yn driw i'r weledigaeth a'r profiad Methodistaidd Calfinaidd o Groes Calfaria. Wrth y Groes y mae John Roberts yn un o emynau mwyaf poblogaidd ein dyddiau ni:

Yn d'aberth di mae'n gobaith ni o hyd,
    Ni ddaw o'r ddaear ond llonyddwch brau;
O hen gaethiwed barn rhyfeloedd byd,
    Hiraethwn am y cymod sy'n rhyddhau:
Tydi, Gyfryngwr byw rhwng Duw a dyn,
Rho yn ein calon ras i fyw'n gytûn.[17]

Yn y pennill hwn ceir elfennau y byddai J. T. Job a'r beirdd-bregethwyr eraill yn falch ohonynt, ond hefyd y byddai Ann Griffiths a Phantycelyn yn hapus o'u derbyn fel mawl coeth, didwyll i'r hwn sydd wedi ein galw â'i weithred ogoneddus a rhagorol ei hun.

Y bennod ddiweddaraf yn hanes 'Cân y Ffydd' yw'r *Atodiad*. Eisoes y mae rhai wrthi'n paratoi'r bennod nesaf, sef y llyfr emynau cydenwadol i ymddangos ar ddechrau'r mileniwm nesaf. Hynny yw, fe ystyrir emynyddiaeth addas, berthnasol o hyd yn un o anhepgorion gweinidogaeth pobl Dduw, ac y mae hynny'n galondid o'r mwyaf.

Yn lle gorffen yn y dyfodol, megis, awn yn ôl at y dechrau lle clywsom mai pren y Groes oedd tarddiad cân y ffydd.

Dyma eiriau gwerthfawrogol Thomas Charles o gyfraniad William Williams, Pantycelyn:

Aberth mawr y Groes yw sylwedd a phwnc pennaf ei holl ysgrifeniadau; a thra byddo cariad at y Gwrthddrych mawr hwnnw yng nghalonnau y Cymry, bydd ei waith yn gymeradwy yn ein plith.

Cariad anorchfygol Duw yng Nghrist oedd cenadwri gyson odidog a deniadol Williams Pantycelyn wrth iddo ganu cân y ffydd wrth groes Calfaria:

> Mi dafla 'maich oddi ar fy ngwar
> Wrth deimlo dwyfol loes
> Euogrwydd fel mynyddoedd byd
> Dry'n ganu wrth y groes.

Ddwy ganrif a hanner yn ddiweddarach mae i gân y ffydd ei chenhadaeth, ei chysur a'i choncwest.

1 Hugh Bevan, 'Pantycelyn a Colomennod: dwy gerdd gan Gwenallt', *Y Traethodydd*, 124 (1969), t.60.
2 Dyfynnir gan Morris Davies, 'Y Parchedig William Williams, Pantycelyn, a'i hymnau', *Y Traethodydd*, 24 (1870), t.207.
3 *Gweithiau William Williams, Pantycelyn*, cyf. 2, gol. Garfield H. Hughes (Caerdydd, 1967), t.184.
4 'William Williams ac "Aleluja" 1744', *Journal of the Welsh Bibliographical Society*, 6 (1945), t.113.
5 Hysbysiad tudalen cefn yn *Ffarwel Weledig, Croesaw Anweledig Bethau . . . Y Rhan Gyntaf*, (Caerfyrddin: J. Ross, 1763).
6 *Gweithiau William Williams Pantycelyn*, cyf. 1, gol. Gomer Morgan Roberts (Caerdydd, 1964), t.242.
7 Gweler Ceri W. Lewis, *Iolo Morganwg* (Caernarfon, 1995), tt.119–20.
8 Suetonis [Gwilym Marles], 'Hanner awr gyda'r bardd o Bantycelyn', *Yr Ymofynydd*, 5 (1863), tt.53–7; 77–81; 101–6; 149–53.
9 Er enghraifft, y chweched rhan o *Aleluia*.
10 Am ragor o wybodaeth ar Morgan Rhys, gweler D. Simon Evans, 'Well done, Morgan Rhys!', *Ysgrifau Beirniadol XI*, gol. J. E. Caerwyn Williams (Dinbych, 1979), tt.177–90; ac idem, 'Morgan Rhys, yr emynydd', *Yr Aradr* [cylchgrawn Cymdeithas Dafydd ap Gwilym], 5 (1993–94), tt.80–9.
11 Ceir ymdriniaeth ar 'Yr emyn fel llenyddiaeth' gan John Gwilym Jones yn *Swyddogaeth Beirniadaeth* (Dinbych, 1977). Hynod bwrpasol a deallus hefyd yw sylwadau rhagarweiniol R. M. Jones i'r gyfrol *Pedwar Emynydd* (Llandybïe, 1970).
12 Gweler Kathryn Jenkins, 'Williams Pantycelyn a'r Beibl', *Y Traethodydd*, 143 (1988), tt.159–70 [isod, tt.77-91].

13 Cynnwys William John Phillips, 'Astudiaeth o waith Watcyn Wyn', traethawd M.A. Prifysgol Cymru, 1960, sylwadau gwerthfawr ar gyfnewidiadau crefyddol y bedwaredd ganrif ar bymtheg.

14 Kathryn Jenkins, 'J. T. Job a Diwygiad 1904', *Cylchgrawn Cymdeithas Hanes y Methodistiaid Calfinaidd*, 8 (1984), tt.37–44.

15 Eadem, 'A chydgenwch deulu'r llawr', *Y Traethodydd*, 140 (1985), tt.16–29 [isod, tt.172–93].

16 Brynley F. Roberts (gol.), *'O! Fab y Dyn': emynau a cherddi caeth George Rees* (Caernarfon, 1976).

17 Detholwyd a golygwyd gwaith John Roberts gan Derec Llwyd Morgan, *Glas y nef: cerddi ac emynau John Roberts, Llanfwrog* (Dinbych, 1987).

Morgan Rhys yr Emynydd[*]

Grymusterau ysbrydol a gweithgarwch crefyddol y Diwygiad Methodistaidd a greodd yr emyn Cymraeg. Fe greodd pregethu, seiadu, addoli a phrofiadau'r Diwygiad yr angen am doreth o emynau personol, angerddol. Cododd y Methodistiaid do o feirdd cynhyrchiol i gyflenwi'r angen, ac ymhlith oriel anfarwolion emynwyr y Diwygiad y mae safle Morgan Rhys yn gwbl ddiogel. With sôn am ei emynau, nododd yr Athro D. Simon Evans yn rhagymadrodd y gyfrol ysgolheigaidd, odidog a symbylodd y cyfarfod arbennig hwn:

> Yr oedd ynddynt symlder ac uniongyrchedd, dawn ac afiaith, a enillodd le yn serch a synnwyr y Cymro wrth addoli a chwilio am ei Dduw. Mae'r geiriau hyn yn tanlinellu cymwynas fawr Morgan Rhys i'n cenedl.

I ddechrau, crynhown yr ychydig sy'n hysbys am ei fywyd a'i gysylltiadau. Ganed Morgan Rhys yn Efailfach, Cil-y-cwm, yn un o naw o blant i Rhys ac Ann Lewis, a'i fedyddio ar 1 Ebrill 1716. Fel y pwysleisia'r Athro Evans, yr oedd yn agos o ran oedran a man geni i'r Tadau Methodistaidd, ac erbyn canol y ddeunawfed ganrif ceid seiadau Methodistaidd yn yr ardal. Ni wyddom fawr ddim am amgylchiadau ei fywyd, ond dywedir iddo fynychu'r eglwys o'i blentyndod. Yn gynnar, felly, sefydlwyd arferion addoli a defosiwn ac arferion y fuchedd Gristnogol yn ganolbwnc bywyd. Derbyniodd rywfaint o addysg a gellir casglu ei fod yn llythrennog, yn

* Anerchiad ar ansawdd ysbrydol a llenyddol emynau Morgan Rhys a draddodwyd yng nghapel y Methodistiaid Calfinaidd, Llanfynydd, 4 Gorffennaf 2003, i nodi cyhoeddi *Emynau Morgan Rhys* gan Wasg Gregynog ddiwedd 2001. Golygwyd y gyfrol gan yr Athro D. Simon Evans, brodor o Lanfynydd. Cyhoeddwyd yn *Y Traethodydd* 162 (2007), tt.162–9.

ddarllengar ac yn ddysgedig yn ôl safonau ei oes. Priododd wraig o'r enw Anne, a dyna'r cyfan a wyddys amdani ac am eu bywyd teuluol ynghyd. Cyfraniad pwysicaf Morgan Rhys heblaw ei emynau oedd ei weithgarwch addysgol. Am ddeunaw mlynedd o 1757 hyd 1775, bu'n ysgolfeistr yn ysgolion cylchynol Griffith Jones, Llanddowror, gan addysgu dros 1,500, yn blant ac oedolion, yn Sir Gâr a gwaelod Ceredigion. Heddiw, rhyfeddwn at ei ddygnwch wrth deithio o un man i'r llall, ac mewn adroddiadau cyfoes ceir canmol unfryd anghyffredin ar ei agwedd gydwybodol, ei dduwioldeb, a'i sgiliau fel athro. Trwythodd ei ddisgyblion – a ddysgodd, 'with delight and pleasure' – yn y catecism. Buasai'r athro a rhai o'i ddisgyblion yn gyfarwydd â *Drych Diwinyddiaeth,* sef esboniad Griffith Jones. Yn wir, gellir maentumio i'r gwaith hwn gyfrannu'n bur helaeth at ddealltwriaeth ddiwinyddol Morgan Rhys.

Un wedd ar ei fywyd fu gweithgareddau addysgol Morgan Rhys wrth gwrs, a go brin y byddai sôn amdano heddiw ar gyfrif y rheini yn unig, er eu gwerthfawroced yn eu dydd; am iddo fyw yng nghanol berw'r Diwygiad Methodistaidd y cofir amdano. Yr oedd ganddo gysylltiadau agos â'r seiadau Methodistaidd, er na wyddys a fu'n gynghorwr seiat. Yr oedd y Tadau Methodistaidd yn gyfeillion iddo, yn enwedig Williams Pantycelyn, a bu'r ddau yn trafod emynau gyda'i gilydd. Mae'n gwbl ddiogel dal bod Morgan Rhys, erbyn diwedd ei oes, yn Fethodist ffyddlon. Cododd dyddyn ar dir Cwmgwaunhendy ym mhlwyf Llanfynydd tua 1770. Bu farw ar 9 Awst 1779 yn 63 oed a'i gladdu yn eglwys Llanfynydd.

Dyna yn fras yr ychydig sy'n hysbys, ac a amlinellwyd lawer gwaith o'r blaen, am fywyd a gweithgareddau Morgan Rhys. Fe ddywedodd yr Athro R. T. Jenkins rywdro fod mwy o ganu ar emynau Morgan Rhys, am eu bod 'wrth fodd calon y werin'. Clytwaith o 21 o'i emynau a geid yn *Llyfr Emynau* y Methodistiaid a ddefnyddid am ymron dri chwarter o'r ugeinfed ganrif, a nododd sawl beirniad y bu mwy o olygu a darnio ar emynau Morgan Rhys ar gyfer y casgliadau enwadol na gwaith odid yr un emynydd arall. Ceir 11 o'i emynau erbyn hyn yn *Caneuon Ffydd.* Yn y ddeunawfed ganrif, ymddangosodd sawl casgliad o'i emynau yn rheolaidd o 1756 ymlaen, ynghyd â gweithiau eraill megis marwnadau. Erbyn hynny yr oedd eisoes yn ŵr 40 oed a gellid tybio y byddai'n seiadwr profiadol ac yn Gristion aeddfed, yn hyddysg yn y Gair ac esboniadau arno, wedi'i drwytho ym mhregethu'r Methodistiaid ac yn gyfarwydd â chasgliadau emynau cyntaf y Diwygiad o eiddo Rowland, Williams ac eraill. Fodd bynnag, o ganol chwedegau'r ddeunawfed ganrif yr ymddangosodd ei gasgliadau pwysicaf ac aeddfetaf o ran ansawdd ysbrydol a meistrolaeth lenyddol. Y rheswm am hyn, mi gredaf, oedd i effeithiau a chanlyniadau Diwygiad Mawr Llangeitho, 1762, gael cymaint o effaith ar ei awen a'i brofiad ef ag a gafodd ar brif lenor y Diwygiad Methodistaidd, Williams Pantycelyn, ac yn ei waith yntau y ceir allwedd deall cefndir profiadol ac ysbrydol emynau gorau Morgan Rhys. Am ychydig, felly, fe ddeil inni graffu ar ddisgrifiadau llachar a dramatig Williams o'r Diwygiad Mawr.

Yng ngweithiau rhyddiaith Williams o ddechrau chwedegau'r ddeunawfed ganrif ymlaen y disgrifir orau orfoledd ac effeithiau Diwygiad 1762, a gwneir hynny'n bropagandaidd ddigon:

> Yn awr fe wawriodd y dydd, fe anadlodd yr Arglwydd ar yr esgyrn sychion ac y maent yn ymsymud. Wele dorfeydd yn cludo at Air y Bywyd, pwy a'u rhif hwynt? Mae'r Deau a'r Gogledd yn mofyn un Brenin, a'i enw yn un, Iesu frenin y Saint![1]

Yn wahanol i weithgarwch y Methodistiaid a gafwyd gynt, ac wedi blynyddoedd hesb yr Ymraniad, ymledodd dylanwad Diwygiad Mawr Llangeitho ar draws y wlad, y tu hwnt i ardaloedd ffocws gweithgaredd Harris, Rowland, Williams ac eraill. Yn bendifaddau Diwygiad Crist-ganolog ydoedd; ef oedd gwrthrych y canu, y moli a'r pregethu, a pherthynas fywiol ag ef a geisid. Yr oedd y Diwygiad hefyd yn nodedig am y lle canolog a roddid i ganu emynau ynddo. Dyma Williams eto (myfi biau'r italeiddio):

> Mae cwsg wedi ffoi. Mae blys ar fwyd a diod wedi ei lyncu i fyny *mewn mawl a chaniadau.* Mae '*hymnau, salmau a chaniadau ysbrydol*' yn unig ymborth cariad-wleddoedd y saint. Mae anrhydedd ac enw wedi eu hanghofio; gweddïau, pregethau, *ac yn enwedig canu mawl i Dduw sydd yn datseinio'r wlad.*[2]

Dengys y geiriau hyn sut y torrodd gorfoledd canu allan o ganlyniad i brif gyfryngau'r Diwygiad. I Williams, nid yw dim llai na'r ail

Bentecost, ac y mae tystiolaeth casgliadau Morgan Rhys yn dangos yn sicr y bu'r fath ryfeddodau duwiol ac ysbrydol yn hwb sylweddol i'w awen ac yn ysbrydoliaeth sylfaenol iddo ganu ei emynau gorau.

Gadewch inni ofyn bellach, beth yw prif bynciau emynau Morgan Rhys a beth sy'n ei wneud yn emynydd gafaelgar, cofiadwy a phoblogaidd o hyd? Drwy ateb y cwestiynau hyn gwelwn ei fod yn emynydd y mae ei gynnyrch yn nodweddiadol o'r hyn a ganwyd gan Fethodistiaid y ddeunawfed ganrif, ei fod yn Galfinydd o'r iawn ryw; yn wir, o astudio'r emynau sydd yng nghasgliad yr Athro Evans, gellid casglu mai ef yw un o'r mwyaf Calfinaidd o emynwyr ei gyfnod, a'i fod hefyd yn ei benillion gorau yn fardd crefftus iawn. Byddaf yn dyfynnu'n helaeth o waith Morgan Rhys o hyn ymlaen, o gasgliad yr Athro Evans a chasgliadau eraill.

Allwedd canu Morgan Rhys yw ei brofiad ysbrydol. Hebddo, prin y buasai iddo emyn da o gwbl. Yr oedd yn dwys ymdeimlo ag ymrwymiad a galwad i garu Duw yng Nghrist, fel yr esboniodd mewn llythyr at ei gyfaill John Thomas, Tre-main tua 1757:

... frawd annwyl, mae arnaf chẁant byw mwyach i'r hwn fu farw yn fy lle, cyn fy mod, o gariad nid oes mesur arno.

Mae'r emynydd am ymroi i fyw i'r Crist croeshoeliedig ac y mae yn llawn rhyfeddod, mawl a diolch am yr hyn a wnaethpwyd drosto. A dyna nodwedd amlycaf ei ganu, sef mai person Crist a pherthynas yr emynydd ag ef yw gwrthrych y myfyrdod a'r mawl. Gall fod mor ymwybodol ag Ann Griffiths, fod 'dwy natur mewn un person':

O! Iesu trugarog, fab Dafydd,
    Ti wisgaist fy natur dy hun:
Cyfryngwr y Testament Newydd,
    Fy Mhrynwr sy'n Dduw ac yn ddyn ...

Os clogyrnaidd y farddoniaeth, mae'r meddylwaith diwinyddol yn gyfoethog. Rhinwedd y pennill yw'r hyn a alwodd yr Athro Bobi Jones yn 'symlder gosodiad uniongyrchol' a champ llawer emynydd o'r cyfnod hwn yw ei allu i fynegi cymhlethdodau athrawiaethol a diwinyddol yn syml werinol, nes gwneud person Crist, er ei fawredd a'i anfeidroldeb, yn gyfarwydd ac agos. Yr oedd gan Morgan Rhys ddealltwriaeth sylfaenol o'r paradocs ym mherson Crist:

Y cyfoethoca'n bod
Y tlota un erio'd.

Mae dyfeisgarwch llenyddol yr emynydd, drwy bwyso ar y paradocs hanfodol, yn goresgyn y broblem ieithyddol o gyflwyno'r anhraethol mewn geiriau a chyflyrau y gellid eu deall.

Droeon yn ei emynau y mae Morgan Rhys yn nesáu at Grist, ac yn canu ei glodydd gyda ffresni didwyll. Cyfeiriodd yr Athro Derec Llwyd Morgan at 'synwyrusrwydd praff' a 'sicrwydd arddull' yr emynydd, a gwelir hyn yn benigamp yn y perl hyfryd, 'Peraidd ganodd sêr y bore'. O graffu ar adeiladwaith, cynnwys a chrefft un pennill yn unig, gwelwn athrylith y bardd:

Peraidd canodd sêr y bore
    Ar enedigaeth Brenin ne':
Y doethion a'r bugeiliaid hwythau
    Teithient i'w addoli E' . . .

Mae'r llinell gyntaf, y drydedd a dechrau'r bedwaredd yn ddisgrifiadol syml, ac yn cyfeirio at ddigwyddiadau stori ramant y Nadolig, os caf ei roi felly – bodola'r pethau hynny mewn byd o amser – ond y mae'r ail linell a diwedd y bedwaredd yn arwyddo pwysigrwydd tragwyddol yr amgylchiadau cyfarwydd, sef geni Brenin nef, gwrthrych addoliad. Daw'r uchafbwynt a chadarnhad yr esgyniad ar ddiwedd y pennill:

Gwerthfawr drysor, gwerthfawr drysor, gwerthfawr drysor,
    Yn y preseb Iesu gaed.

Drwy fanteisio ar hyblygrwydd y gystrawen farddonol i flaenosod yr ansoddair, tanlinella'r emynydd bwysigrwydd a gwerth y gwrthrych. Ategir hyn eto gan gystrawen y llinell olaf, gan mai Iesu yw'r gair a bwysleisir fwyaf drwy'r pennill. Dyma gamp o bennill syml a chyfarwydd a chyflwyniad gwych o'r gwirionedd am enedigaeth Crist. Ni allai Morgan Rhys aros gyda gwirionedd y Geni fodd bynnag. Fe'i gorfodwyd gan ei Galfiniaeth mewn llawer o'i emynau i fyfyrio'n helaethach ar baradocs person ac aberth Crist a buddugoliaeth yr Atgyfodiad, ac yn fwyaf arbennig i dreiddio i drefn yr Arfaeth a chyfamod gras Duw. Cyfeiriwyd at Morgan

Rhys fel bardd mawr yr Arfaeth, a gwelir hyn yn rhai o'i linellau enwocaf:

Fyth, fyth, rhyfedda'r cariad yn nhragwyddoldeb pell
A drefnodd yn yr arfaeth im etifeddiaeth gwell
Na'r ddaear a'i thrysorau, a'i brau bleserau ynghyd:
Fy nghyfoeth mawr ni dderfydd yw'm Iesu, Prynwr byd.

Mae'r fath brofiad cosmig a ddaeth i ran yr emynydd y tu hwnt i'w ddirnadaeth, ac felly dim ond rhyfeddu y gall ei wneud. Mae'r llinell agoriadol drawiadol unwaith eto yn ein paratoi ar gyfer uchafbwynt anochel a grymus y geiriau olaf; yn ffydd a phrofiad yr emynydd, fe arwain pob myfyrdod at yr Iesu a'r hyn a wnaeth. Ac y mae hyn, wrth gwrs, yn ffordd wych o gludo'r genadwri i'r gynulleidfa drwy ei gadael â'r fath argraff o fawredd Crist ar ddiwedd y pennill. Dyma enghraifft, o bosibl, o'r hyn a alwodd yr Athro Simon Evans yn 'lendid ei ddisgyblaeth' wrth ddisgrifio dawn Morgan Rhys fel bardd.

Cawn fod yr emynydd yn myfyrio'n gyson ar dragwyddol gariad Duw yn trefnu ffordd i wared euog ddyn:

Rhyfeddol gariad mawr,
Cyn crëu nef a llawr,
    Fyth yn parhau,
At fath bechadur chwith
A haeddodd fod ymhlith
Y damnedigion fyth,
    Heb eu rhyddhau.

Wrth fawrhau Duw, y mae'r emynydd yn lleihau dyn – dyna ei uniongrededd Galfinaidd, ac fel y dywedais eisoes, yn netholiad yr Athro Simon Evans, mae'r enghreifftiau lle gwna'r emynydd hyn yn niferus a thrawiadol iawn; 'Pechadur wyf, O Arglwydd' yw ei gyflwr ef o'i gyferbynnu â'r cariad tragwyddol anfeidrol a'i hachubodd o'i bechod. Ac y mae'r rhyfeddod yn fwy am fod yr Iesu'n Iesu personol ym mhrofiad y bardd a'i gynulleidfa. Dyna sut y pregethwyd ac yr arddelwyd y Ffydd gan y Methodistiaid. 'Haeddiant Iesu yw ei araith', meddai Williams am y bregeth a'i hargyhoeddodd yntau ym mynwent

Talgarth; 'Mynegi'r weithred ryfedd wnawd ar Galfaria fryn' a wna Efangelius wrth iddo argyhoeddi'r pechadur pennaf hwnnw, Theomemphus. Ac ymdeimla Morgan Rhys â'r angen i fyw i Grist:

> 'Rwy'n rhoi fy hunan iddo 'Fe
> Ar bren a laddwyd yn fy lle . . .

Unwaith eto, cyflea'r gystrawen ffocws y genadwri.

Fel y gwelsom, prif bynciau Morgan Rhys yw person Crist, y paradocs am y Geni a'r Groes, dirgelwch yr Arfaeth, a'r angen i ddyn ymwybod â'i bechod gerbron mawredd Duw. Oherwydd y rhain ceir thema amlwg arall yn ei waith ef fel yng ngwaith llawer iawn o'r beirdd Methodistaidd, sef y duedd i ddirmygu'r byd a hiraethu am y nef. Yn yr emynau hyn, arfer y bardd yw canu am ragoriaeth ei brofiad o Grist a'i gyferbynnu'n eithafol â gwaeledd yr hyn a berthyn i'r bywyd hwn:

> Wyneb siriol fy Anwylyd
> Yw fy mywyd yn y byd,
> Ffarwel bellach bob eilunod,
> Iesu Mhriod aeth â'm bryd.

Estyniad o'r thema hon yw hiraeth y bardd am fod uwchlaw ei frwydr ysbrydol a 'gofidus ddyddiau'm pererindod':

> Wrth deithio'r anial garw maith
> Yn ofni syrthio'n friw,
> Pwy all'sai 'nghynnal hyd yn hyn
> Ond Hollalluog Dduw?

Y daith neu'r bererindod drwy'r anialwch yw thema enwocaf emynyddiaeth y Methodistiaid: rhoes gyfle i do creadigol ac ysbrydoledig o feirdd gwlad ganu am dirlun a thywydd Cymru yn gyfochrog â thirlun yr Aifft a'r Hen Destament a'u brwydrau mynych, a'r cyfan yn mapio realiti ysbrydol a phrofiadol iddynt. Ymdrybaeddu yn eu gwendidau a'u hoffter o grwydro yn yr anialwch a wna llawer un, ac felly Morgan Rhys:

Gwnes addunedau fil
I gadw'r llwybr cul
Ond ffaelu'r wy.

Yn ei wendid pwysa'r credadun ar nerth a gras Duw, 'I ddringo'r creigydd serth.'

Mae'n bosibl sôn am themâu eraill yng ngwaith Morgan Rhys, a'r rhain eto yn nodweddiadol o'r canu Methodistaidd. Gwelsom eisoes yr eithafrwydd sydd yn rhan o'i brofiad. Nid yw'n ddigon i'r credadun ymwybod â'i bechod ond rhaid fod ganddo ef 'feiau / Rhifedi'r tywod mân.' A chan fod y profiad hwn yn ymwneud â'r anfeidrol a'r anfesuradwy, mae'r ymdeimlad cyson fod iaith yn gyfrwng annigonol i gyfleu'r hyn a ddaeth i'w ran:

Yr heddwch wy'n feddiannu
Ni fedr neb fynegi
Ond yn ei brofi sy.

Ac eto:

Ni phwysa holl drysorau'r llawr
Un graen o gariad f'Arglwydd mawr.

Yn bur gyson yng ngwaith Morgan Rhys, y mae nodweddion y bardd gwlad yn eu hamlygu eu hun – ei ddefnydd o dafodiaith, a chynhesrwydd ei uniongyrchedd (yn debyg iawn i John a Morgan Dafydd, y brodyr Methodistaidd o Gaeo):

Dewch hen wrthgilwyr trist
At Iesu Grist yn ôl.

Ac fel y gwelsom droeon, mae'r gystrawen farddonol yma yn siwtio'r genadwri i'r dim: gwna Morgan Rhys yr ergyd bwysicaf ar yr adeg orau yn ei benillion bron yn ddieithriad.

Sut y gellir cloriannu cyfraniad Morgan Rhys yr emynydd i'n llên a'n crefydd? Dyma eiriau'r diweddar Archesgob G. O. Williams:

Rhinwedd amlwg Morgan Rhys fel emynydd yw ei fod yn gosod ar gân yr athrawiaeth nad oes ystyr i addoliad hebddi, a thrwy hynny'n canu'r credo mewn dull sy'n ddealladwy i'r gynulleidfa a'i deffro i ddiolchgarwch.[3]

I mi, Calfinydd uniongred oedd Morgan Rhys yn anad dim ac yn fardd gwlad crefftus a sbardunwyd gan brofiadau ac addoli'r Diwygiad Methodistaidd i roi ar gân yr hyn a ddaeth i'w ran a miloedd tebyg iddo:

> Er cael fy ngwawdio'n drist
> Am ddilyn Iesu Grist
> Gan blant y cnawd;
> Mae'm Priod wrth fy modd
> (Mi a'i mola byth ar go'dd):
> Fe roddodd imi rodd:
> Ni byddaf dlawd.

Gydag angerdd ac afiaith, gweledigaeth a gorfoledd, cyfoethogi ein llên a'n crefydd a wnaeth Morgan Rhys yr emynydd.

1 *Gweithiau William Williams Pantycelyn*, cyf. 2, gol. Garfield H. Hughes (Caerdydd, 1967), t.16.
2 ibid.
3 G. O. Williams, 'Morgan Rhys', yn *Gwŷr Llên y Ddeunawfed Ganrif*, gol. Dyfnallt Morgan (Llandybïe, 1966), t.79.

Chums â'r Arglwydd*

Ralph Waldo Emerson a ddywedodd fod crefydd un cyfnod yn ddifyrrwch llenyddol y cyfnod nesaf. Â'r hyn a fu'n ganolbwnc bywyd yn fater o gywreinrwydd diwylliannol a deuir o hyd i'r esboniad ar y profiadau ysbrydol a gafwyd gynt trwy feirniadaeth lenyddol. Dyma ran o arbenigrwydd oesol llenyddiaeth: fe ddeil i lefaru wrth ddarllenwyr a chynulleidfaoedd yr oesoedd a ddêl am ei bod yn gofnod o brofiadau unigolyn a chymdeithas, ac yn ymgorff-oriad o broblemau esthetig. Wrth i ni gofio am ddaucanmlwyddiant marw Williams, Pantycelyn – bu farw ar Ionawr 11, 1791, yn 74 oed – a chloriannu drachefn ei gyfraniad i'n crefydd a'n llên, dylem gofio am y pellter trist a fodola rhyngom a'i grefydd ef, ond dylem deimlo'n ddiolchgar hefyd fod ei waddol llenyddol yn ddigon sylweddol ac amlochrog iddo herio medrusrwydd ein beirniaid llenyddol heddiw.

'Mi gymra fy llw,' meddai'r hynod Wil Bryan gydag anwyldeb parchus, 'fod y Brenin Mawr a'r hen Bant yn *chums*.' Awgrymai fod perthynas yr emynydd â Duw fymryn yn nes na'r rhelyw ohonom, fod ei adnabyddiaeth o bethau cudd tu draw i'r llen rywsut yn rhagorach.

Yn sgil disgrifiad Wil Bryan, sef *chums*, cafodd Syr T. H. Parry-Williams weledigaeth ogleisiol o'r Pêr Ganiedydd yn seiadu â'i Arglwydd ar fynydd Seion ac yn 'Dirgel gwrdd i felys drin y pethau drud / Rhyfedd hynny nad adnabu'r nef na'r byd'. Dyma brofiad ffydd Pantycelyn, y berthynas a rennir gan ddyn a Duw ar y lefelau dyfnaf, ac y mae'n berthynas a ffurfiai ac a ddiffiniai Williams yn ei

* Cyhoeddwyd yn *Taliesin* 73 (Gwanwyn 1991), tt.53–59.

lên gyda mynegiant angerddol, eithafol, dramatig a thrawiadol o uniongyrchol. O ganlyniad i'r berthynas a'r adnabyddiaeth, cynhyrchodd gorff anferth o lenyddiaeth a ddeil i hawlio iddo le unigryw ym meddwl Cymry crefyddgar a llengar.

Wrth i lenor drefnu'i brofiadau, trwy harneisio grymuster ei gof ac adnoddau ei ddychymyg, ac adeiladu patrymau ystyrlon o ddelweddau, fe grea hefyd ei bersona fel artist. Dyma ffenomen lenyddol sy'n arweiniad i'r darllenydd wrth iddo sylweddoli ei fod yn ymgydnabod â rhyw fath o fersiwn o fywyd dyn go iawn. Yr hyn a gawn gan Williams yw mynegiant hunanddadansoddol o gyflyrau ysbrydol ansefydlog sy'n llwyr ddibynnol ar ei berthynas â Duw. Cymerer un enghraifft o'i emynau:

> Y mae arnaf fil o ofnau,
> Ofnau mawrion o bob gradd,
> Oll yn gwasgu gyda'i gilydd
> Ar fy ysbryd, bron fy lladd:
> Nid oes allu a goncweria
> Dorf o elynion sydd yn un,
> Concro ofn, y gelyn mwyaf,
> Ond dy allu Di dy Hun.

Yn emynau Williams yn gyffredinol fe geir sbectrwm eang iawn o brofiadau. Yn wir, cyfleir yr ymwybyddiaeth o ryw gyflawnder profiad nas ceir yng ngwaith neb arall o'n hemynwyr. Eithafol o negyddol yw'r disgrifiad o'i brofiad a geir yn y pennill hwn. Ofna gael ei drechu gan aneirif elynion ysbrydol ymosodol, eithr crefydd y *neb ond efe* fu crefydd y Methodistiaid, felly fe geir gwedd gyfatebol gadarnhaol ar y profiad, sef bod gallu Duw yn gorchfygu ofn. Gwelir hyn droeon yn yr emynau, sef bod *mi* yn llwyr ddibynnol ar *Ti*, a chyfleir y ddibyniaeth gan adeiledd thematig y pennill. Dywed Williams o hyd fod priodoleddau cariad a gras Duw yn cyfateb yn uniongyrchol i'w anghenion ysbrydol ef. Mae'n berthynas sy'n gyfan gwbl hunangynhaliol.

Yn *Drws y Society Profiad*, llawlyfr y seiat, cronicl gweithgarwch ysbrydol y Diwygiad, a'r glós mwyaf cyflawn sydd gennym ar ei farddoniaeth, dywed Williams i'r seiat orfodi'r dychweledigion i weld eu gwir gyflwr fel pechaduriaid a'r 'angen oedd arnynt bob munud o Gyfryngwr'. Yr oedd arno, felly, angenrheidrwydd diwinyddol i fod yn fanwl gywir wrth ddisgrifio'i brofiadau, am ei fod yn dymuno mynegi ymrwymiad i ansawdd arbennig o brofiad ysbrydol a fyddai'n egluro ac yn diffinio pob dim oedd o dragwyddol bwys. O ganlyniad, mae ei ysbrydoledd Crist-ganolog yn hollol ffurfiannol. Y mae ei waith yn athrawiaethol ac yn ddirfodol yr un pryd wrth iddo gyflwyno'i ddyhead escatolegol am weld cyflawni gwaith gras a phrofi o'r iachawdwriaeth derfynol. Cawn ganddo, felly, ddisgrifiad o gyflwr ac o ddatblygiad cyflwr:

Gorchudd ar dy bethau mawrion
   Yw teganau gwag y byd,
Cadarn fur rhyngof a'th Ysbryd
   Yw'm pleserau oll i gyd;
Gad im gloddio trwy'r parwydydd
   Tewion, trwodd at fy Nuw,
I gael gweld trysorau gwerthfawr
   Fedd y ddaear ddim o'u rhyw.

Mae'r elfennau o bellter ac o rwystrau yn ffurfiannol, a'r ddibyn-iaeth ar ragoriaeth Duw yn amlwg trwy'r cyferbyniad. Ceir diffiniad o'r cyfosodiad gwaelodol rhwng *mi, Ti* a'r *byd* yn holl waith Williams, ac argymhellir hunanadnabyddiaeth ac adnabyddiaeth o Dduw.

Mae'r berthynas o ddibyniaeth gadarnhaol a ddisgrifir gan Bantycelyn, y profiad o fod yn *chums* â'r Arglwydd, yn ymateb llenyddol i'r cyferbyniad rhwng pechod dyn a gras Duw, ac fe'i cyfleir gan wrthbwysedd y ddelweddaeth wrth i'r llenor fynd i'r afael ag amherffeithrwydd ei brofiad ei hun ochr yn ochr â pher-ffeithrwydd Duw. Mae'r ddau begwn, y negyddol a'r cadarnhaol, yn hollbresennol gan nad oes modd dileu'r argyfwng sylfaenol o farw ynteu byw. Diffinir hyn ymhellach gan Williams yn ei ddefnydd o gyferbyniadau cynddelwaidd a ffurfiannol tywyllwch/goleuni, caethiwed/rhyddid, gwendid/nerth, ac yn y blaen. Mae'r llenor wyneb yn wyneb â ffin bywyd ac â ffin iaith, ac ymyla ei brofiad yn aml ar daerineb ysbrydol:

Ni chefais i yma erioed,
  Ond gwaetha cnawd a byd,
O mewn o maes bob awr,
  Yn curo arna-i ynghyd;
Mi ffo, mi ffo, ryw ddydd i'r lan,
Cair gweld fod concwest gan y gwan.

Dyma, unwaith eto, y frwydr ysbrydol i oresgyn cnawd a byd, i fynd
o'r dyfnder i'r uchelder, ac o wendid i nerth. Y mae profiad Williams
o Dduw yn graidd ei fod, ac yn gyfuniad o eithafrwydd ac o
agosrwydd. Ystyrir unrhyw rwystr neu gymhlethdod yn indecs o
ddatblygiad neu drawsffurfiad ysbrydol.

O edrych ar waith Williams fel cyfangorff, mae'n anodd peidio
â chasglu ei fod, wrth ddarlunio'r profiad Cristnogol, yn cyflwyno
patrymau o brofiadau i'w hadnabod a'u dadansoddi a'u mabwys-
iadu. A dyna a ddigwyddai, wrth gwrs, yng nghyd-destun Diwygiad
Efengylaidd y ddeunawfed ganrif. Trwy'r seiat yn bennaf, ond hefyd
trwy'r emynau a ddatgenid yn weithredoedd ieithyddol torfol a
defodol, daeth cynulleidfaoedd i gydnabod eu pechodau a chofleidio
Crist yn Waredwr hollol anghymharol. Llwyddodd Williams i
gofnodi a bywiocáu profiadau'r cyfnod a harneisio'r cyflyrau a
ddeuai blith-draphlith â'i gilydd yn llên fyw a gwefreiddiol.
Defnyddiai, felly, ei ddawn lenyddol a'i ymwybod diwinyddol mewn
gwasanaeth i'w eglwys er mwyn cyffroi dychymyg a hybu
deallusrwydd ei gynulleidfa ynghylch maintioli gwaredigaeth Duw.

Yn ei dasg o gymhwyso'r Methodistiaid yn bobl ysbrydol
ddeallus, fe bwysai Williams ar y Beibl. Sylweddolodd, trwy ei
ddysg a'i brofiad, fod yr Ysgrythur yn cynnwys amlinelliad o holl
waith achubol Duw o ddechrau'r cread i'w ddiben. Dyma, felly,
gyfrwng pennaf y gwirionedd. A chyfrwng hefyd, wrth gwrs, i
seiadwyr y Diwygiad Mawr, yn sgil hyfforddi cyson, ymateb gyda
rhwyddineb i'w ddarlun o Dduw a'i waredigaeth. Gweld y Gair fel
undod perffaith a wnaeth Pantycelyn, a chyda'r canfod ysbrydol
hwnnw ei ddefnyddio – yn debyg i'r llenorion Protestannaidd a'i
rhagflaenai, ac yn enwedig y Piwritaniaid – yn fodd llenyddol
tra effeithiol i archwilio'r bywyd ysbrydol gyda dyfnder a
chymhlethdod. Yn bendifaddau, y mae defnydd Williams o

gyfeiriadaeth ysgrythurol yn arwydd o'r berthynas â'i gynulleidfa, ac yn fynegiant o'i ddirnadaeth o'i berthynas â Duw. Fe ffurfia'r gyfeiriadaeth ryngdestun (*intertext*) yng ngwaith y llenor, a chynrychiola gyfanfyd dychmygol ac ysbrydol a rannai â'i gynulleidfa. Mae ei ddefnydd ysgolheigaidd o'r Gair yn ddarlun o brofiadau'r gymdeithas ar awr anterth y Diwygiad Methodistaidd, ac yn arwydd o'r wefr emosiynol a gynhaliai'r profiadau hynny.

Os yw llenor yn dibynnu'n helaeth ar gyfeiriadaeth – boed hynny am resymau cymdeithasol neu ddeallusol – mae'n bwysig i feirniadaeth lenyddol sylwi ar sut y cymerwyd y deunydd o'r testun gwreiddiol. O'r Beibl y cafodd Williams rai o'i ddarluniau canolog am y bywyd ysbrydol. Sylwyd eisoes ar ei ddisgrifiad o'r frwydr ysbrydol, sydd yr un mor ddyledus i Lyfr y Salmau ag i'w brofiad ei hun. Eithr fe gofir amdano heddiw, yn bennaf efallai, oherwydd ei ymdriniaeth â'r bywyd ysbrydol fel pererindod drafferthus o Aifft ei bechod i orfoledd a llawenydd gwlad Canaan. Mae llenyddiaeth seciwlar a chrefyddol holl oesoedd cred yn profi fod y darlun o fywyd dyn fel taith yn un cwbl gynddelwaidd. Fe ffurfia'r gweithiau crefyddol sy'n ymdrin â thaith y pererin *genre* o lenyddiaeth gyfriniol Gristnogol. Trwyddi gallodd Williams bwysleisio'i hunaniaeth fel pechadur, y pererin lluddedig ar daith trwy anialwch y byd hwn, ac ar yr un pryd ddiffinio'r ddibyniaeth ar Dduw, arweinydd y daith ac awdur cysuron aml y bererindod:

> Tyred, Arglwydd, i'r anialwch,
> Yma buost Ti o'r blaen,
> Arwain fi, bererin eiddil,
> Â'th golofnau o niwl a thân;
> Dal fy ysbryd sy'n llewygu
> Gan ryw ofnau o bob man;
> Yn dy allu rwyf yn gadarn,
> Hebot Ti nid wyf ond gwan.

Mae'r ddibyniaeth yn eglur, a hefyd y cyferbyniad gwaelodol rhwng gwendid y pererin a nerth Duw. Ychwanegodd Williams fframwaith Beiblaidd i'w ddisgrifiad a'i ddeisyfiad er mwyn dwyn ar gof ganrifoedd o ymwneud Duw â'i bobl, ac er mwyn diffinio'r profiad o'i waredigaeth yn rymusach. Trwy'r darlun o daith y pererin hefyd gallodd y llenor gyferbynnu anialwch y byd hwn â golud y nef, a sicrhau'r Methodistiaid wrth iddynt gyrchu at y nod fod Duw yn siŵr o ddwyn ei waith i ben.

Ni fyddai unrhyw drafodaeth ar agwedd Williams at y Gair yn gyflawn heb ystyried yr wybodaeth a'r adnabyddiaeth a enillodd ohono am Berson ei Waredwr. Os oedd ef yn *chums* â Duw, ei brofiad o Grist a wnaeth hynny'n bosib. I Williams yr oedd Crist yn hollbresennol yn y Beibl a phob dim yn pwyntio at ragoriaeth ei berson a mawredd ei aberth. O ganlyniad, ceir cyfeiriadau teipolegol ato fel cyfryngwr a gwaredwr am iddo gyflawni'r proffwydoliaethau a'i fod bellach yn ymgorfforiad o'r rhain i gyd yn ffydd ac adnabyddiaeth y credadun:

> Cyfod Haul Cyfiawnder Golau,
> Nawr llewyrcha yn dy Nerth,
> Danfon Feddyginiaeth rasol
> Tros y Creigydd mawrion serth.

Ceir agweddau eraill, wrth gwrs, ar ddisgrifiad yr emynydd o Grist nad ydynt mor uniongyrchol ysgrythurol. Awgrymwyd eisoes fod Williams yn ystyried ei gariad at Grist a chariad y Crist croeshoeliedig ato ef yn rhagorach profiad nag unrhyw gyflwr neu feddiant dynol. Dyrchafa'r emynydd y profiad o garu Crist ac o fwynhau ei iechydwriaeth yn uwch nag unrhyw brofiad arall. 'Â'r galon mae credu i iechydwriaeth,' meddai Philo Efangelius yn ei ateb i lythyr Martha Philopur, ac y mae'n gwbl ddiamau fod cariad at Grist y Gwaredwr yn sylfaen ysbrydoledd Crist-ganolog a ffurfiannol y llenor, a'i fod yn ystyried y galon yn graidd a chanolbwynt drama tröedigaeth. Afraid dweud fod y Crist hwn yn hollol anghymharol:

> Mae deng myrddiwn o rinweddau
> Dwyfol yn ei Enw pur;
> Yn ei wedd mae rhagor degwch
> Nag a welodd môr a thir;
> Mo'i gyffelyb
> Erioed ni welodd nef y nef.

Gwelwn yma eithafrwydd y profiad, a chadarnheir yr eithafrwydd gan ddefnydd mynych yr emynydd o eiriau megis *fyth*, *dim ond*, *oll*, *i gyd*, *erioed*. Gwelwn hefyd agosrwydd y cymundeb rhwng y pechadur a'i Waredwr a'r modd y mae crefft Williams yn llawforwyn esthetig i'w genadwri. Yng nghyflawnder profiad Williams y mae'r paradocsau anrhaethol, bod iechyd mewn clwyfau a bywyd trwy farwolaeth, yn ymdoddi i'w gilydd ac yn ennyn dyheadau o serch ysol. Anelai'r llenor ei holl waith at borthi gwir anghenion ysbrydol ac at ennyn yn eneidiau'r Methodistiaid yr un tân o gariad a'r un adnabyddiaeth ryfeddol o fywyd newydd yng Nghrist ag oedd yn eiddo iddo ef.

Mewn erthygl sy'n ceisio dehongli gwaddol llenyddol Williams Pantycelyn, mae'n anodd peidio ag ymdrin â'i emynau ar draul ei weithiau llenyddol eraill. Gwyddys, wrth gwrs, mai Williams oedd yr unig un o blith y Tadau Methodistaidd i gynhyrchu corff sylweddol o lenyddiaeth greadigol, ac y mae'n gorff sy'n cwmpasu sbectrwm anhygoel o brofiadau a dysg. Eithr, er eu bod oll yn ymwneud â gwahanol agweddau ar y profiad Cristnogol ac â bywyd o fewn y gymdeithas Gristnogol, ac er bod Williams yn giamster ar ddefnyddio gwahanol fathau o lenyddiaeth i'w ddibenion ei hun, yr un yw'r amcan tu ôl i bopeth a sgrifennodd, sef 'porthi praidd Duw yn yr anialwch'. Ceisiai gyflwyno yn ei emynau, yn ei ryddiaith ac yn ei farwnadau, ddarlun delfrydol o'r bywyd ysbrydol, er mwyn ffurfio'r profiad yn *sine qua non* pobl Dduw. Y mae'r cyflyrau ysbrydol a ddisgrifir yn yr emynau yn ymwneud yn y bôn â delfrydau oherwydd grymuster eu hangerdd. Rhaid i'r credadun, meddai Williams droeon, harneisio'r gorau sydd ynddo a goresgyn unrhyw wrthwynebiad a ddaw i'w ran. Ac yn y gweithiau rhyddiaith, nid yw'n ddamweiniol o gwbl fod y portread o Ffidelius yn *Hanes Bywyd a Marwolaeth Tri Wyr o Sodom a'r Aifft* ddwywaith yn hwy na'r darlun o Afaritius a Prodigalius. Yr oedd Williams trwy'r cymeriad patrwm hwn am brofi, 'bod yn rhaid i ddyn Duw fod yn berffaith ymhob gweithred dda'. A'r un modd yn *Cyfarwyddwr Priodas*. Y trydydd deialog, lle disgrifia Mary ansawdd nefolaidd ei phriodas â'r *whimp* di-liw hwnnw, Philo Alethius, yw'r adran hwyaf o dipyn. Nid oedd Williams am aros gyda helyntion Martha a'i chyfeiliornadau cnawdol, ond yn hytrach ei chyfeirio nôl i'r llwybr ysbrydol lle mae serch dynion a bendith y nef yn cyd-fflamio. Rhaid i'r Cristion oddef gofid, siom a methiant a'u cyfeirio'n gadarnhaol i adeiladu'i bersonoliaeth a'i fuchedd i'r tyfiant mwyaf cyflawn. Yn nisgrifiad Williams o ysbrydoledd ffurfiannol y mae lle i amrediad eang iawn o brofiadau, a mathau gwahanol iawn i'w gilydd o lenyddiaeth.

Williams Pantycelyn a greodd yr emyn Cymraeg, a dyma yn ddi-os ei gyfraniad pwysicaf i'n llenyddiaeth. Enillodd iddo'i hun y tu mewn i gwmpawd byr y ffurf hon hyblygrwydd cystrawennol ac ystwythder geiriol. Sail ei wreiddioldeb yw ei ddefnydd rhyfeddol o ddelweddau eglur a beiddgar er mwyn mynegi'i brofiad. Yn y pen draw, llwyddodd yn ysgubol i drosglwyddo agweddau cadarnhaol a negyddol ei brofiad i ddychymyg y Methodistiaid. Cafodd ei waith dderbyniad, dylanwad a bri yn y ddeunawfed ganrif a hyd heddiw. Y mae ei holl lenyddiaeth yn gof byw iawn o'r hyn fu Methodistiaeth ac yn dyst i weithgarwch llenor a geisiai gymhwyso pawb i fod yn *chums* â'r Arglwydd.

Williams Pantycelyn yr Emynydd[*]

Flynyddoedd yn ôl, fe gyffelybodd Thomas Parry Saunders Lewis y beirniad llên i fargyfreithiwr yn traethu'i achos o flaen rheithgor ansicr o'i ddyfarniad. Fe hoffwn innau wisgo mantell bargyfreithiwr a chychwyn gydag Achos yr Erlyniad yn erbyn William Williams, Pantycelyn.

Ar sail llawer iawn o dystiolaeth a geir yn ei waith, gellir honni mai Williams Pantycelyn yw un o'r llenorion lleiaf gwreiddiol a mwyaf amaturaidd a gafwyd hyd yma yn hanes llenyddiaeth Gymraeg. Mae ei ddwy gerdd epig, *Golwg ar Deyrnas Crist* a *Bywyd a Marwolaeth Theomemphus*, yn llethol o undonog eu mydryddiad a'u deunydd, ac yn drymlwythog o'r troseddau ieithyddol a chystrawennol mwyaf elfennol, rhai na fyddai'r disgybl ail-iaith mwyaf anobeithiol yn eu cyflawni. Fe ddistrywir unrhyw integriti yn ei weithiau rhyddiaith gan yr awdur ei hun, oherwydd ei amcan didactig unplyg sydd yn y rhan fwyaf ohonynt yn llesteirio twf ei gynllun â thalpau o bregethau a'n gedy â chymeriadau unochrog, amrwd ac anghyflawn *iawn* eu portread. A beth am ei emynau, y dywedwyd amdanynt gan R. T. Jenkins, fod 'tomennydd mawrion o sorod ynddynt'?[1] Sut y gellir gweld unrhyw ragoriaeth neu wreiddioldeb ynddynt? Cafodd Pantycelyn gnewyllyn ei fesurau o Salmau Cân urddasol Edmwnd Prys: gant ac ugain o flynyddoedd a rhagor o flaen emynau cyhoeddedig cyntaf Pantycelyn, canodd yr Archddiacon gyda rheoleidd-dra mydryddol, ac efelychu cyfochredd semantig y Salmau eu hunain. Pwysodd yr emynydd hefyd ar fodel yr hen Ymneilltuwyr a ganodd ar ddyrnaid mesurau Edmwnd Prys, a rhyw ychydig o rai newydd, bropaganda enwadol clodwiw dros eu

* Darlith a draddodwyd yn Ysgol Undydd Cymdeithas Emynau Cymru, 27 Ebrill 1991. Cyhoeddwyd yn *Y Traethodydd* 146 (1991), tt.193–208.

hathrawiaethau, a phenillion defosiynol hyfryd ar Ganiad Solomon. Ac oni bai am weithgarwch emynyddol y brodyr Wesley yn Lloegr, ni fyddai Williams wedi canu ar hanner y mesurau a geir yn ei waith. Yn wir, yr oedd yn ddibynnol arnynt i'r fath raddau nes iddo gyfaddef ym 1763 na fedrai ganu rhagor o emynau nes iddo dderbyn cyflenwad newydd o fesurau gan y Saeson:

> . . . aros yr wyf i gael amryw fesurau newyddion oddi wrth y
> *Saeson,* fel na bo'r Cymry yn fyrr o'u braint hwy mewn dim i foli
> Duw ag a wnaeth cymmaint trosom ni a hwythau.[2]

Gellir dweud yn negyddol am agweddau eraill ar weithgarwch emynyddol Pantycelyn: efelychiadol yw ei ddelweddaeth gan mai o'r Beibl y daw motiffau canolog ei waith, a dadansoddodd ei eneideg mewn termau a geid eisoes gan awduron Piwritanaidd yr ail ganrif ar bymtheg.

Ymhle felly y gorwedd mawredd a gwreiddioldeb yr emynydd hwn y daethom ni ynghyd heddiw i'w fawrygu? Gadewch iddo ef siarad drosto'i hun:

> Arnat, IESU, boed fy meddwl,
> Am dy gariad boed fy nghân;
> Dyged sŵn dy ddioddefiadau
> Fy serchiadau oll yn lân:
> Mae dy gariad,
> Uwch y clywodd neb erioed.
>
> O na chawn ddifyrru nyddiau
> Llwythog tan dy ddwyfol groes!
> A phob meddwl wedi ei glymu
> Wrth dy berson ddydd a nos:
> Byw bob munud,
> Mewn tangnefedd pur a hedd.
>
> Mae rhyw hiraeth ar fy nghalon
> Am ddihengu o dwrf y byd;
> A gweld dyddiau colla'i ngolwg
> Ar bob tegan ynddo ynghyd:
> Cael ymborthi
> Fyth ar sylwedd pur y nef.

Iesu'n ffrind, a Iesu'n briod,
Iesu'n gariad uwch pob rhai,
Fe yn broffwyd i fy nysgu,
Fe yn ffeiriad faddeu mai:
Dan ei gysgod
Mi goncwerwn feiau heb rif.

Os efe saif o fy ochor
Ofna'i mo 'ngelynion ddim;
Er eu cynddeiriogrwydd creulon
Er eu dyfais, er eu grym;
Trech yn hollol
Ydyw concwest CALFARI.[3]

Llwyddiant diamheuol Pantycelyn fel emynydd yw iddo droi ei
adnabyddiaeth a'i ryfeddod at ddirgelwch person a gwaith Crist yn
fawl effeithiol amlochrog. Yn ôl darlun yr emyn hwn, y mae'r Iesu'n
agos, ac y mae'i agosrwydd yn aruthrol o ddymunol i'r emynydd;
ond y mae'r Iesu hefyd tu hwnt, yn Waredwr sy'n trosgynnu'r
disgwyliadau mwyaf ohono. Fe dyfodd yr emyn allan o ffydd yr
emynydd; mae'n adlewyrchiad o'r ffydd honno, ac fe fu'n gyfrwng i
gynnal ffydd ym mlynyddoedd anterth y Diwygiad. Canlyniad
canfod cariad y groes yw'r emyn, fel y nifer mwyaf o emynau'r
bardd hwn. Mae drama'r canfyddiad yn fythol bresennol, a'r Crist
croeshoeliedig o flaen y credadun i ennyn ymateb ffydd. A
mynegiant o ymateb ffydd a geir yma, yn glod personol mewn
ieithwedd eithafol. Drwy gyfrwng y mawl, gosodwyd gwerth
amhrisiadwy ar y profiad o garu Duw, a chreodd hyfrydwch y
profiad hwnnw ganu apelgar. Y mae dweud Duw gydag ystyr i
Bantycelyn yn golygu dod wyneb yn wyneb â Christ a phrofi o
faddeuant a chariad y groes yn angerddol yn ei enaid ei hun. Gyda
chyhoeddi casgliad cyntaf Pantycelyn o emynau ym 1744,[4] cafwyd
am y tro cyntaf yn hanes llenyddiaeth Gymraeg fynegiant o
angerdd a sicrwydd ymollwng i afael achubiaeth Grist-ganolog
hollol anghymharol. Yr oedd y mynegiant yn synhwyrus, ac yn
dwyn argyhoeddiad eithriadol. Portreadai Pantycelyn y credadun
fel un a ymgymer ag antur ysbrydol doed a ddelo, costied a gostio,
un a brofa wefr cymdeithas, siom pechu, ac a oresgyn derfysgoedd y

byd sy'n ymwthgar. Yr oedd bob amser yn gwbl onest parthed yr anawsterau, ac yn hollol sicr ynghylch y canlyniad. I fynegi hyn oll, yr oedd yr emyn yn ffurf lenyddol gyfaddas â dull cwbl newydd Pantycelyn o drafod y profiad Cristnogol, ac er bod ei emynau gorau'n gymhleth yn gelfyddydol, yn y bôn, yr oeddynt yn fynegiant syml ac uniongyrchol o ffydd. Yr oedd, ac y mae, symlder arddull uniongyrchol Pantycelyn yn gamp aruthrol fawr.

Ffurf ysbrydol-lenyddol yw'r emyn, ac yng ngwaith gorau Pantycelyn ceir asio pinaclau profiad erfyniol a hiraethlon â chrefft ystwyth i'w rhyfeddu:

> O na chawn ddifyrru *nyddiau*
> *Llwythog* tan dy ddwyfol groes!

– ymbilia'r emynydd. Y mae'r tyndra rhwng y mydr a'r rhythm yn un hynod adeiladol. Mae yma dafodiaith i gydio'r odlau ynghyd yn rymus i'r gynulleidfa, gan bwysleisio eu sŵn a'u synnwyr. Defnyddir y goferu trychiadol, y modd yr ysgerir yr enw oddi ar ansoddair wrth fynd o'r naill linell i'r llall, i reoli disgyrchiant semantig a mydryddol y pennill. 87.87.47 yw'r mesur, 'y mwyaf poblogaidd o holl fesurau yr emynau Cymraeg', yn ôl Gomer Morgan Roberts.[5] 'Fedra' i ddim honni mai Pantycelyn oedd y cyntaf oll i'w ddefnyddio yn y Gymraeg, er fy mod yn meddwl fod hynny'n hynod o debyg. Ond yn gwbl sicr, Pantycelyn a'i gwnaeth yn un o brif fesurau emynyddol y Gymraeg, gan ganu rhai o'i emynau gwychaf oll arno: 'Iesu, nid oes terfyn arnat'; 'Cymer, Iesu, fi fel ydwyf'; 'N'ad i'r gwyntoedd cryf dychrynllyd'; 'Disgyn, Iesu, o'th gynteddoedd'. Wrth ddarllen a beirniadu emynau Pantycelyn yn ofalus, mae'n ofynnol nodi bod y cwlwm rhwng y grefft a'r profiad mor agos fel y bo'r naill yn arwydd o'r llall.

Ymhle, erbyn hyn, y saif Achos yr Erlyniad yn erbyn Williams Pantycelyn? Fe dybiwn i ei fod bron yn chwilfriw, er y dadleuwn i hefyd fod *elfen* o wirionedd o leiaf ymhob un o'r cyhuddiadau gwreiddiol. Eithr y mae'n gyfrifoldeb arnaf yn awr i atgyfnerthu Achos y Diffynnydd.

O graffu dan yr wyneb fe welir nad yw Salmau Cân Edmwnd Prys mor rheolaidd eu cystrawen a'u mydryddiad â'r hyn y byddid yn tybio, a chyda'r Mesur Salm y mae'r odlau cyrch di-ben-draw yn aml yn drwsgl ac yn arafu ac yn cloffi'r rhythm yn ddianghenraid. Mae'n arwyddocaol mai cymharol ychydig o emynau sydd gan Bantycelyn ar y mesur hwn. A oedd hyn yn fwriadol, tybed, er mwyn pwysleisio goruchafiaeth yr emyn dros y salm fydryddol? Enillodd yr emyn ei oruchafiaeth dros y salm yn syndod o gyflym ar ddechrau'r Diwygiad, ac fe geir sôn am ganu emynau yn y seiadau o fewn dwy flynedd i dröedigaeth Howel Harris.[6] Hoff fesurau Pantycelyn ydyw'r Mesur Cyffredin – 'Mi dafla' 'maich'; y Mesur Hir – ''Rwy'n dewis Iesu a'i farwol glwy''; y mesur 6 ac 8 – 'O nefol addfwyn Oen'; 87.87.47 – 'Dacw gariad, dacw bechod', a 87.87.D – 'O llefara, addfwyn Iesu'. Am emynyddiaeth yr hen Ymneilltuwyr, rhaid cydnabod mai prydyddu diwinyddiaeth yr oeddynt yn aml, ac yn bur anfedrus hefyd, lawer ohonynt gynddrwg â'r gwaethaf a geir gan Bantycelyn.[7] Ac wrth nodi dylanwad y Saeson ar dwf yr emyn Cymraeg, rhaid i ni gofio bod y brodyr Wesley wedi cael mantais fawr wrth gynhyrchu eu casgliadau niferus o emynau. Medrent bwyso ar gyfraniad holl bwysig Isaac Watts. Ef piau'r clod am sefydlu'r posibilrwydd, ar ddechrau'r ddeunawfed ganrif, o ganu emyn Cristnogol cynulleidfaol yn y person cyntaf.[8] Doedd gan Bantycelyn neb y medrai ei gymryd yn rhagflaenydd sylweddol. Os cafodd ei fesurau o Loegr, yr oedd yn rhaid iddo eu trefnu yn y Gymraeg, trwy rymuster ei ddychymyg a medrusrwydd ei grefft. Ac er iddo gwyno ar un achlysur nodedig fod gofynion mydryddol yn rhwymo traed a dwylo bardd, goresgynnodd ei ddiamynedd-dra am iddo sylweddoli bod barddoniaeth yn ffurf ddelfrydol, 'i wresogi'r darllenydd yn y nwydau hynny y bo'r bardd am ennyn ynddo'.[9] Llwyddodd i ddryllio anystwythder barddoniaeth glasurol Gymraeg yn llwyr.[10]

Pantycelyn yw tad yr emyn Cymraeg, ar sail maintioli ei gynnyrch, ac ansawdd ei waith gorau. Trwy ei waith ef yn bennaf oll, fe enillodd yr emyn ei le unigryw fel ffurf lenyddol yn hanes llenyddiaeth Gymraeg. I roi ei gyfraniad mewn persbectif ystadegol: fe amcangyfrifir i ryw dair mil o emynau gael eu cyhoeddi yma yng Nghymru yn yr hanner canrif 1740–90 (sef, yn fras, rhwng cyhoeddi *Llyfr o Hymnau o Waith Amryw Awdwyr*, a marwolaeth Pantycelyn). Williams ei hun piau tua deg ar hugain y cant (30%) o'r cyfanswm. Mae ei egni a'i ymroddiad fel llenor yn hollol anhygoel, os cofiwn hefyd am ei weithgarwch yn y pulpud, y seiat a'r sasiwn, cyfrifoldebau a ddygai am rai blynyddoedd cyn troi'n llenor cyhoeddus. Wrth gwrs, Pantycelyn ein llyfrau emynau yw'r Pantycelyn sy'n adnabyddus i ni heddiw, o tua'r hanner cant o'i emynau a geir yn *Emynau'r Eglwys,* i oddeutu'r ddau gant a hanner a geir yn *Llyfr Emynau*'r Methodistiaid. Eithr amddiffynnol o ddiogel a digyffro yw meddwl amdano fel yna'n unig. Ysywaeth, erbyn heddiw, fe ddisodlwyd arucheledd profiad gan gywreinrwydd diwylliannol, ac fe berthynwn ni i genhedlaeth sydd ar y cyfan yn fud am ei phrofiad ysbrydol. Yn ei soned enwog i Bantycelyn, dywed R. Williams Parry iddo wrando ar nwyd Pantycelyn, 'yng nghryndod dwfn yr organ reiol.'[11] A gaf fi estyn y darlun, ac awgrymu bod Pantycelyn heddiw megis organ enfawr mewn cadeirlan? Y mae ei sŵn yn dal i arwain y miloedd, ond bod y cynulleidfaoedd – fel y bydd cynulleidfa mewn cadeirlan am resymau technegol – ar ei hôl hi; y mae gan Bantycelyn brofiadau ysbrydol *virtuoso* i gynnig o hyd, rhai hafal i *trio sonatas* Bach, ond bod eco ac adlais traddodiad ac enwad ym mhalas mawreddogrwydd y gadeirlan yn mynd yn fwyfwy gwag o hyd. Yn wyneb yr ysgariad a gynllwyniodd seciwlariaeth yr ugeinfed ganrif rhyngom ni ac emynau Pantycelyn – a rhannau helaeth eraill o'n hetifeddiaeth Feiblaidd a chrefyddol – y mae'n rheidrwydd arnom ofyn, beth yng ngolwg Pantycelyn oedd yr emyn? Beth oedd swyddogaeth yr emyn yn yr addoliad? Beth oedd anhepgorion y ffurf? Beth oedd perthynas yr emynydd â'i gynulleidfa?

Yr ydym yn dra ffodus i Bantycelyn ar fwy nag un achlysur nodedig adolygu'i brofiad a'i yrfa fel emynydd a chyflwyno i ni, ar ffurf rhagymadroddion, strategaeth emynyddol prif emynydd y Diwygiad Methodistaidd. Dau o'r rhagymadroddion hyn fydd sail y ddarlith o hyn ymlaen.[12]

Ym 1758 a 1766 fe gyflawnodd Pantycelyn gamp na wnaeth John Wesley tan 1780 yn ei ragair i'r *Collection of Hymns for the Use of the People called Methodists,* sef disgrifio sylfaen bragmatig ac ysbrydol ei emynyddiaeth. Ym 1758 cyhoeddodd drydydd argraffiad *Aleluia,*[13] yn cynnwys holl emynau chwe rhan *Aleluia* a thair rhan *Hosanna i Fab Dafydd* ynghyd, sef i bob pwrpas, â'i holl emynau cyhoeddedig hyd at y flwyddyn honno, ryw bedair blynedd ar ddeg o weithgarwch cyhoeddus. Mae'n ddiddorol sylwi ar y gwahaniaeth rhwng y rhagymadrodd i'r argraffiad arbennig hwn a'r rhag-ymadrodd mwy adnabyddus a gafwyd ganddo ym 1766, sef ar ddechrau *Ffarwel Weledig, Groesaw Anweledig Bethau, neu rai hymnau o fawl i Dduw a'r Oen . . . Yr ail ran*.[14] Yn y cyntaf, rhoddir y pwyslais i gyd bron ar brofiad ysbrydol yr emynydd a'i amddiffyniad o'i emynau gorhyderus, ac ar brofiad y gynulleidfa, y rhai a ddisgrifir yn 'amheus llesg neu gryfion ffyddiog'. Erbyn 1766, rhoddir y sylw i gyd i'r emynydd a'i grefft, ac wrth emynydd golygir *pob* emynydd, 'pwy bynnag a ddanfono hymnau i'r argraffwasg'. Mae'n hawdd cyfrif am y gwahaniaeth. Ym 1758 yr oedd y Methodistiaid fel mudiad ac fel unigolion yn profi 'blinder dros dro dan amrywiol brofedigaethau'. Oherwydd yr Ymraniad rhwng Howel Harris a Daniel Rowland fe lesteiriwyd y cynnydd cychwynnol syfrdanol. Erbyn 1766 yr oedd Diwygiad Llangeitho bedair blynedd ynghynt wedi cadarnhau, ym meddyliau'r Methodistiaid, waith rhyfeddol Duw yma yng Nghymru. Yr oedd gyrfa lenyddol Pantycelyn a'r mudiad Methodistaidd ill dau wedi ailflodeuo. Erbyn canol chwedegau'r ganrif hefyd yr oedd emynwyr 'sylweddol' y cyfnod – Dafydd Jones o Gaeo, Dafydd Wiliam, Morgan Rhys – yn dechrau cyhoeddi swm go lew o waith: er enghraifft, ym 1764, cyhoeddodd Morgan Rhys *Golwg o Ben Nebo ar Wlad yr Addewid*, yn cynnwys 74 o emynau, *dwbl* yr hyn a welwyd o waith yr emynydd cyn hynny. Yn y cyfnod hwn hefyd aeth nifer helaeth o emynwyr eilradd a llai adnabyddus ati i gyhoeddi casgliadau, a'r tebyg ydyw fod angen cyfarwyddyd llenyddol ac ysbrydol arnynt oll.

Mae'n amlwg oddi wrth ragymadrodd 1766 fod Pantycelyn yn ddeublyg effro i gyfraniad ei waith i'r mudiad Methodistaidd ar y naill law, ac i'w wreiddioldeb yntau fel emynydd ar y llaw arall:

> Er mai ceisio tynnu at yr un sylwedd, ac at yr un Athrawiaeth mae rhan fwya o'r Hymnau gyfansoddwyd eisoes; etto fel maent wedi eu gwisgo â phrofiadau newyddion, goleuni newydd, geiriau, troell-ymadroddion a mesurau newyddion, mae eu hamrywioldeb yn llaw'r Ysbryd tragwyddol yn cyffroi teimlad o Gariad Duw.[15]

Dyma emynydd sy'n ymwybodol *iawn* o'i ddatblygiad fel llenor, a'i alwedigaeth fel efengylydd prydyddol ei bobl – ei swyddogaeth, a'i gyfraniad pennaf, ond odid. Gellir casglu o'i ragymadroddion fod Pantycelyn yn synied amdano'i hun fel math arbennig o emynydd. Olrhain y gwahanol agweddau ar ei emynyddiaeth fel y'u disgrifir yn y rhagymadroddion fydd byrdwn y ddarlith hon o hyn ymlaen.

Nodwn i ddechrau – ac yr oedd ein dadansoddiad o 'Arnat Iesu boed fy meddwl' yn cadarnhau hyn – fod Pantycelyn yn ystyried ei brofiad Crist-ganolog yn sylfaen ei ysbrydoledd a'i emynyddiaeth:

> IESU, IESU, 'rwyt ti'n ddigon,
> 'Rwyt ti'n llawer fwy na'r byd,
> Mwy trysorau sy'n dy enw
> Na thrysorau'r India 'gyd:
> Oll yn gyfan, &c.
> Ddaeth i'm meddiant gyda'm DUW.[16]

Prin y gellid mynd uwchlaw na thu hwnt i'r hyn a ddisgrifir yma, ac yr oedd y profiad hwn, fel y dywed Pantycelyn ei hun yn gwbl Galfinaidd, yn gyfuniad o hunanadnabyddiaeth ac adnabyddiaeth o Dduw:

> Ond yr wyf fyth yn addef, [meddai ym 1758] pan y daethym i adnabod mwy ohonof fy hun a gweled mai Aipht o Dywyllwch, mor o Aflendid, Byd o Falchder yw Dyn, ir Iechadwriaeth yng Nghrist i gael ei dyrchafu genni i radd uwch, ac i Ddyn ai Ddoniau gael eu diystyru yn rhagor, ac mi wnes fy ngorau pa beth bynnag fyddai Natur yr Hymn, Achwyniad, Erfyniad, Ymffrost-dduwiol, neu Fawl, fod Crist yn ganolbwynt i'r Cwbl ... Mi wn bod nifer fawr o Hymnau yn yr elfen hon o glodfori'r Iachawdwr.[17]

Wyneb yn wyneb â'r fath brofiad unigolyddol yr oedd trefn litwrgi'r eglwys yn rhy haearnaidd ac anystwyth. Eithr, *fe* gafodd y Diwygiad Methodistaidd ei litwrgi, ei litwrgi brofiadol, trwy ei emynyddiaeth. Yn yr emynau y crynhowyd gweledigaeth a phrofiad yr unigolyn a'r gymuned. O ganlyniad fe drefnid yr addoliad, nid ar ffurf gwasanaeth y litwrgi, ond yn ôl trefn profiadau euogrwydd, edifeirwch, pechod, gras, trugaredd, maddeuant a chariad. Trwy bwysleisio cyflwr cynhenid y pechadur, yr oedd yr emynydd yn angerddoli ac yn dyrchafu'i glod am ogoniant ei waredigaeth:

> IESU, nid oes terfyn arnat,
>   Mae cyflawnder mawr dy ras
> Yn fwy helaeth, yn fwy dwfwn
>   Ganwaith nag yw 'mhechod cas.
> Fyth yn annwyl, &c.
> Meibion dynion mwy a'th gar.[18]

Y mae dirgelwch person a gwaith Crist yn ganolbwynt profiad angerddol, ac fe geir rhyw bendantrwydd yn y canu hwn sy'n gorfodi ymateb ac ymrwymiad.

Amod anhepgorol pob emynydd, meddai Pantycelyn, yw 'gwir adnabod Duw yn Ei Fab,' yr hwn, yn ôl ei emynau ef ei hun dro ar ôl tro ar ôl tro, sydd yn hollol anghymharol. Eilio prif genadwri pregethwyr mawr y Diwygiad ydoedd wrth ganu fel hyn i'r Iesu. Yn ôl ei farwnad i Mrs Grace Price, Watford, Caerffili, 'Iesu'r *text* a Iesu'r bregeth' oedd neges Dafydd Jones, Llan-gan, a gellir cyfeirio at rannau eraill o waith Pantycelyn i brofi mai Crist oedd canolbwynt neges daranllyd Harris yn Nhrefeca a hefyd sylwedd cenadwri cennad ogoneddus pulpud Llangeitho. Ac yr oedd i'r eneideg gymhwysiad cymdeithasegol yn nyddiau anterth y Diwygiad. Clywch Bantycelyn yn disgrifio pregethu Christopher Bassett a fu'n gweinidogaethu ym mro Morgannwg cyn ei farwolaeth annhymig ym 1784. Mae'n gwbl amlwg i'r pregethu Methodistaidd gyflenwi angen ysbrydol-cymdeithasegol dwfn iawn:

> Athrawiaethau pen Calfaria,
>   Dyfais hyfryd Dwyfol ras,
> Hufain pur a mêr y Beibl
>   Wedi ei sugno o'i fronau maes,
> A'u llawn drochi mewn gwir brofiad
>   Oedd dy bregeth ymhob man,
> Bwyd i'r athrist a'r newynog,
>   Bwyd i'r cryf a bwyd i'r gwan.[19]

Daw hyn â ni at yr ail beth a ddywed rhagymadroddion emynyddol Pantycelyn wrthym amdano, ac at yr agwedd fwyaf canolog ar ei waith. Mae'n gwbl glir ei fod yn ystyried ei hun yn *emynydd ei bobl*, y 'duwiolion at wasanaeth, pa rai yn bennaf y cyfansoddwyd hwy'. Duwiolion a ddisgrifiwyd ganddo mewn emyn anadnabyddus fel:

> Iengctid yn eu rhwysg a'u nwyfiant,
> Fel y blodau teca' eu lliw.[20]

Ac yr *oedd* pobl Pantycelyn yn ifanc – yn ifanc yn ystadegol, ac yn ifanc yn y ffydd. Dyna, efallai, a gyfrif pam nad yw'r portread ohonynt mor garedig bob amser. Ym 1758, beirniadodd yr emynydd ei bobl am eu diffyg ffydd: 'nid oes a gân yn hwylus ond sydd wedi profi Duw yn dda ynddynt' – gydag awgrym pellach o ddiffyg gwybodaeth ysgrythurol, diffyg parodrwydd i ymestyn i fyny mewn sicrwydd, a diffyg profiad o ras Duw. Oherwydd hyn i gyd, mae'n hollol anhepgorol, meddai'r emynydd, fod y sawl a ddewiso emyn ar gyfer yr addoliad yn gyfarwydd â chyflwr ysbrydol y gynulleidfa. Dyma ganllawiau Pantycelyn, o ragymadrodd 1758:

> Fe ddylai y cyfryw a fo yn rhoi hwynt os possib yw, fod yn gydnabyddus yn gyffredin pa fath yw'r Bobl fydd yn eu canu, pa un ai bod lle i obeithio bod llawer ohonynt yn Dduwiol ai peidio, neu os ydynt yn Dduwiol pa un ai rhai amheus llesg neu rai Cryfion-ffyddiog ydynt hwy, ac hefyd pa un ai mewn Hwyl o Ddiolch neu mewn Hwyl o Weddi y maent, ac yn ola pa un ai yn fwy marw o ran eu Teimlad yn bresenol neu yn fwy byw y maent, ac yn ganlynol rhoi Hymn i maes ag y fo yn perthyn yn fwya addas iw Cyflyrau.

Ni ellir peidio â chasglu bod ystyriaethau pragmatig ac ysbrydol ynghylch yr emyn yn gyfuwch, os nad yn uwch, nag ystyriaethau llenyddol ac esthetig. Ym 1766 fe glywn feirniadaeth gan Bantycelyn eto ar ei gynulleidfa, am eu bod hwy, erbyn hynny, yn cwyno bod ganddynt ormod o emynau i'w canu: 'Ond y rhai sydd am ganu mawl i Dduw, nis digonir hwynt â chaniadau mawl'.

Mae'n ofynnol i ni ofyn bellach, pwy oedd y rhai a oedd yn canu mawl i Dduw? Pobl oeddynt a fyddai'n tystio'n feunyddiol – yn ddirgel ac ar goedd – i holl gystuddiau ingol eu hymwybyddiaeth o'u pechod a'u gwrthgiliad ar y naill law, ac i'r llawenydd amlwg a roddwyd iddynt drwy gredu yng Nghrist ar y llaw arall. Pobl, mewn gair, a oedd yn ysbrydol, yn *eneidegol* effro. Ac fe'u deffrowyd i nifer mawr o bethau, fel y noda Daniel Rowland yn un o'i bregethau: ffydd, gobaith, cariad, ofn, gorfoledd, diolchgarwch, tosturi ac ardderchowgrwydd pethau[21] – ac wrth 'bethau' golyga'r pregethwr Drefn y Cadw a Rhyfeddod yr Arfaeth. Drwy'r pregethu, y llenydda a'r seiadu, gorfodid y dychweledigion i fod yn fwyfwy effro o hyd i ardderchogrwydd gwaith Duw ar eu heneidiau.

Yn ôl propaganda canmoladwy Pantycelyn dros y mudiad newydd nerthol yr oedd yn arweinydd llenyddol-seiadol arno, 'fe gludwyd torfeydd at Air y Bywyd' yn sgil Diwygiad Llangeitho. Drwy enau Martha Philopur dywed, 'fod cannoedd, ie, miloedd yn berchen ar y fflam'.[22] Ar eu cyfer hwy fe baratôdd emynau, 'wedi'u ffitio i gyflyrau pob rhyw ddyn'. Ac fe ddaeth llinellau, penillion ac emynau cyfain i gael eu seinio'n feunyddiol fel mynegiant syml ac uniongyrchol o ffydd. Yn un o farwnadau Pantycelyn i wraig a gafodd ei hargyhoeddi dan bregethu Harris, Whitfield a Rowland, sef Mrs Catherine Jones o blwyf Trefddyn, yn yr hen Sir Fynwy, fe geir cyfeiriad diddorol odiaeth at bwysigrwydd canolog emynau ym mywyd yr enaid dychweledig:

> Hymnau mwy ei chân gyffredin,
> A'i difyrrwch ddydd a nos,
> Hymnau am ddyoddefaint IESU,
> Hymnau dwyfol waed y groes;
> Mor gyfarwydd yw hi ynddynt,
> Mae'n eu nabod hwy a'u sain,
> Ac yn ddystaw, neu yn gyhoedd
> Mae o hyd yn canu rhai'n.[23]

Nid oes ronyn o amheuaeth ynghylch pwnc y canu; sylfaen pob emyn yw aberth Crist. Ac fe gofleidiwyd casgliadau Pantycelyn o emynau, a threiddiai'r mynegiant o ffydd a geir ynddynt i lunio'r meddwl a'r galon.

Yr oedd yr emyn yn nyddiau'r Diwygiad yn ffurf lenyddol ddelfrydol i fynegi profiad personol cynulleidfaol y byddai'r datganiad ohono yn weithred ieithyddol dorfol rymus ac effeithiol. Ac yr *oedd* y mawl yn weithredol: sylwer ar deitlau rhai o gasgliadau Pantycelyn – *Aleluia, Hosanna, Gloria.* Yr oedd yr emynau eu hunain hefyd yn llawn berfau perfformiadol, berfau y mae'r *datganiad* ohonynt yn weithredoedd – *hiraethu, difyrru, mwynhau.* Yn bendifaddau yr oedd y datganiad cyhoeddus o emynau Pantycelyn, y torfeydd mawrion yn Llangeitho, dyweder, neu'r dyrnaid ffyddlon yn nhai annedd y seiadau, yn rhan o brofiad ffydd.

Da, felly, oedd i Bantycelyn ganu mor onest, gan osod allan sbectrwm eang amlochrog o brofiadau. Ymhob ffordd yr oedd ei *repertoire* yn un eang, ac fe aeddfedodd o ran crefft a phrofiad ar hyd y blynyddoedd: o emynau gorhyderus *Aleluia* i ganiadau'r *Môr o Wydr* a'u cyfuniad cyfoethog o alarnadu a gorfoleddu didwyll,[24] i sicrwydd tangnefeddus y casgliadau olaf. Ar lawer ystyr yr oedd yn anochel i ffydd a roddai gymaint o bwyslais ar hyder a gorfoledd yn sgil y Diwygiad ddioddef yn arteithiol ar brydiau gan anobaith a chan anghrediniaeth. Mae'r siom weithiau'n ddirdynnol wrth i Bantycelyn lefain o'r dyfnder a gweddïo'n ymbilgar yn y tywyllwch:

> ARGLWYDD rhaid i mi gael bywyd,
>   Mae fy meiau yn rhy fawr,
> Fy euogrwydd sydd yn gydbwys
>   A mynyddau mwya'r llawr;
> Rhad faddeuant gwawria bellach,
>   Gwna garcharor caeth yn rhydd;
> Fu'n ymdreiglo mewn tywyllwch
>   Nawr i weled goleu'r dydd.[25]

Y mae pechod yn faich aruthrol, ond y mae dioddefaint cariad Duw ar y groes yn ei wrthbwyso. Deisyf am gael dianc o gaethiwed i ryddid, ac o dywyllwch i oleuni a wna'r emynydd yma. Ac fe geir llawer o funudau *du iawn* yn ei waith, blith draphlith, fel arfer, â munudau perlesmeiriol o fwynhau cymundeb â Christ. Rhywle yn y sbectrwm rhwng anobaith llwyr ac adnabyddiaeth gariadus y canodd Pantycelyn y rhan fwyaf o'i emynau:

Mae Dyfnderoedd Anghrediniaeth
    Wedi'm rhoddi'n llesg a gwan,
Pechod yn fy ngwneid i ofni,
    Ofni yn fy rhwystro i'r lân:
Gwna i mi gredu, &c.
Dyna'm Henaid wrth ei fodd.[26]

– ac yr oedd wrth ei fodd yn ymhyfrydu yn nigonolrwydd ei serch
tuag at Grist, ei Anwylyd anweledig:

ANWELEDIG 'r wi'n dy garu,
    Rhyfedd ydyw nerth dy ras,
Dynnu f'enaid I mor hyfryd,
    O'i bleserau penna maes;
Ti wnest fwy mewn un funudyn,
    Nag a wnaethai'r byd o'i fron,
Ennill it' eisteddfod dawel,
    Yn y galon garreg hon.[27]

Oherwydd ei fewnwelediad a'i seicoleg cytbwys ac aeddfed, meddai
Pantycelyn ar y gallu i dreiddio i gilfachau mwyaf anhysbys enaid
dyn. Llwyddai i ddarlunio cyfyngleoedd pererindod bywyd,
gan bortreadu'i hun yn eiddil, yn hawdd i'w niweidio, ac yn
brwydro i garu, am yn ail â chyflwyno esgyniadau mawreddog cwbl
hyderus:

Yn dy law y gallaf sefyll,
Yn dy law y dof i'r lân,
Yn dy law fyth ni ddiffygiaf
Er nad ydwyf fi ond gwan.[28]

Y trydydd peth a ddywed ei ragymadroddion wrthym amdano yw
fod Pantycelyn yn *emynydd y Gair*. Fe gyfeiria'r emynydd at y Beibl
mewn tair ffordd yn y rhagymadroddion hyn. Yn y lle cyntaf, mae'n
sylfaenol i'w amddiffyniad ym 1758 fod cymaint o'i emynau mewn
ysbryd o sicrwydd ffydd:

... fod swm amrywiol iawn o'r Salmau, os nid y rhan fwyaf,
o'r Ysbryd hwn o Siccrwydd Ffydd, concwest ar Elynion ac
ymffrost dduwiol; Caniadau Solomon sydd yn llawn o Gariad,

Mwynhad, a Siccrwydd Ffydd, ac hyd yn od Galarnad JEREMI ei hun sydd yn gweiddi allan – 'yr ARGLWYDD yw fy rhan medd fy Enaid'.

Hynny yw, fod modd i'r llenor ddefnyddio'r patrwm profiadol hwn o sicrwydd a hyder a ddarlunnir yn y Gair yn gynsail i'w waith a'i brofiad yntau. Yn ail, wrth ddisgrifio'i brofiad Crist-ganolog fe gydnebydd Pantycelyn ei ddyled arbennig i Lyfr y Datguddiad, 'yr hwn yw y cywiraf i gyfansoddi Hymnau wrtho at oes y Testament Newydd', a'n cyfeirio at y wedd escatoleg sydd ar y Beibl. Ac yn drydydd. Ym 1766 wrth iddo gynghori darpar emynwyr yn ostyngedig am anhepgorion eu crefft a'u profiad – iddynt eu trwytho eu hunain mewn prydyddiaeth – anoga iddynt ddarllen:

> drachefn a thrachefn, Lyfrau'r Prophwydi a'r Salmau, y Galarnad, y Caniadau, Job, a'r Datguddiad, y rhai sydd nid yn unig yn llawn o Ehediadau Prydyddiaeth, troell-ymadroddion, amrywioldeb, esmwythder Iaith a chyffelybiaethau bywiol, ond ag Ysbryd hefyd ag sydd yn ennyn Tân, Zêl a Bywyd yn y Darllenydd tu hwnt (am mai Llyfrau Duw ynt) i bob Llyfrau yn y Byd.

Gwyddai Pantycelyn y bardd a'r Cristion fod yn y Beibl iaith ac ystyron uwchlaw'r cyffredin. Aeth ati ei hunan i impio gwead cymhleth o gyfeiriadaeth ysgrythurol ar ei brofiad – ac fe âi'r gwead yn fwy trwchus a chyfoethog wrth iddo aeddfedu. Er bod Pantycelyn yn dweud yn hollol blaen ac uniongred mai'r Beibl yw llyfr y gwirionedd am Dduw, fe ddywed hefyd fod y Beibl yn llyfr sylfaenol ei ddiwylliant llenyddol.

Ym 1766 fe ganodd Pantycelyn gân 'am werthfawrogrwydd y Beibl', ar ddiwedd un o'i gyfieithiadau niferus.[29] Mae rhai o linellau'r gân yn crynhoi llawer o'r hyn y ceisiais ei egluro:

> Dyma'r Llyfr mae fy nhrysor,
> Dyma'r drych cai weld fy NUW;
> Ynddo fwy boed fy myfyrdod,
> Nag mewn awdwyr o unrhyw.

Dyma'r Llyfr wyf yn parchu
   'N fwy na myrdd o lyfrau maith,
Llyfr Duw a Thest'ment Iesu
   Arwain f'enaid ar fy nhaith;
Cyfarwyddwr pur i'r Nefoedd,
   Llewyrch traed y Seintiau yw,
Clofen dân o foroedd *Edom*
   I'r Baradwys nefol wiw.

Rhwng cloriau'r Beibl fe ddaeth Pantycelyn o hyd i ddehongliad
ffydd a oedd yn ddarlun cyfansawdd o hanes pobl Dduw ac yn
ddatguddiad o boen a rhyfeddod bywyd ffydd. Byddai llenor a
Christion deallus yn medru gwerthfawrogi tyndra cynyddol yr
argyfyngau cyson ynghyd â lluosogrwydd y cyfundrefnau o
ddelweddau a ddefnyddir i'w disgrifio. Mae'n hysbys ddigon, er
enghraifft, fod hanes yr Ecsodus yn ganolog i'r Gair ac i emynau
Pantycelyn ill dau:

Mae dy air yn abal fy arwain,
   Trwy'r anialwch mawr ymlaen,
Mae e'n glofen oleu eglur
   Weithiau o niwl, ac weithiau o dân,
Mae'n ddible ynddo fe,
Fwy na'r ddaear mwy na'r Ne'.[30]

Mae arweiniad gwyrthiol yr Hollalluog i'w genedl etholedig i'w
troi'n gysur ac yn gynhaliaeth anfesurol i enaid egwan y credadun
sydd fel petai ar ganol yr anialwch. Trwy lenyddiaeth brofiadol
Pantycelyn, a phregethu teipolegol y Diwygwyr, fe drawsblannwyd
y dychweledigion yn gyson i sylwebu ar daith y genedl. 'Sylwch fod
Israel y pryd hyn [meddai Daniel Rowland], yn yr anialwch ymhlith
bwystfilod rheibus, mewn drain a mieri, Oh daith ofidus! etto yr
oedd yr Arglwydd yn eu plith yn eu harwain i Ganaan.'[31] Mae yma
ddilechdid rymus a ffurfiai ddychymyg a phrofiad y Methodistiaid,
sef ar y naill law ofid y daith, ac ar y llaw arall ragoriaeth y
gynhaliaeth a'r arweiniad.

Mewn emynau, pregethau a seiadau lu fe deithiai dychweled-
igion y Diwygiad bob modfedd o'r daith o'r Aifft i Ganaan, a

llecynnau strategol eraill hanes pobl Dduw, nes i Piahiroth a Balsephon dyfu mor gyfarwydd â Threfeca a Llangeitho! Fe ddaeth *daearyddiaeth* yn *ddiwinyddiaeth*, a'r anturiaethau corfforol hanesyddol a groniclir yn yr Hen Destament yn brofedigaethau ysbrydol yn enaid y pererin Methodistaidd yn y ddeunawfed ganrif:

> Dyma'r tlawd a dyma'r truan
> Sydd ers trist flynyddau hir
> Ôl a gwrthol yn ymddrysu
> 'R hyd y dyrys anial dir:
> Creigydd *Piahiroth* yma,
> A *Balsephon* arw draw,
> Aipht o mewn, ac Aipht oddi allan,
> Sy'n fy ofni ar bob llaw.[32]

Mae'r darlun hwn yn ddigon cynhwysfawr i gyfleu'r gwahanol agweddau ar y proses o sancteiddhad, y pechu cyson a'r edifeirwch. Ac y mae'r athrawiaeth, y gred a'r profiad yn cael eu dilysu gan y Gair.

Ac yn olaf: mae'n deg casglu o'i ragymadroddion fod Pantycelyn yn ei ystyried ei hun yn *emynydd y nef*. Wrth derfynu ei ragymadrodd ym 1758 dywed, 'bod y Cwbl er Lleshad tragwyddol ich Eneidiau yw gwir Ddymuniad eich Anheilyngaf Frawd a'ch Gwasanaethwr yn yr Efengyl'. Yn ôl dealltwriaeth Pantycelyn a'r dychweledigion o'r ffydd Gristnogol yr oedd y bywyd ysbrydol yn ymwneud â materion o dragwyddol bwys a ddiffinnid iddynt yn athrawiaethol gan y termau eithafol, prynedigaeth, cyfiawnhad, aberth, atgyfodiad. Wrth ganu'n llafar foliant i'r Arglwydd a wnaeth yr holl bethau hynny'n bosib, yr oedd yr emynydd a'r gynulleidfa'n ymwybodol eu bod oll yn rhan o'r gân fawr a genir yn nhragwyddoldeb gan gymdeithas y saint. Fe ymgymerai Pantycelyn â'r dasg o 'seinio'i glod a'i ryfedd waith/I eitha tragwyddoldeb maith'. Ymdriniodd â'r thema wrth gyflwyno caniadau'r *Môr o Wydr:*

> 'R un peth a Gan'som yma'r un Iechadwriaeth gu
> Ond i'n cyweirio'n Telyn 'nes i'r Caniadau fry;
> Ceisiasom ddilyn Allwedd Eiriolaeth Marwol Glwy,
> Ac ymffrost wedi golli, i harddu'r Gân yn fwy.[33]

A cheir yr un thema'n union yn gyson yn y marwnadau:

> Un yw'r Hymn, ac un yw'r Anthem,
> Canu'r Iachawdwriaeth rad,
> 'R un yw'r gelyn a orchfygwyd,
> 'R un yw'r goncwest, 'r un yw'r gwaed.[34]

Fe barheir yr anthem a genir yma draw yn nhragwyddoldeb, a'r un fydd ei gwreiddyn – angau Calfari.

Mae'r portread o Bantycelyn fel awenydd arallfydol a geid hyd yn gymharol ddiweddar yn peri i ni feddwl iddo fynd mymryn yn nes na'r rhelyw ohonom at y nef – fod ganddo adnabyddiaeth ragorach o bethau cudd tu draw i'r llen! Wrth iddo ymbil am brofi 'pethau nad adnabu'r byd', rydym rywsut yn rhagdybio iddo gael profiad tebyg eisoes er mwyn iddo ganu rhai o'i emynau o gwbl, oherwydd y fath bwyslais a geir mewn cynifer ohonynt ar ysblander, harddwch a gogoniant Crist. Yn bendifaddau, ers y bore bythgofiadwy hwnnw y clywodd 'lais y nef' ym mhregeth Howel Harris ym mynwent Talgarth, y mae tegwch tŷ ei dad yn ei ddenu, ac er iddo brofi dilyniant hir o eiliadau tragwyddol am hanner canrif a rhagor ar ôl ei dröedigaeth, gŵyr fod y profiad mwyaf ysblennydd eto i ddod:

> Pa fath uwchder rhed fy nghariad?
> Pa fath syndod y pryd hyn?
> Pan y gwelw'i dy ogoniant
> Perffaith llawn ar *Seion* fryn?
> Anfeidroldeb, &c.
> O bob tegwch maith yn un.[35]

Mae disgrifiadau Pantycelyn o'r nef yn foethus-synhwyrus, ac nid er ei fwyn ei hunan y disgrifir gogoniant y tragwyddol, ond er mwyn argyhoeddi'r 'rhai sy'n teithio trwy ddyffryn Bacca / Gyda mi i Salem lân'. Yr addewid am y nef yw ffynhonnell cysur y pererin wrth iddo frwydro yn yr anialwch. Diben y bererindod yw etifeddu'r nef yn y pen draw: y mae'r sicrwydd hwnnw'n ganolog yn y ffydd Gristnogol. Yn ôl yr emynau, fe bery'r rhyfeddod at y Gwaredwr a enynnwyd yma ar y ddaear yn ddiddarfod yn y nef. Yno bydd y cymundeb a'r agosrwydd yn derfynol barhaol, ond yn y cyfamser, mae'r Ysbryd a'r nef yn bendithio'n helaeth awen yr emynydd.

Mawredd a gwreiddioldeb Pantycelyn yw ein bod ni heddiw yn ei gofio, yn ei gloriannu, ac yn ei ganmol, ddau can mlynedd ar ôl ei farw. Ac yn ystod y flwyddyn [1991] fe fydd cannoedd o'n cyd-Gymry mewn cwrdd dosbarth a chylch llenyddol, mewn henaduriaeth a chwrdd chwarter, mewn ysgolion undydd, deuddydd a rhagor, wedi clywed amdano mewn llu o anerchiadau a darlithiau. I orffen, fe awn yn ôl i'r Llys Barn i ddwyn rhai o gyhuddiadau ein hoes seciwlar yn ei erbyn. Ar bob cownt – emynydd y profiad Crist-ganolog, emynydd ei bobl, emynydd y Gair ac emynydd y nef, y mae'n rhaid i ni ddyfarnu Williams Pantycelyn yn euog. Am y posibilrwydd y gall fod yn emynydd i ni heddiw, mae'r dyfarniad, ysywaeth, yn agored, oherwydd yr ydym yn enbydus o agos at y diwrnod pryd y bydd *diwedd canu* a *diwedd canmol* ymhlith y Cymry ar ei emynau.

Yn rhagymadrodd 1766 fe amlinellodd Pantycelyn hanfodion emynydd da:

Ysbryd, Zêl, mwynhad o Dduw a phrofiad, ynghyd â grym hwyl nefol yn cydferwi o mewn, nes torri o'r tân allan mewn caniadau melys a bery byth.

Y mae William Williams ei hun yn gwbl deilwng o'i linyn mesur, a'n braint ni eleni yw cydnabod y teilyngdod hwnnw.

1 R. T. Jenkins, 'Fy Llyfr Emynau newydd', *Y Llenor* 21 (1942), t.19.
2 Hysbysiad tudalen cefn yn *Ffarwel Weledig, Groesaw Anweledig Bethau . . . Y rhan gyntaf* (Caerfyrddin, 1763).
3 *Gloria in Excelsis . . . Y rhan gyntaf* (Llanymddyfri, 1771), Hymn XL.
4 *Alleluia, neu casgliad o hymnau, ar amryw ystyriaethau* (Caerfyrddin, 1744).
5 Gomer M. Roberts, 'Dylanwad rhai o Fethodistiaid Lloegr ar emynau a mesurau Pantycelyn,' *Bathafarn* 2 (1947), t.57.
6 Gomer M. Roberts, 'Dau Lyfr Emynau 1740', *Y Traethodydd* 102 (1947), tt.82–9.
7 Gweler yr enghreifftiau a nodir gan Garfield H. Hughes, 'Emynyddiaeth gynnar yr Ymneilltuwyr', *Llên Cymru* 2 (1953), tt.135–46.
8 Gweler sylwadau Pauline Parker, 'The hymn as a literary form', *Eighteenth Century Studies* 8 (1974–75), t.412.

9 'At y Darllenydd', *Caniadau y Rhai sydd ar y Mor o Wydr* (Caerfyrddin, 1762), t.iv.
10 Saunders Lewis piau'r disgrifiad grymus hwn. Gweler ei astudiaeth, *Williams Pantycelyn* (Llundain, 1927), t.221.
11 R. Williams Parry, *Yr Haf a cherddi eraill* (Y Bala, 1924), t.25.
12 Y mae pob un o ragymadroddion Pantycelyn i'w weithiau yn hynod o ddiddorol, ac yn rhoi i ni ddarlun o amcanion ac o anawsterau'r llenor. Yn ogystal â rhagymadroddion 1758 a 1766, cyfeiriaf hefyd yn achlysurol at ragymadrodd 1762, sef anerchiad Pantycelyn 'At y Darllenydd' o flaen *Caniadau y Rhai sydd ar y Mor o Wydr*.
13 Argraffwyd ym Mryste, gan E. Ffarley a'i Fab.
14 Argraffwyd gan J. Ross yng Nghaerfyrddin.
15 *Ibid.*, t.ii.
16 *Ffarwel Weledig . . . Yr ail ran*, Hymn VI.
17 'At y Darllenydd'.
18 *Gloria in Excelsis: neu hymnau o fawl i Dduw a'r Oen. Y rhan gyntaf*, Hymn XXIX.
19 Cyhoeddwyd y farwnad ym 1784, a'i hargraffu gan J. Evans, Aberhonddu.
20 *Gloria in Excelsis . . . Y rhan gyntaf*, Hymn XXI.
21 Gweler ei esboniad ar y gair 'Wele' yn ei bregeth 'Llais y Durtur' yn seiliedig ar Datguddiad 3: 20, *Deuddeg o bregethau* (Aberystwyth, 1814), t.74.
22 *Gweithiau William Williams Pantycelyn*, cyf. 2, gol. Garfield H. Hughes (Caerdydd, 1967), t.3.
23 Argraffwyd y farwnad gan John Daniel yng Nghaerfyrddin, ac fe'i cyhoeddwyd ym 1789.
24 Yn ei air 'At y Darllenydd' wedi'i gyfeirio, 'Anwyl Garedigion' ar ddechrau'r *Môr o Wydr* (tt.iii–iv) dywed Pantycelyn fod emynau'r gyfrol, 'wedi addasu at dymherau ysprydol rhai ag sydd wedi cyfarfod ag amryw brofedigaethau, croesau, a chystuddiau o maes, ac aneirif Gystuddiau Yspryd ac ymdrechiadau o mewn; Dynion meddaf sydd wedi myned tan Dywyllwch, Culni, Anghrediniaeth, a'r Cyffelib; rhai a drafodwyd o Lestr i Lestr (cyflwr ag y mae aneirif o broffeswyr y Dyddiau hyn yn ei adnabod) heb ddim ganthynt i ymffrostio ynddo, ond yn eu gwendid, ac yn yr Iechadwriaeth fawr yng Ngwaed yr OEN.'
25 *Ffarwel Weledig . . . Y rhan gyntaf*, Hymn LXXIV.
26 O'r argraffiad beirniadol o emynau *Môr o Wydr* a geir yn nhraethawd M.A. anghyhoeddedig Dafydd Alwyn Owen (Prifysgol Cymru, 1980), emyn rhif 48.
27 *Ffarwel Weledig . . . Y rhan gyntaf*, Hymn XXI.
28 O'r argraffiad beirniadol o emynau *Môr o Wydr*, emyn rhif 80.
29 *Hanes llwyddiant diweddar yr Efengyl, a rhyfeddol waith Duw, ar eneidiau pobl yn North America* yw'r cyfieithiad, ac fe'i hargraffwyd, ynghyd â'r gân am y Beibl yng Nghaerfyrddin gan John Ross.
30 *Ffarwel Weledig . . . Yr ail ran*, Hymn LIX.
31 *Deuddeg o Bregethau*, t.63.

32 *Gloria in Excelsis . . . Y rhan gyntaf*, Hymn LXII.
33 Yr ail bennill o 'Rhai Pennillion ar Ystyriaethau y LLYFR hwn'.
34 O *Crwydriad dychymmyg i fyd yr ysbrydoedd; neu fyfyrdodau ar farwolaeth Y Parchedig Mr. Lewis Lewis . . .* (Caerfyrddin, 1764).
35 *Ffarwel Weledig . . . Y rhan gyntaf*, Hymn XI, 'Nef y Nefoedd'.

Williams Pantycelyn a'r Beibl*

I'r rhan fwyaf o Gymry crefyddgar a llengar heddiw y mae'r Beibl a gweithiau Williams yr un mor gyfarwydd neu anghyfarwydd â'i gilydd. Er y ceir ymwybyddiaeth ddofn o hyd am eu lle canolog yn y diwylliant a etifedda'r genhedlaeth bresennol, rhyw ymswilio yn eu cylch a wneir bellach, neu fynegi rhyw anwyldeb sentimental. I raddau helaeth fe giliodd eu dylanwad ill dau, ac yn sgil prinder y pregethu athrawiaethol a geir yn ein heglwysi aeth gwybodaeth ddiwinyddol a dysg feiblaidd y gynulleidfa ar drai. Yng nghwrs yr ugeinfed ganrif newidiodd gwerthfawrogiad cymdeithasegol-ddiwylliannol yr addolwr a'r darllenydd o'r Ysgrythur ac o Bantycelyn i'r fath raddau fel y bo angen esboniwr homiletig ar y naill a beirniad llenyddol ar y llall. Dibynnir ar waith y rheini heddiw i ffurfio rhyw fath o ddirnadaeth o berthynas Duw a dyn, ac o ddadansoddiad yr emynydd o'i brofiad ysbrydol trydanol.

Un datblygiad neilltuol o bwysig mewn beirniadaeth dros y blynyddoedd diwethaf yw'r sylw y mae'r beirniaid llenyddol seciwlar yn barod i'w dalu i'r Beibl fel campwaith llenyddol-ysbrydol. Hyd yn gymharol ddiweddar fe fu gormod o ddrwg-dybiaeth rhwng y beirniaid seciwlar a'r beirniaid beiblaidd ynghylch dulliau hermeniwtig ei gilydd. Erbyn hyn, fodd bynnag, ceir beirniaid esboniadol yn cydnabod dilysrwydd dulliau seciwlar, a'r beirniaid llenyddol yn sylweddoli na ddeil iddynt esgeuluso'r ysgrythurau ddim rhagor. Canlyniad hyn o *détente* yw astudiaethau megis *The Great Code: the Bible and Literature*,[1] Northrop Frye, a *The Literary Guide to the Bible*,[2] wedi'i golygu gan Robert Alter a Frank Kermode, i enwi ond dwy o'r pwysicaf. Enillodd Frye ei fri rhyngwladol fel beirniad llenyddol drwy gyfres o lyfrau

* Cyhoeddwyd yn *Y Traethodydd* 142 (1988), tt.159–70.

uchelgeisiol a soffistigedig, ac er na cheir pawb yn gyffredinol i'w ganmol, rhaid i'r sawl sydd â daliadau beirniadol hollol groes iddo gydnabod ei fod ar ei waethaf yn ddiddorol, ac ar ei orau yn ddisglair o dreiddgar. Yn ei lyfr uchelgeisiol, *The Great Code*,[3] ymgollodd yn y dadansoddiad mythologol o'r Beibl, gan ddefnyddio'r gair myth yn y fan hon i olygu'r hyn sydd yn adrodd am fodolaeth dyn a'i ymdrechion i bortreadu realiti bywyd. Aeth ati i ddosbarthu'r patrymau profiadol a geir yn y Beibl a dadansoddi ei gyfundrefnau rhethregol. Dadl Frye yw bod rhethreg y Beibl wedi'i begynnu rhwng yr oraclaidd, yr awdurdodol a'r ailadroddus ar y naill law, a'r cyfarwydd a'r uniongyrchol ar y llaw arall.[4] Oddi ar y Diwygiad Protestannaidd fe fu'r sylweddoliad hwn – un anymwybodol o bosib – yn gymorth i lenorion Cristnogol ddefnyddio rhethreg y Beibl yn gatalydd effeithiol i ddiwygiad, ac i estyn dealltwriaeth feidrol y credinwyr. Nid diffyg gallu creadigol sy'n cyfrif am drwch y gyfeiriadaeth ysgrythurol yng ngweithiau'r ail ganrif ar bymtheg a'r ddeunawfed ganrif, ond sythwelediad deallus ynghylch grym y Gair: nid dull i ddramateiddio dirnadaeth grefyddol yr awduron yn unig ydyw, ond y cyfrwng a roes y ddirnadaeth honno iddynt. Y mae llyfr Alter a Kermode, *The Literary Guide to the Bible*[5] yn dilyn trywydd ychydig yn wahanol i Frye. Cydnebydd y beirniaid fod y Beibl yn ymwneud yn bennaf oll â pherthynas Duw a dyn, a bod yn rhaid i ddynion ddeall y Beibl a'i neges os ydynt i'w deall eu hunain. Rhaid chwilio yn y Beibl ei hun, meddant, am ddulliau i'w ddehongli'n gywir, a sylweddoli ei fod yn destun crefyddol cysegredig sy'n llefaru ar ddwy lefel – y materol a'r metaffisegol. Drwy ddadansoddi llyfrau'r Beibl fwy neu lai yn eu dilyniant cywir, fe lwyddodd yr ysgolheigion a gyfrannodd i'r gyfrol i ddangos fod yr Ysgrythur yn amlinellu Arfaeth Duw, dros filoedd o flynyddoedd yn yr Hen Destament, ac ym mywyd a marwolaeth yr Arglwydd Iesu yn y Testament Newydd. Y mae natur y patrymu a'r gwead rhyng-destunol sydd i'r Beibl o ddiddordeb arbennig i'r beirniaid, ac y maent hefyd yn hollbwysig er mwyn deall gweithiau Williams.

Fe dderbyniodd y llenor o Bantycelyn y fframwaith a'r persbectif tragwyddol ynghyd â'r ymrwymiad i linell amser escatolegol a ddisgrifir yn y Beibl ac a ddadansoddir mor ddisglair gan y beirniaid. Y mae ei weithiau oll yn sawru o hyn wrth iddo ddysgu'i bobl drwy ddisgrifio rhinweddau a phechodau dynion, ynghyd â gweithredoedd achubol Duw, ar gynfas eang holl oesoedd Cred. Cymerer Theomemphus druan: nid yn unig y ceir disgrifiad afieithus o'i 'nwydau afreolus' fel dyn trachwantus cnawdol, nid yn unig y gwneir ef yn bechadur pennaf y Diwygiad, ond ef yw'r mwyaf o bechaduriaid trwy holl hanes dyn:

> Bu yn yr Aifft a Sodom a Sidon, medd efe,
> Yr hon yr aeth ei balchder o'r diwedd cuwch â'r ne';
> Yn Ninif' ac yn Edom, yng nghanol Babel fawr
> Ddinistriodd temel Seion un amser hyd y llawr.[6]

A'r un ansawdd sydd i'r gweithiau rhyddiaith. Yn *Crocodil, Afon yr Aipht* disgrifir Cenfigen ar waith ymhob un o hanesion pwysicaf yr Hen Destament, ac yn achos hanes y Mab Afradlon, yn y Testament Newydd hefyd, ac fe gymer Williams baragraffau meithion i ddadansoddi pob elfen o'r stori i brofi ei *thesis*. Os ceir trafferth i dderbyn y *Crocodil* erbyn heddiw fel llên gymeradwy y mae o leiaf yn tystio i wybodaeth drylwyr Pantycelyn a'i ymchwil gyson yn yr Ysgrythur i ddeall natur pechod a gwaredigaeth Duw. Drachefn, wrth gyflwyno hanes 'Tri Wŷr', eu gosod yn 'Sodom a'r Aipht' a wna Williams, ac nid yng Nghymru'r ddeunawfed ganrif. Disgrifir eu 'profiadau tumewnol', i ddefnyddio ymadrodd Pantycelyn-aidd, mewn termau sydd eisoes wedi'u gosod allan yn y Gair. Wrth ddefnyddio'r dulliau hyn i 'borthi praidd Duw yn yr anialwch',[7] gallodd y llenor brofi i'w bobl eu bod oll dan wahoddiad cyflawn yr Efengyl yn y ddau Destament. Yn *Drws y Society Profiad* y dangosir orau mewn gwaith rhyddiaith barch Williams at y Beibl. Fe gais ef gyfiawnhau bodolaeth a gweithgareddau'r *societies* drwy ddadlau bod iddynt eu sylfeini yn yr Hen Destament a'r Newydd:

> Ond yn olaf, y cymdeithasau hyn sydd fuddiol er mwyn ymgryfhau yn erbyn ein holl elynion ysbrydol, a gweddio fel un dyn yn eu herbyn hwynt oll. Pan caffo Satan ni bob yn un ac un, mae e'n fwy parod i'n llwfrhau. Ond pan delo milwyr Duw fel yma at eu gilydd i siarad am nerthoedd y nef, a bod allweddau y pydew diwaelod with ystlys y Meseia; galw i gof weithredoedd

yr Arglwydd gynt, yn y Môr Coch, ac ym meysydd Soan; fel y trôdd efe yr afon yn ôl, ac yr aethom trwyddi ar draed; with adrodd fel hyn ryfeddodau yr Arglwydd, maent yn ymgryfhau yn erbyn eu gelynion ysbrydol, y byd, y cnawd a'r cythraul, ac yn ymadael â'u gilydd yn hy yn galonnog ac yn wrol, fel rhai wedi ennill y dydd.[8]

Dywed Williams yn y fan hon fod gweithredoedd Duw yn ymwneud â'r agweddau mwyaf ystyrlon ar y bywyd ysbrydol a'i bod yn angenrheidiol meithrin yr agweddau hyn a'r ymwybyddiaeth o bresenoldeb Duw a'i fuddugoliaeth dros Satan trwy'r *Societies*. Gwelir ei fod yn cyfiawnhau ei ddadl drwy deithio yn ôl ac ymlaen ar hyd pinaclau'r Arfaeth. Afraid pwysleisio mai'r daith ysgrythurol, ddiwinyddol, brofiadol hon yw ffurf a chynnwys y gerdd epig *Golwg ar Deyrnas Crist* hefyd.

Pan ddeuir at drafodaeth o ddefnydd Williams o hanes Duw-ganolog y Beibl yn ei emynau, y mae'n rhaid i'r beirniad gonest gydnabod bod yr ymgais i gloriannu defnydd yr emynydd o'r Ysgrythur yn deilwng yn ofer. Y mae cwmpas ac amrywiaeth ei gyfeiriadaeth yn herio ac yn gorchfygu unrhyw ddadansoddiad cyfundrefnol. Wrth ddarllen yr emynau, wrth ymgydnabod ag angerdd tanbaid ei brofiad a'i ddull unigryw o fynegiant, fe geir yr argraff fod testunau o bob cwr o'r Ysgrythur yn gwau trwy'i gilydd yn barhaus yn ei feddwl. Y mae digwyddiadau'r ddau Destament yn llanw ei ddychymyg, a cheir ef yn plethu delweddau o'r naill ran a'r llall gyda rhwyddineb, ac, y mae'n siŵr, gyda mwynhad hefyd. Megis gyda'r gweithiau rhyddiaith, felly hefyd gyda'r emynau, y mae osgo ysgrythurol i feddwl y llenor sy'n effeithio ar ei gystrawen, ar ei ieithwedd, a chyda'u haml ddyfyniadau, yn effeithio hefyd ar brif gorff eu cynnwys. Y mae'r Beibl megis *thesaurus* i Williams, a gall gymryd delwedd ganolog a'i hesbonio ymhellach dros amryw o linellau a'i chadarnhau gyda nifer o ddelweddau atodol. (Defnyddiaf y term 'delwedd' ar ei wedd fwyaf cyffredinol yma.) Trwy hyn ceir yr argraff fod digwyddiadau'r Beibl mewn modd arbennig yn ffeithiau sy'n ymgartrefu'n rhan naturiol o fywyd ysbrydol yr emynydd. Cymerer y penillion canlynol yn enghreifftiau teg o hyn:

Brŷd ca'i ddinystrio'r delwau'n llawn'
Sy'n llechu dana'i yn ddirgel iawn,
Llabyddio *Agag* yn ddibarch,
A *Dagon* gwymp o dan yr Arch.[9]

Rhwng *Piahiroth* a *Balsephon*,
Tra fwy byw mi gofia'r lle,
Mewn cyfyngder eitha caled,
Gwaeddodd f enaid tua'r ne',
Yn ddi-oed dyma'n d'od,
Waredigaeth fwya erioed.[10]

Duw nid oes ond ti dy hunan
Ddaw a'm henaid llesg i'r lan
Sydd yn suddo mewn dyfnderoedd
Dyfnion tywyll ymhob man,
   Gwna fi gredu &c.
Credu a cherdded'r hyd y môr.[11]

Symudir yn gwbl naturiol o'r presennol 'ysbrydol' i'r gorffennol 'corfforol' yn y dyfyniadau uchod. Yr hyn sydd yn arbennig o bwysig amdanynt yw bod yr emynydd yn disgrifio ei gyflwr eneidegol, ei bechod, ei ddyhead a'i anobaith yng nghyd-destun digwyddiadau hanesyddol neu gyflyrau o brofiad sydd eisoes wedi'u gosod allan yn y Gair. Drwy adael i feddwl a mynegiant yr Ysgrythur siarad drosto fel hyn, drwy fabwysiadu arddulleg neu farddoneg drwyadl feiblaidd, y mae Williams yn goresgyn problem greiddiol y bardd Cristnogol, sef anhawster disgrifio profiad a ddylai fod, yn ôl amodau ystyr, y tu hwnt i fynegiant mewn iaith. Dynwaredodd iaith a rhethreg y Beibl a llwyddo i roi mynegiant cyflawn i'w brofiad unigol o Dduw. Dadleuodd Hugh Bevan mai yn y fan hon y bodola'r gwirionedd.[12]

Yng ngolwg Williams, felly, megis yng ngolwg y Protestaniaid a'i rhagflaenai, y mae'r Beibl yn llyfr i'w argymell, nid yn unig yn awdurdod profiad ond yn gynsail prydyddol yn ogystal. Agwedd nodweddiadol y Protestaniaid oedd ystyried y Beibl fel llenyddwaith cymhleth y byddai'n bosib ei ddehongli'n gyflawn drwy sylweddoli bod y patrymau o addewid a chyflawniad, o gyffelybiaeth gyfatebol, yn cael eu cynnal gan y gwead barddonol a rhethregol.[13] Wele briodi Arfaeth ac arddull, ac adfer iaith yn gyfryw gyfrwng i drafod y profiad crefyddol. Gallodd Williams yn ei ragymadrodd enwog i'r ail ran o *Ffarwel Weledig* . . .[14] argymell nifer o lyfrau Beiblaidd i ddarpar-emynwyr oherwydd eu 'Ehediadau Prydydd-iaeth, troell ymadroddion, amrywioldeb, esmwythder Iaith a chyffelybiaethau bywiol',[15] ac ar yr un pryd ddefnyddio'r rhain 'i ddarlunio'r gwir a'i angerddoli'.[16] Yn nhraddodiad yr awduron Piwritanaidd yn yr unfed ganrif ar bymtheg a'r ail ganrif ar bymtheg a sgrifennai ramadegau a gweithiau rhethreg, gan eu sylfaenu yn yr Ysgrythur ac yn eu ffydd bersonol ynghylch perthynas y credadun â'i Waredwr a pherthynas y Crist â'i Eglwys,[17] y datblygodd Williams ei ddamcaniaeth lenyddol-ysbrydol am emynyddiaeth. A dyma agwedd arall ar berthynas y Beibl a gweithiau Pantycelyn, sef ei le canolog yn ei ddiwylliant llenyddol,[18] a'i ddylanwad ar ei dwf fel bardd Cristnogol.[19] Nid oes modd gor-ddweud pwysigrwydd y ddeubeth hyn wrth i'r emynydd impio rhethreg yr Ysgrythur ar y mynegiant uniongyrchol o'i brofiad personol, a chanu'n synhwyrus, yn ddiwinyddol, ac yn argyhoeddedig.

Dadleuodd John Gwilym Jones mai cyfeiriadaeth yw 'nodwedd fwyaf amlwg a gweithredol emyn',[20] a chyffelybodd Hugh Bevan yr arfer o ailadrodd yn fwriadol ddarnau bychain o'r Ysgrythur i ddull o ddyfynnu sy'n 'cynrychioli llawer iawn mwy'.[21] Heb os, y mae defnyddio deunydd ysgrythurol mewn emyn yn golygu bod yr emynydd yn agor rhyw fath o gyfanfyd rhyng-destunol i'r addolwr ac i'r darllenydd, man cyfarfod diwylliannol sy'n hawlio ymateb deallus i'r gwaith dan sylw ac i faes ehangach y gyfeiriadaeth:

> Rho'r Golofen Dân i'm harwain,
> A'r Golofen Niwl y Dŷdd,
> Dal fi pan bwi'n teithio'r Mannau
> Geirwon yn fy ffordd y sydd;
> Rho i mi Fanna, &c.
> Fel na bwyf i Lwfrhau.[22]

Ni fyddai'r mynegiant hynod o drosiadol hwn yn peri penbleth i ddychweledigion y Diwygiad Mawr gan eu bod, drwy hyfforddi cyson, yn byw eu bywydau yn naturiol mewn cyd-destun

Beiblaidd.[23] Oherwydd cenadwri'r diwygwyr byddai'r dychwel-edigion yn medru goresgyn nifer o risiau yn y broses o ddirnad mynegiant trosiadol, a derbyn y pennill fel deisyfiad didwyll sy'n adlewyrchiad cywir o'u cyflwr ysbrydol. Dehongli'r Gair yn ddwys ac yn ddefosiynol a wnaeth Williams a'i gyflwyno i'r Methodistiaid yn graig safadwy o wirioneddau am Dduw a'i Waredigaeth. Wrth iddo fyfyrio fwyfwy ar neges y Beibl a'i astudio'n fanwl dros flynyddoedd ei fugeiliaeth, daeth y llyfr hwn yn fwy na'r un, yn weithlyfr sylfaenol i'w ymdrechion llenyddol.

*   *   *

Ymhob cyfnod o ddiwygiad y mae'n rheidrwydd ar gredinwyr i dreiddio i berfedd enaid a dehongli eu profiadau mewn termau mor gyflawn â phosib. Yr oedd profiad y Diwygiad Mawr yn un cwbl Grist-ganolog, ac yn sgil gweithiau'r Piwritaniaid[24] a'r adnabyddiaeth o'r 'Ffordd o waredigaeth', yr oedd yn naturiol i'r dychweledigion weld Crist yn hollbresennol yn y Gair:

> Fy Iesu yw mer y Beibil, 'd oes bennod nad yw'n sôn
> O bell neu ynteu o agos am groeshoeliedig Ô'n,

fel y dywed Williams ei hun yn *Golwg ar Deyrnas Crist*,[25] a cheir yr agwedd hon at y Gwaredwr a'i waith wedi'i mynegi mewn nifer mawr o'r emynau:

> Dyma'r euog ofnus aflan
>   Etto yn chwennych bod yn wyn
> Yn yr afon gymmysg liwiau
>   Dorrodd allan ar y bryn;
> Balm o Gilead, &c.
> Anghydmarol yw dy waed.[26]
>
> Rhossyn *Saron* tecca ei ddawn,
> Seren foreu ddisglair iawn,
> Sydd yn arwain hyfryd wawr,
> Trwy'r anialwch dyrus mawr,
> Yn goleuo'r llwybr maith,
> Tua'r Wlad o fel a llaeth.[27]

O ddweud bod y profiad o'r Gwaredwr i'w ddeall ar lefel dragwyddol a thrwy weld undod neges y ddau Destament, cam bychan wedyn yw uniaethu agweddau eraill ar y profiad Cristnogol â'r digwyddiadau corfforol hanesyddol a ddisgrifir yn yr Hen Destament. Yr ydym yn ôl mewn gwirionedd gyda gwibdaith yr emynydd dros binaclau'r Arfaeth a grybwyllwyd eisoes. Am fod yr ymagwedd hon yn ffurfio maes arbennig o esboniadaeth Feiblaidd, ac am fod y maes yn gwbl allweddol i'w ddeall er mwyn gwerthfawrogi emynau Williams yn iawn, fe roddir gweddill yr erthygl hon i'w gyflwyno.

Fe arferir y term *typology* erbyn heddiw mewn cyd-destun diwinyddol i ddynodi'r dull deongliadol neilltuol o'r Ysgrythur sy'n gweld y Beibl yn undod organig, a'r Testament Newydd yn cyflawni yn ei bersonau a'i ddigwyddiadau, a pherson a gweinidogaeth Crist yn arbennig, yr hyn y traethir amdano neu y proffwydir amdano yn yr Hen Destament. Yn yr ystyr hon, y mae'r Hen Destament yn gysgod o'r Testament Newydd, a'r Newydd yn gyflawniad o'r Hen:

> Typology may, therefore, be defined as the method of interpreting scripture in which persons and events, incidents and narratives of the Old Testament are viewed as realities which are also prophetic signs and foreshadowings of the persons and events in God's redemptive plan as it is fulfilled and revealed in the New Testament.[28]

Dyma Williams yn diffinio teipoleg yn ei ddull unigryw ei hun:

> Beth bynnag y proffwydwyd yn lân o ddechrau byd
> Gyflawnwyd, neu gyflawnir am Iesu Grist i gyd;
> Ei berson a'i rinweddau, a phoen Calfaria fryn
> Oedd yn y Dest'ment gynta' sydd yn y Dest'ment hyn.[29]

Am fod y bardd yn yr un rhan o'r gerdd epig yn defnyddio'r term 'cysgodau' i ddiffinio digwyddiadau'r hen oruchwyliaeth yn eu perthynas â bywyd Crist,[30] awgrymir arfer y termau 'cysgod', i olygu 'type' — yr hyn a geir yn yr Hen Destament, gyda'i luosog, 'cysgodau'; 'gwrth-gysgod', i olygu 'antitype' — yr hyn a gyflawna'r 'type' yn y Testament Newydd, a 'chysgodeg' yn derm cyffredinol am yr astudiaeth.[31] Os derbynnir dilysrwydd cysgodeg fel dull deongliadol, y mae'n naturiol wedyn y byddir yn uniaethu'r gyfundrefn o gyfeiriadaeth a chyfochredd hanesyddol a groniclir yn y Beibl â chynllun y Waredigaeth ddwyfol. A dyma yw cysgodeg wedi'r cwbl, math arbennig o ganfod ysbrydol sy'n creu ac sy'n dehongli cyffelybiaethau rhwng y ddau Destament.

Hanes Duw-ganolog yw'r hanes Beiblaidd, ac undod dwyfol sydd i'r fframwaith amseryddol. Rhoddir darlun o Dduw fel un sy'n gweithredu'n ddynamig yn ei ymwneud â'r genedl Iddewig yn yr Hen Destament ac â'r unigolyn neilltuol yn y Testament Newydd, y Duw sy'n ei ddatguddio'i hunan yn barhaus ac yn gwaredu'n rhagluniaethol. I'r credadun y mae cysgodeg yn atgyfnerthiad o'i ffydd gyda hanesion yr Hen Destament yn rhaglun o wirioneddau'r Cyfamod Newydd yng Nghrist, a'r cwbl yn dibynnu ar berthynas o addewid a chyflawniad. *Heilsgeschichte* yw'r hanes Beiblaidd, yn hytrach na *Weltgeschichte,* patrwm unffurf sy'n adroddiad o weithredoedd achubol Duw yn eu perthynas â dynion. Nid hanes sydd gennym yn y Beibl, yn ystyr fanwl feirniadol y gair felly, ond ymgais i wneud rhyw fath o synnwyr o gyfres o ddigwyddiadau anhrefnus. Fe wneir hynny drwy bwyso ar bwrpas gweithredoedd achubol Duw ac ar amgyffrediad unigryw o berthnasau amser a'r Gair.

Fe ddeillia'r astudiaeth o gysgodeg glasurol Gristolegol o gyfnod yr Eglwys Fore ac o'r dull y trinnir yr Hen Destament gan awduron y Testament Newydd. Y mae'r darlun o Grist a'r dehongliad o'i weinidogaeth a geir yn yr Efengylau yn llwyr ddibynnol ar yr hyn a ddywedwyd gan y proffwydi, ac atgyfnerthir y cyfochredd ymhellach gan ddyfynnu cyson yr Arglwydd o eiriau'r Hen Destament. Rhan fawr hefyd o *kerygma*'r apostolion yw'r pwyslais ar y cyflawni i Israel o addewidion Duw, gan geisio dysgu hefyd fod yr hyn a sylweddolir 'yn wahanol ac yn rhagorach na'r cysgod'.[32]

Swm a sylwedd y cyfan sy'n ymhlyg mewn cysgodeg felly yw Gair Duw a'r ddiwinyddiaeth hanes sydd rhwng ei gloriau. Y mae'n ddull deongliadol neilltuol sydd o leiaf mor hen â'r Testament Newydd, ac y mae'n dibynnu ar ymwybyddiaeth arbennig o amser a realiti am ei effaith.

Yn yr ail ganrif ar bymtheg ac ymlaen trwy'r ddeunawfed ganrif, fe ddaeth cysgodeg yn fodd llenyddol i dreiddio i berfeddion yr enaid yn ei holl gymhlethdodau. Argraffwyd nifer helaeth o esboniadau fel canllawiau i'r llenorion, yma ac ar y cyfandir.[33] Yn y cyfnod hwn, cyfnod y Piwritaniaid, gwelwyd datblygiad trawiadol ym maes cysgodeg, a daeth credinwyr i uniaethu eu cyflwr eneidegol â hanesion yn yr Ysgrythur. Oherwydd hyn gwelwn yn awr fod dau brif fath o gysgodeg, sef yr un sy'n gyfan gwbl Grist-ganolog, a'r llall sy'n uno hanes a phrofiad. Rhodder yr enw 'cysgodeg draddodiadol' ar y naill, a 'chysgodeg eneidegol' ar y llall.

Conglfaen y gysgodeg draddodiadol a geir yng ngwaith Williams yw profiad yr emynydd o gyflawnder Crist. Dyma'r Crist a adnabu'r emynydd yn Waredwr personol, ac felly nid yn unig fe'i gwelai ef yn cyflawni'r proffwydoliaethau, ond hefyd yn ymgorfforiad o'r rhain i gyd yn ei brofiad. Y *locus classicus* i hyn yn ei waith yw'r emyn 'CRIST yn ateb y Gysgodau' [sic], yn y gyfrol *Hosanna i Fab Dafydd* . . .[34] Mewn deugain pennill fe gyffelybir Crist i arwyr a gwrthrychau a geir yn yr Hen Destament: hwynt-hwy yw'r cysgodau y mae Crist yn wrth-gysgod iddynt, gwrth-gysgod sy'n hawlio parhad yn y presennol fel petai ym mhrofiad yr emynydd a'r gynulleidfa. Dyma Williams yn mynegi ei orfoledd yn y Gair a'r neges o waredigaeth drwy Grist:

> Y *Moses* mawr o'r *Aipht* fe'm dŵg,
>   Fu ynghanol Mŵg a Th'ranau
> Ar *Sinai* Fryn o flaen y Tâd
>   Yn colli ei Waed yn Ddafnau.
>
> Efe yw *Sampson* cadarn cry'
>   A laddodd Lu'r *Philistiaid*;
> Wrth hynny Fe ddioddefodd Loes
>   Ddigymar tros ei Ddefaid.

Gwedd ar brofiad yr emynydd yw'r dull catalogaidd o restru cysgodau am y Gwaredwr, a lle y bodola'r ddwy lefel, y cysgod a'r gwrth-gysgod, y mae'r cyfan yn ymdoddi'n unoliaeth i'r credadun. Fe rydd cysgodeg, felly, gyd-destun i brofiad y Cristion trwy gydio ystyron a chyflwyno yn yr emyn ddarlun goddrychol o'i gyflwr eneidegol. Byddai modd enghreifftio'n helaeth i brofi hyn; bodlonir ar ddadansoddi un enghraifft yn unig. Yn y Llythyr at yr Hebreaid y tynnir y gyffelybiaeth gysgodegol rhwng Crist a'r Archoffeiriad. Fe ddeil y ddiwinyddiaeth Gristnogol fod aberth Crist ar y groes wedi diddymu swyddogaeth yr Archoffeiriad, ac mai ef bellach yw'r Archoffeiriad perffaith, ac na fu holl Archoffeiriaid yr Hen Oruchwyliaeth ond yn gysgodau ohono. A dyna'r hyn a geir gan Williams, hynny a haenen arall o gymhlethdod rhyng-destunol gyda Chaniad Solomon yn y cefndir:

> Fy mrenin a fy mhrophwyd mawr,
> Fy nyscu wna bob munyd awr;
> F'Eiriolwr F'Archoffeiriad braf
> Mi cara i Dragwyddoldeb gwnaf.[35]

> Ti'r Archoffeiriad mawr ei Ddawn,
> Sydd o bob rhyw Rinweddau'n llawn,
> Gwna fi fel Perlau gwerthfawr dryd,
> Yn fawr, yn anwyl, yn dy fryd.[36]

Crist felly yw'r Archoffeiriad tragwyddol, a sail i hyder y Cristion. Mynegi ei brofiad a wna'r emynydd yn y llinellau uchod, perthynas serch cyfriniol tuag at yr Iesu a'i ddyhead am undeb ag ef.

Awgrymwyd bod prif fath arall o gysgodeg, sef cysgodeg eneidegol, lle yr unir hanesion beiblaidd a chyflwr ysbrydol y credadun. Trwy'r canrifoedd fe geisiai Cristnogion weld eu bywyd eu hunain yng nghyd-destun y cynllun parhaus o waredigaeth a ddatguddiwyd yn nyfodiad Crist i'r byd. *Rationale* yr ymdrech yw bod yr ysgrythurau yn adrodd am brofiad y genedl etholedig o dan oruchwyliaeth yr Hollalluog ac mai'r Eglwys bellach, yn ôl yr Ysgrythur ei hun, yw'r Israel Newydd, wedi'i hachub drwy ffydd, ac yn aros mewn gobaith. Rhoddir y pwyslais fel arfer ar brofedigaethau'r Iddewon fel cydberthnasau uniongyrchol i fywyd y Cristion yn y byd hwn, ac fel amlinelliad o'i fywyd ysbrydol.

Yn hanes yr Ecsodus, sy'n ganolog i'r Hen Destament, daeth llenorion yr ail ganrif ar bymtheg a'r ddeunawfed ganrif o hyd i swm o gysgodau yr oedd yn swyddogaeth bennaf iddynt ddisgrifio perthynas Duw â'r genedl etholedig. Y rhain oedd y darluniau addas i gyfleu nid yn unig frwydr y dyn yng Nghrist ond hefyd ei hyder yn ei dynged dragwyddol. Daeth y Methodistiaid, yn sgil dylanwad llwythau tebyg o gredinwyr cyn eu dydd, i weld mai galwedigaeth yr etholedig oedd tramwyo trwy'r bywyd hwn fel pererinion. Nid oes amheuaeth nad oedd y ddirnadaeth hon yn llenwi dychymyg Williams Pantycelyn oherwydd y mae esboniadau arni i'w cael ym mhob rhan o'i waith. Datblygodd yr emynydd y gyfundrefn o gysgodau a chysgodau atodol sydd ynghlwm wrth hanes yr Ecsodus, a mynegi'n gyflawn ei brofiad ei hunan a oedd yn cyfateb i fywyd Methodist yng nghanol y Diwygiad Mawr. Yr oedd y model yn ddigon hyblyg ac eang i fynegi'n ddeallus y profiad tröedigaethol a'r proses o sancteiddhad. Yn ogystal, felly, â rhoddi indecs i'r credadun o'i gynnydd ysbrydol, y mae i'r gysgodeg eneidegol ei goblygiadau diwinyddol pellgyrhaeddol.

Yn y mwyafrif o'i emynau y mae Williams yn dadansoddi ac yn esbonio ei brofiad yn nhermau taith y pererin. Y mae'r daith yn cyfateb i'r Ecsodus ac i hanes Israel wedi hynny nes iddynt ddod i wlad yr addewid. Yr Aifft, yr anialwch a Chanaan yw'r mannau sydd yn rhoi adeiladwaith i'r daith. Y mae'r rhain ym mhrofiad y Cristion yn cyfateb i'w dröedigaeth, ei edifeirwch a'i bechu cyson, a'i ddyhead am y nef a chymundeb tragwyddol â'r Iesu. Hen, hen syniad mewn llenyddiaeth grefyddol yw bod bywyd dyn yn cyfateb i daith neu bererindod, a phrin y mae angen pwysleisio bod y darlun o bererin yng ngwaith Williams yn syniad llywodraethol, i'r fath raddau nes ein bod yn ei gysylltu'n uniongyrchol â'r thema hon:

> PERERIN 'wyf tua *Salem* bûr
> Ddiangoedd maes, or *Aiphtiaedd* Dîr,
> Dros F[r]ynniau mawr mi deithia 'mlaen,
> Nes dod yn lew i'r *Ganaan* lan.[37]

> PERERIN wyf mewn anial dir,
> Sychedig am gysuron gwir;
> Cyrwydro f'amser, a llesgau
> O hiraeth cywir dy fwynhau.[38]

Fe welwn y fframwaith yn glir yn y dyfyniadau hyn. Y mae'r sawl sydd ar daith neu bererindod o reidrwydd yn cychwyn o fan arbennig y gellir ei hystyried yn ddechrau'r daith: yr Aifft yw'r fan honno bob tro. Yn hanes y genedl etholedig, cychwynnodd y daith pan gafodd ei rhyddhau o afael Ffaro trwy waredigaeth ddiogel yr Arglwydd. Prif leoliad y daith wedyn oedd yr anialwch, felly hefyd gyda Williams. Dyma'r fan fygythiol y mae'r credadun yn ei gael ei hunan ynddi yn rhy aml, a theg yw awgrymu bod y disgrifiadau o brofiad yr emynydd yn yr anialwch yn adlewyrchiad uniongyrchol o'i gyflwr. Ceir ef yn datgan yn gamarweiniol o syml lawer tro ei fod yn trigo yn yr anialwch megis alltud unig, a'i fod yn ymholi am ras Duw er gwaethaf ei bechod. Bron yn gyfystyr â hyn yw'r datganiadau trist o hiraeth y bardd am ddianc o'r anial i rywle gwell, a daw angerdd a rhwystredigaeth yn rhan o'r dyhead am fod y pen draw eisoes wedi'i addo i bob credadun, fel yr addewid o Ganaan gynt i'r genedl etholedig. Er gwaetha'r treialon a'r frwydr ysbrydol a ddisgrifir gan Williams yn nhermau'r Aifft a'r anialwch, gall deimlo'r *certitudo salutis* am fod aberth Crist wedi pwrcasu Canaan drosto:

> Daeth arfaeth fawr y nef i ben,
> Bu'm IESU farw ar y pren,
> Agorodd ddrws trwy ei boen a'i wae,
> I'r *Ganaan* nefol sy'n parhau.[39]

Y mae fframwaith y daith bellach yn gyflawn, a fframwaith yn unig ydyw oblegid y mae'r gyfeiriadaeth yn helaethach na'r disgrifiad o adeiladwaith y daith. Sôn y mae'r emynydd yn gyson am ddŵr o'r graig, am fanna nefol, am laeth a mêl, ac am golofnau o niwl a thân yn ei arwain. Dyma elfennau'r hanesion gwyrthiol a adroddir ar ganol epig yr Ecsodus, gwyrthiau sydd bellach yn cyfateb i gariad, gras ac iechydwriaeth Duw yng Nghrist.

Awgrymwyd ar ganol yr erthygl hon fod swm dyfeisgarwch Williams yn ei ddefnydd o'r Beibl yn trechu pob dadansoddiad cyfundrefnol. Am ei fod yn gwir gredu bod y Beibl yn cynnwys 'Awdurdodol eiriau'r Nef', a'i fod ef ei hun yn gyfrannog o 'haeddiant Iesu mawr', fe gyfansoddodd weithiau y mae eu darllen yn ias, ac i'r Cristion heddiw mewn oes seciwlar, yn gymorth parod i feithrin dirnadaeth o'r bywyd cyflawn a gynigir gan yr Efengyl.

1 Northrop Frye, *The Great Code: the Bible and Literature* (London, 1982).
2 Robert Alter, Frank Kermode (goln.), *The Literary Guide to the Bible* (London, 1987).
3 *op. cit.* 'Frye's ambitious book is no less than an analysis of our culture, as schematized, codified, and encyclopaedically explicated in its central text,' E. S. Shaffer, 'The "Great Code" deciphered: literary and Biblical hermeneutics', *Comparative Criticism* 5 (Cambridge, 1983), t.xxi.
4 *op. cit.*, t.214.
5 *op. cit.*
6 *Bywyd a Marwolaeth Theomemphus* yn *Gweithiau William Williams Pantycelyn*, cyf. 1, gol. Gomer Morgan Roberts (Caerdydd, 1964), t.199, ll.13–16.
7 *Gweithiau William Williams Pantycelyn*, cyf. 2, gol. Garfield H. Hughes (Caerdydd, 1967), t.141.
8 *op. cit.*, t.191.
9 *Aleluia gan y Parch. William Williams, Pant Y Celyn: Argraffiad Diplomatig o'r Rhannau I–VI* gan Llywelyn Jones (Lerpwl, 1926), Rhan IV, 'Hiraeth am Burdeb', X, ll. 17–20.
10 Dafydd Alwyn Owen, 'Argraffiad Beirniadol gyda Rhagymadrodd, Amrywiadau a Nodiadau o CANIADAU, y rhai sydd ar y *MÔR O WYDR, ETC.* ... WILLIAM WILLIAMS PANTYCELYN', Traethawd M.A. Prifysgol Cymru, 1980, Rhif 90, ll. 1–6.
11 *Ffarwel Weledig, Groesaw Anweledig Bethau ... : Y Drydedd Ran* (Llanymddyfri, 1769), XV, ll.7–12.
12 Hugh Bevan, *Morgan Llwyd y Llenor* (Caerdydd, 1954), t.xvi.
13 Barbara Kiefer Lewalski, *Protestant Poetics and the Seventeenth-century Religious Lyric* (Princeton, 1979), t.117.
14 *Ffarwel Weledig, Groesaw Anweledig Bethau ... Yr Ail Ran* (Caerfyrddin, 1766).
15 *ibid.*, t.4.
16 Derec Llwyd Morgan, 'Williams Pantycelyn: sylwadau ar ystyr a diben ei waith', *Ysgrifau Beirniadol VIII*, gol. J. E. Caerwyn Williams (Dinbych, 1974), t.142.
17 Y llyfr mwyaf cynrychioliadol o blith nifer mawr o ymdriniaethau yn y maes hwn yw Dudley Fenner, *Artes of Logicke and Rhethoricke* ... (1584).
18 Gweler erthygl D. Myrddin Lloyd, 'Rhai agweddau o feddwl Pantycelyn', *Efrydiau Athronyddol* 28 (1965), tt.54–66.
19 J. Gwyn Jones, 'Dylanwad y Beibl ar emynau Pantycelyn', *Yr Eurgrawn* 146 (1954), tt.14–18; 35–42; 59–62; 88–92; 121–3.
20 John Gwilym Jones, 'Yr emyn fel llenyddiaeth' yn *Swyddogaeth Beirniadaeth* (Dinbych, 1977), t.175.
21 Hugh Bevan, 'Astudio arddull' yn *Beirniadaeth Lenyddol: erthyglau gan Hugh Bevan*, gol. Brynley F. Roberts (Caernarfon, 1982), t.26.
22 *Môr o Wydr*, Rhif 9, ll. 13–18.
23 Gweler yr hyn a ddywed Glyn Tegai Hughes, *Williams Pantycelyn* (Writers of Wales) (Cardiff, 1983), t.36.

24 Yr oedd esboniadau gan Matthew Henry a Richard Sibbes ym meddiant Williams.

25 *Gweithiau William Williams Pantycelyn*, cyf. 1, t.121, ll. 9–12.

26 *Gloria in Excelsis . . . Y Rhan gyntaf . . .* (Llanymddyfri, 1771), LII, ll. 7–12.

27 *Ffarwel Weledig . . . Yr ail Ran . . .* , LXXXIV, ll. 31–6.

28 Joseph A. Galdon, *Typology and Seventeenth-Century Literature* (The Hague, 1975), 23.

29 *Golwg ar Deyrnas Crist* yn *Gweithiau William Williams Pantycelyn*, cyf. 1, t.139, ll. 9–12.

30 ibid., t.128, ll. 21–2.

31 Hoffwn gydnabod mai eiddo'r Athro Bobi Jones yw'r awgrym ieithyddol hwn.

32 Gwilym H. Jones, 'Teipoleg mewn esboniaeth Feiblaidd', *Diwinyddiaeth* 23 (1972), t.28.

33 Er enghraifft, William Guild, *Moses unvailed: or those figures which served unto the patterne and shaddow of heavenly things* (1620); Samuel Mather, *Old Testament types explained and improved* (1673); William Harris, *Practical discourses on the principal representations of the Messiah throughout the Old Testament* (1724).

34 Ceir testun gorau'r emyn hwn yn *Aleluia . . . Y Drydedd Argraphiad* (1758), CCXXVII.

35 *Aleluia . . .* , Rhan IV, XXXIII, ll. 77–80.

36 *Môr o Wydr . . .* , Rhif 60 (yr ail ran), ll. 1–4.

37 *Aleluia . . .* , Rhan II, II, ll. 1–4.

38 *Gloria in Excelsis . . . Y Rhan gyntaf*, IV, ll. 1–4.

39 *Ffarwel Weledig . . .* (Caerfyrddin, 1763), LVIII.

Y Llenor o Bantycelyn[*]

'Williams piau'r canu'! – a ganwyd bardd mewn Sasiwn; ond er gwaethaf optimistiaeth a llawenydd amlwg datganiad adnabyddus a chwedlonol Howel Harris, cychwyn yn ddigon di-nod a wnaeth gyrfa y llenor o Bantycelyn.

Oddeutu canol neu ddiwedd mis Medi 1744, ymddangosodd llyfryn bychan o wasg Samuel Lewis yng Nghaerfyrddin, a'i bris yn geiniog. Cynhwysai naw emyn, yn 74 o benillion ar bum mesur. Teitl y casgliad, gan seinio nodyn amlwg o fawl, oedd *Aleluja, neu, Casgliad o Hymnau, ar amryw ystyriaethau* . . . Dywed Gomer Morgan Roberts yn gwbl blaen mai ymddangosiad *Aleluja* 'ydoedd digwyddiad llenyddol pwysicaf y ddeunawfed ganrif oblegid ef, er distadled oedd, oedd blaenffrwyth awen William Williams o Bantycelyn'.[1] Gan fod amheuaeth dros awduraeth emyn cynta'r casgliad,[2] dyfynnaf yr ail yn gyflawn er mwyn ceisio tafoli ansawdd yr awen hon. Yn ôl ei bennawd mae'n cynnwys, 'Mawl y CRISTION i GRIST am ei Eiriolaeth ger bron y Tad':

> O'r holl gadwedig lu,
>   Sy'n teithio i *Salem* Lân;
> Myfi yw'r mwya du,
>   Ar bawb yn dwyn y bla'n:
>   Tragwyddol Ras, Na bu'sai'm Nyth,
>   Mewn Cadwyn byth. Yn Uffern Dân.

[*] Cyhoeddwyd yn *Efrydiau Athronyddol* 55 (1992), tt.52–67.

Er hyn nid ofnaf mwy,
    Er cynddrwg yw fy ngwcdd,
Ca's Pechod farwol glwy',
    Gan IESU glân a'i gledd.
        Mae'r Ddraig yn friw, dan draed fy NGHRIST,
        Mae'm Henaid trist, Dragwyddol Hedd.

Efe yw'n MEICHIAU mawr.
    O flaen Gorseddfaingc ION:
Yn eiriol bob yr Awr,
    Gan gofio ei ddirfawr bo'n.
        Pa'm 'r ofnaf mwy? Mae'n llifo 'ma's,
        Dros Orsedd Gras, bur Waed yr O'n.

Mae briw y waywffon,
    A thyllau'r hoelion dur;
Ac ôl y Ddrain Goron,
    A chlwyfau'r Groes a'i chur:
        Yn dadleu nerth, Cyfiawnder Nâf;
        Dros f'Enaid claf, a'm Heddwch pur.

Dioddefaint mawr fy NGHRIST,
    Orchfygodd lid'r ION:
Pob peth ry' 'm Henaid trist,
    Wrth feddwl am ei Bo'n.
        Dangos a wnaeth, Ei fod E'n DDUW,
        Im' tra fawn byw, trwy Waed yr O'n.

N awr Cyfaill wyf i'm DUW,
    Rw' i'n teimlo'i gariad rhad,
Pa'm 'r ofnaf tra f'wyf byw,
    Fe'm prynodd GRIST a'i Wa'd.
        Tr'w 'i ar y Dda'r, mi wnaf fy nyth,
        I orffwys byth, yng nghoel fy Nhad.

Mae'n anodd, onid yn amhosibl, credu mai dyma waith tad yr emyn cynulleidfaol Cymraeg, mai seinio 'caniad newydd' a wnaeth Pantycelyn wrth gyhoeddi'r fath benillion anniben. Byddai unrhyw un sy'n gyfarwydd â'i waith ef fel cyfangorff – yr holl emynau, y cerddi epig, y marwnadau a'r gweithiau rhyddiaith, yn gwybod yn burion fod llenyddiaeth Pantycelyn yn gymysgedd rhyfedd o'r cyfarwydd cynnes a'r dieithr diflas. I ddosbarth y 'dieithr diflas' y perthyn y rhan fwyaf o'r llinellau a ddyfynnais uchod, a'r llu penillion anadnabyddus o waith Pantycelyn nas dyfynnir yn ein llyfrau emynau enwadol. Ar y cyfan yn emynau rhan gyntaf *Aleluja*, a'r gweddill o'i waith cynnar, fe gawn fod yr emynydd yn canu'n fetronomig o fydryddol fecanyddol – fe acennir geiriau dibwys, a seinir sillafau'n uwch na'u semanteg. Er bod yn y dyfyniad uchod rywfaint o ymdeimlad ynglŷn â'r patrwm curiadol – cyfosodir dwy uned guriadol wrthgyferbyniol – nid yw'r fydryddiaeth wedi'i chydblethu'n agos â'r trybini teimladol sy'n wraidd y grefydd. Ni fagodd y bardd ddigon o hyder na phrofiad i wahaniaethu rhwng afreoleidd-dra aflafar ei gleciadau o ganlyniad i'w ddiffyg dawn, a'r afreoleidd-dra a'r ansefydlogrwydd celfydd sy'n hanfod llenyddiaeth. Yn ôl Ezra Pound y mae llenyddiaeth yn ddathliad anarchaidd o holl bosibiliadau creadigol iaith: anarchi'r amatur, ac nid anarchi'r artist a geir yn emynau *Aleluja*. Byddai'r posibilrwydd o fethu'n alaethus neu o lwyddo'n ysgubol yn gysgod dros holl yrfa'r llenor o Bantycelyn. Rhaid cydnabod y ceir hyd yn oed yn ei waith cynnar nifer o'r nodweddion Pantycelynnaidd hynny sy'n dal i ysgogi trafod ac edmygedd heddiw. Ef ei hunan sydd ar ganol y ddrama a'r *trauma* a ddisgrifir yn yr emyn, ac fe estyn i ni wahoddiad i ddirnad a phrofi'r trobwll mawr o deimladau a ffurfia angerdd ac eithafrwydd ei gân. Ac fe gân y pererin o gredadun am ei waredigaeth o uffern dân, ac am ei hiraeth am weled ei daith flinedig yn dod i ben. Yn null y pererin arall hwnnw, sef Cristion yng nghlasur alegorïol John Bunyan, *Taith y Pererin*, y mae'r Beibl i Bantycelyn yn deithlyfr ac yn gydymaith defosiynol ei grwydriad. Mae'r llecynnau daearyddol yn arwyddbyst o'i daith 'ar ei gwrs trwy'r wlad', a chymeriadau a llwythau estron niferus yr Hen Destament yn symbolau o bechod, a'r frwydr sydd ymhlyg yn y bywyd ysbrydol:

Fe'm tynnodd I trwy Ddŵr a Thân,
O'r dywyll Aipht y ma's;
I'm cadw'n lân rhag *Pharoah* a'i lu,
Agorodd fôr o werthfawr Wa'd:
Annwyl IESU dygaist fi,
I'r wledd sy 'Nghanaan Wlad.[iii]

Cawn ymgydnabod â phrofiad a phersonoliaeth awenydd y mae ei
enaid ar dân mewn cariad at Iesu, ac er bod ei ganu'n anaeddfed o
anghytbwys a gorhyderus, trosglwydda i ni rin a gwefr y profi.
Mae'r 'weithred ryfedd wnawd ar Galfaria fryn',[4] yn llanw ei galon
a'i ddychymyg â gwallgofrwydd sanctaidd ac â chariad angerddol.
Prydyddu'r profiad hwn gan ddelweddu'r ddiwinyddiaeth ac arall-
eirio'r athrawiaeth yw ei uchelgais lenyddol a sylfaen ei genadwri:

> Mi wnes fy ngorau [meddai Pantycelyn wrth adolygu ei brofiad
> a'i yrfa fel emynydd adeg cyhoeddi'r trydydd argraffiad o
> *Aleluja* ym 1758[5]] pa beth bynnag fyddai natur yr Hymn,
> Achwyniad, Erfyniad, ymffrost-dduwiol neu Fawl, fod Crist yn
> ganolbwynt i'r cwbl . . . Mi wn bod nifer fawr o Hymnau yn yr
> elfen hon o glodfori'r Iachawdwr.

Emynau croes-ganolog a Christ-ganolog yw cynnyrch y llenor o
Bantycelyn.

Y mae ymddangosiad *Aleluja* yn arwydd o lwyddiant a
datblygiad cynnar y Methodistiaid, ac yn enwedig o ymdrechion
cyntaf y frawdoliaeth drindodaidd, Howel Harris, Daniel Rowland a
Phantycelyn ei hun. Ond y mae i hyn ei wedd negyddol. Yn saith ar
hugain oed a'i fryd yn gwbl arallfydol, yr oedd Pantycelyn eisoes yn
ddarostyngedig i ffenomen mor fydol â *market forces*. Dywedir
mewn hysbysiad gyferbyn ag emyn cyntaf *Aleluja* fod ail ran y
gyfrol ar fin dod o'r wasg, fod 'casgliad arall o Hymnau, (O's caniata
DUW,) I ganlyn mor gynted ag yr elo hwn ymmaith, neu yn gynt, yr
un Faintiolaeth . . . '. Cyflenwi gweisg y dwthwn hwnnw yng
Nghaerfyrddin, Aberhonddu, Bryste a Llanymddyfri â gwaith, a
diwallu awydd anniwall y Methodistiaid cyntaf am ddeunydd cân
i'w profiadau, a wnaeth Pantycelyn. Rhaid i ni, felly, ystyried ei yrfa
lenyddol ar lefel hollol ymarferol yn ogystal ag ar lefel ysbrydol ac

esthetig. Ac fe ddaeth ei gynnyrch ef yn bentwr o bamffledi o'r wasg, gan ffurfio corff unigryw o lenyddiaeth Gristnogol yn y ddeunawfed ganrif. Er hyn, fe aberthodd Pantycelyn gymaint o'r llenor a'r bardd a oedd ynddo'n rhy aml ar allor yr efengylydd. Ar y llaw arall, deuir o hyd i dystiolaeth wasgaredig yn ei waith ei fod yn ymwybodol – neu'n rhannol ymwybodol o leiaf – o'r fath gamwri creadigol.

Os myn neb wybod pa fath o gysyniad a feddai Pantycelyn am lenyddiaeth ac am lenyddoldeb ar y naill law, ac am amcan a chyddestun ei waith ar y llaw arall, darllened ei ragymadroddion: maent oll yn bwysig, yn ddiddorol ac yn hynod ddadlennol. Yn y rhagymadroddion i'r casgliadau emynau, fe gawn brif emynydd y mudiad – emynydd etholedig y sasiwn! – yn gosod allan ei strategaeth bragmatig a llenyddol. Ceir disgrifiad o broblemau moesol a chymdeithasol y mudiad Methodistaidd yn y rhagymadroddion i'r gweithiau rhyddiaith. Eithr ohonynt i gyd, mae'r rhagymadrodd anghofiedig i'r argraffiad cyntaf o'i gerdd epig, *Golwg ar Deyrnas Crist*, 1756, ymhlith y mwyaf diddorol. Erbyn 1756 cyhoeddodd Pantycelyn eisoes chwe rhan *Aleluja* a thair rhan *Hosanna i Fab Dafydd:* digon i brofi ei fod ef ar y blaen i'w gyfoeswyr o ran *maint* ei gynnyrch, os nad bob amser, yn y blynyddoedd cynnar, o ran ansawdd ei ganu. Hwn hefyd oedd y cyfnod pryd y llesteiriwyd datblygiad addawol y mudiad Methodistaidd gan yr Ymraniad rhwng Howel Harris a Daniel Rowland. Mae'r dadleuon diwinyddol a amlygid yn y ffrae yn gefndir i'r rhagymadrodd ac i'r epig ei hun. Ond yr hyn sydd fwyaf diddorol ynglŷn â'r rhagymadrodd hwn i mi yw bod Pantycelyn ei hunan yn mynd ati i gloriannu gwerth llenyddol y gwaith, ochr yn ochr â'i werth adeiladol i'w bobl. Mae'n edifaru 'fod ei wisgoedd mor dlawd, ac yntef yn cymeryd arno i ganmol Un mor ardderchog', hynny yw, mae testun y gerdd yn fwy aruchel na'i ffurf na'i harddull. Mae Pantycelyn am i Dduw ei chuddio, 'oddi wrth ddynion cyfrwys, *critic*' – byddai athronwyr a beirniaid llên yn syrthio i'r categori hwnnw! Ac yna fe geir y cyfaddefiad celfyddydol mwyaf gonest ac agored sydd yn ei holl waith:

Pwy bynnag elo i graffu ar y Farddoniaeth, mi wn nad oes yma yr un wers heb ei bai. A hyn a'm digalonodd lawer pryd i'w roi mewn *print*. A pha hwya bo yn fy llaw, mwya i gyd wy'n diwygio arno. Ond y mae arnaf ofn ei gadw yn hwy, rhag tynnu ymaith ei awch. Am hynny, aed fel y mae.

Nid ofnai Pantycelyn fygythiad yr hen waharddiad – *publish and be damned*! Yn y geiriau hyn fe gawn gydnabod didwyll ar ran ei hawdur feiau llenyddol yr epig, ynghyd â darostyngiad ufudd i'r *market forces* ysbrydol ac ymarferol y soniais amdanynt eisoes. Er hynny, mae'n amlwg o ran gyntaf y rhagymadrodd fod Pantycelyn yn ystyried y gerdd hon yn gyfraniad cymodlon i ddadleuon diwinyddol ei bartneriaid yn y ffydd. Rhaid inni ofyn, fodd bynnag, wrth gloriannu ei yrfa lenyddol fel hyn, a ddeallai'n llawn fod *Golwg ar Deyrnas Crist* yn annioddefol o hir ac undonog ei hamlinelliad o 'fyfyrdod hen y Duwdod yn gosod sylfaen byd' a'i mydryddiad yn beirianyddol feichus a gwallus ar brydiau?

Yn ei ragymadrodd i ganiadau'r *Môr o Wydr*,[6] cwynodd Pantycelyn yn ddiamynedd fod mydr yn rhwymo traed a dwylo bardd. Aros yn gaeth yng nghyfundrefn reolaidd mydr, ysywaeth, a wnaeth y bardd yn rhy aml, ac yn enwedig yn ei ddwy gerdd epig. Gellir ystyried y mater yn rhywfaint o enigma gan fod gennym dystiolaeth y gwyddai Pantycelyn rywfaint am ei frychau. Fe gawn yr ateb, mi gredaf, yn *apologia* Thomas Charles drosto, yn yr ymdriniaeth feirniadol gyntaf o bwys ar waith Pantycelyn ar ôl ei farw. Gogoneddu Duw ac adeiladu ei eglwys yw priod waith y llenor Cristnogol, meddai Charles: eilbeth sâl o'i gymharu â'r fath amcan ysbrydoledig yw cyfrif sillafau a chorfannu'n gywir, dethol ieithwedd a gofalu am ramadeg. Oherwydd amcan ac effaith ei waith, dylid maddau i Bantycelyn ei bechodau llenyddol i gyd:

> . . . ehedai ar awel nefol, a chymerai y geiriau nesaf at law, a chwbl ddeallus i'r werin gyffredin, y rhai a hoffent ei ganiadau yn ddirfawr. Er nad oedd yn ganmoladwy ynddo i esgeulusaw purdeb yr iaith Gymraeg gymaint, etto yn ei iaith gyffredin y mae yn ddeallus i bawb, ac yn dwyn eu meddyliau a'u calonnau gyda grym a gogoniant ei faterion, a'i ehediadau goruchel. Effeithiodd ei Hymnau gyfnewidiad neillduol ar agwedd

crefydd ym mhlith y Cymry a'r addoliad cyhoeddus yn eu cyfarfodydd.[7]

Efengylydd o brydydd a llenor oedd Pantycelyn. Priododd ei gyfrwng â'i genadwri gan chwistrellu'r genadwri honno i lên a bortreadai theatr Trefeca a Llangeitho, ynghyd â llwybrau diarffordd, cilfachau, a chyfyngleoedd profiadau'r sawl a bererindotai i'r perfformiadau. Am i'r profiadau a'r hanesion hynny ffurfio golwg llawer iawn ohonom ni ar y byd a'r betws, fe gaiff Pantycelyn fel arfer driniaeth amgen a charedicach gan feirniaid na llawer o glerwyr mân ein traddodiad llenyddol. Er, nid yw'n deg ystyried Pantycelyn yn glerwr: ef oedd pencerdd diamau y Diwygiad Methodistaidd.

Unochrog, a dweud y lleiaf, fu'r portread o'r llenor o Bantycelyn a gafwyd hyd yma yn y ddarlith hon, ac er i mi nodi fod modd gweld gwedd hunanfeirniadol i'w weithgarwch, ei gamweddau a gafodd ein sylw. Cychwynnais gydag *Aleluja*, cyn symud at *Golwg ar Deyrnas Crist*.

Mae'r ddau waith hyn yn cynrychioli rhan fawr o hanner cyntaf gyrfa lenyddol Pantycelyn, y cyfnod rhwng cyhoeddi rhan gyntaf *Aleluja* ym 1744 a Diwygiad Llangeitho, 1762. Fe hoffwn ystyried gyrfa lenyddol Pantycelyn fel petai wedi'i didoli'n ddau hanner – dau hanner pur anghyfartal i'w gilydd, mae'n wir. Ac unwaith eto, fe geir tystiolaeth yn ei waith fod Pantycelyn ei hun yn ymwybodol o'r trobwynt yn ei yrfa. Wrth fynd heibio fe ddylid nodi'n fras swm cynnyrch cyfnod cyntaf yr yrfa doreithiog hon: o ran emynau, *Aleluja, Hosanna i Fab Dafydd*, a'r pymtheg emyn a gafwyd yn *Rhai Hymnau a Chaniadau Duwiol*, 1757;[8] cafwyd casgliad o emynau Saesneg, *Hosannah to the Son of David*,[9] cyfieithiad go swmpus, 134 o ddudalennau o bregethau Ebenezer Erskine, dan y pennawd *Siccrwydd Ffydd*;[10] a nifer o farwnadau, gan gynnwys y farwnad bwysig i Gruffydd Jones, Llanddowror a fu farw ym 1761.[11] Mae'r cyfnod cyntaf hwn yn brawf o egni Pantycelyn, a'i ddygnwch a'i ymroddiad anghredadwy.

Fe fu Diwygiad Llangeitho yn gymaint o drobwynt llenyddol ym mywyd Pantycelyn ag y bu profiad mynwent Talgarth yn ysbrydol iddo, bum mlynedd ar hugain ynghynt, ac yr oedd y llenor yr un mor ddeallus a'r un mor ymwybodol parthed goblygiadau'r ddau. Mae'n rhan o fytholeg y Methodistiaid mai casgliad Pantycelyn, *Caniadau y Rhai sydd ar y Môr o Wydr* (1762), a gyneuodd fflam Diwygiad Llangeitho. Bid a fo am y fytholeg, mae'r emynydd ei hun yn ymwybodol fod y casgliad hwn yn cynrychioli naid ansoddol sylweddol a hollbwysig yn ei yrfa. Dyma'r unig gasgliad emynyddol sydd â cherddi cyfarch yn ogystal â rhagymadrodd. Dododd Pantycelyn 'Rhai Pennillion ar Ystyrjaethau y LLYFR hwn' ar ddechrau'r gyfrol:

NI Gan'som am Gystuddiau a choncwest Gwaed y Groes,
Ac ymladd temptasiwnau, o'r Borau hyd y Nôs;
Picellau'r Ddraig, ac Angau, a Dwfnder mawr y Bedd,
Happusrwydd Merch y Brenhin o fewn i'r Nefol Wledd.

'R un peth a Gan'som yma'r un Iechawdwriaeth gû,
Ond i'n gyweirio'n Telyn 'nes i'r Caniadau frŷ;
Ceisiasom ddilin Allwedd Eiriolaeth Marwol Glwŷ,
Ac ymffrost wedi golli, i harddu'r Gân yn fwŷ.

Mae'r Tafod yma'n profi o Ddŵr y Ffynnon fawr.
Pan byddo Gorthrymderau yn curo Cnawd i lawr;
Pan b'o Euogrwydd Pechod yn rhoddi'n Ffydd tan draed,
Tan grynu, etto'n nessu mae yma at y Gwaed.

Fe genir yma gredu ac ofni yr un pryd,
Am Nerth plesserau gweigion, a'i ffeiddio etto 'nghŷd:
Am goncwest ar Elynion ac eilwaith fel maent hwy,
Yn ddiarwybod rhyfedd yn rhoddi i ni Glwy.

Os ffeula'r Gwan wrth Ganu yr ALELUIA o'r blâ'n,
A rhoddi ei sŵn yn eon ymhlith rhai llawn o Dân;
Fe all y gwanna yma a fo'n dymuno Grâs,
Heb Wlithyn ar ei Dafod i roddi ei Sŵn i mâ's.

Er nad yw'r farddoniaeth hon yn aruchel o bell ffordd fe geir yma amlinelliad o farddoneg Gristnogol Pantycelyn; adolygiad o themâu emynau *Aleluja*; crynodeb o gynnwys *Môr o Wydr* a phle dros addas-rwydd profiadol yr emynau. Yng nghyfrol 1762 ceir Pantycelyn yn ymdrin â gofid, siom a methiant y bywyd ysbrydol yn ogystal â hyder a llawenydd yng Nghrist. Cwynodd amryw o'r Methodistiaid cyn hynny na fedrent ganu emynau'r *Aleluja* am fod ynddynt gymaint o ysbryd o sicrwydd ffydd. Daeth y llenor o Bantycelyn yn ymwybodol ar fwy nag un achlysur ar hyd ei yrfa faith nad gyrfa esmwyth yw rhan lladmerydd y gymuned grefyddol. Pan gyhoeddwyd *Aleluja* am y trydydd tro ym 1758 fe fu'n rhaid i Bantycelyn amddiffyn anghydbwysedd profiadau ei emynau. Yn gwbl nodweddiadol, fe wnaeth y Beibl yn sylfaen ei *apologia*:

> . . . fod swm amrywiol iawn o'r Salmau, os nid y rhan fwyaf, o'r Ysbryd hwn o Siccrwydd Ffydd, concwest ar Elynion ac ymffrost dduwiol; Caniadau Solomon sydd yn llawn o Gariad, Mwynhad, a Siccrwydd Ffydd, ac hyd yn od Galarnad JEREMI ei hun sydd yn gweiddi allan – 'yr Arglwydd yw fy rhan medd fy enaid'.

Erbyn cyfansoddi emynau'r *Môr o Wydr*, fodd bynnag, yr oedd Pantycelyn cryn dipyn yn ddoethach parthed cyraeddiadau ysbrydol ei gynulleidfa. Gwyddai y byddai'n rhaid i'w emynau adlewyrchu sbectrwm profiadol eang *iawn* er mwyn llwyddo i feithrin ffydd yng nghalonnau'r Methodistiaid. Ac fe ehangodd ei *repertoire* o ran y math o brofiadau a fynegid ganddo, a hefyd o ran crefft ei ganu. Pwysai surni'r Ymraniad yn drwm ar ei feddwl a'i galon. Clywai dystiolaeth gyson y seiadwyr ffyddlon am gystuddiau ingol y bywyd ysbrydol yn ogystal ag am ei lawenydd arwrol. Y mae llawer o'r *Môr o Wydr* yn gwisgo natur galarnad gyhoeddus am bechod. O hyn ymlaen byddai'r rhan fwyaf o ganu a llenydda Pantycelyn yn gwbl ryfeddol, oherwydd byddai'n gwbl onest, ac yn gelfydd tra'n uniongyrchol.

Mae hanes y mudiad Methodistaidd yn gysgod trwm dros y *Môr o Wydr*:

> Pam y caiff bwystfilod rheibus
> Dorri'r egin man i lawr,
> Pam caiff blodau peraidd ifainc
> Fethu gan y sychdwr mawr;

Dere â'r cawodydd hyfryd,
Sy'n cynyddu'r egin grawn,
Cawod hyfryd yn y bore,
Ac un arall y prynhawn.[12]

Diffyg momentwm gwaith y Methodistiaid sy'n gyfrifol am y deisyf a'r ymbil taer am ymweliad grasol a phresenoldeb Duw gyda'i bobl. Mae'r darlun o fywyd y Cristion a bortrëedir yn emynau'r gyfrol yn ehangach ac yn fwy cytbwys ei emosiwn, ac fe gydblethir y teimlad â chyfundrefn fewnol y mydr a'r rhythm a'r gystrawen yn ddeheuig iawn. Wele enghraifft arall o'r canu cymesur, celfydd hwn:

Y mae Ofn yn fy Nghalon,
Gan cyn lleied yw fy Nghrym,
Rhag ryw Awr i'm Temptasiwnau
Creulon i fy ngwneid yn ddim;
Nid oes gryfdwr, &c.
Trwy fy Yspryd mewn un mann.

Mae Dyfnderoedd Anghrediniaeth,
Wedi'm rhoddi'n llesg a gwan,
Pechod yn fy ngwneid i ofni,
Ofni yn fy rhwystro i'r lân:
Gwna i mi gredu, &c.
Dyna'm Henaid wrth ei fodd.

Oll o mewn nid oes ond Tywyllwch,
Oll o mewn nid oes ond Poen,
Rhyw ddieithrwch oer digariad,
At y Croeshoeliedig Oen;
O na rhoddit, &c.
Immi Arglwydd dy fwynhau.[13]

Y mae'r mwynhad Calfinaidd hwnnw bellach yn ganolbwynt ei ganu ac yn wrthbwynt i'r anghrediniaeth y sonnir amdani'n fynych iawn yn yr emynau.

Os emynau a gyneuodd dân y Diwygiad Mawr a gafwyd yn Llangeitho, gweithiau rhyddiaith amrywiol iawn oedd un o'r pethau amlycaf a ddaeth allan ohono yn llenyddol. Ac y mae gweithiau rhyddiaith cynharaf Pantycelyn yn egluro'i yrfa lenyddol. Megis yn rhagymadrodd *Golwg ar Deyrnas Crist* ac ym mhenillion cyfarch *Môr o Wydr*, y mae Pantycelyn mewn ambell fan yn ei weithiau rhyddiaith yn cynnig sylwebaeth ar ei ddatblygiad llenyddol. Er enghraifft, yn *Atteb Philo-Efangelius* (1763), fe lwydda'r llenor mewn un paragraff afieithus i ddisgrifio effeithiau'r Diwygiad ar y bobl a'r hyn a ragbaratôdd ei lwyddiant a chynigia sylwebaeth ar ei yrfa ei hun (myfi piau'r italeiddio yn y dyfyniad canlynol):

O hafddydd! fe ddaeth, fe ddaeth. Yr oedd teiau a chapeli wedi eu hadeiladu i'w resawu ef. Yr oedd beiblau yn llanw'r wlad erbyn iddo ddechrau i gyfarwyddo'r pererinion adref. *Yr oedd salmau, hymnau a chaniadau yn addfed erbyn i'r wawr dorri.* Yr oedd gweinidogion â'u bronnau yn llawn pan gynta yr esgorodd yr efengyl ar ei meibion. O Martha, cân![14]

A chanu a wnaeth miloedd tebyg i Martha Philopur. Dichon bod Pantycelyn yn y sylw ar fawl y Diwygiad yn cynnwys gwaith emynwyr eraill yn y disgrifiad, ond y mae'n fwy tebygol o lawer ei fod yn hyderus fod ganddo ym *Môr o Wydr* ac yn *Ffarwel Weledig* . . . yr oedd y rhan gyntaf ohoni ar fin ymddangos ym 1763, gasgliadau cymwys i gynnal ac i ddisgrifio brwdaniaeth grefyddol. Fe geir pwyslais amlwg yn ei ddisgrifiadau o ansawdd Diwygiad Llangeitho ar ganu mawl:

Mae 'hymnau, salmau, ac odlau ysbrydol' yn unig ymborth cariad-wleddoedd y saint. Mae anrhydedd ac enw wedi ei anghofio; gweddïau, pregethau, ac yn enwedig canu mawl i Dduw sydd yn datseinio'r wlad.[15]

Fe bair yr ymarfer o'r rhain i'r cynulleidfaoedd ganmol, moli, bendithio a llamu. Mae *Llythyr Martha Philopur* (1762), yr hon yr enynnwyd tân ynddi, *Atteb Philo-Efangelius* a gynigia i ni grynodeb o holl hanes cynnar y mudiad, gan gynnwys yr Ymraniad, a rhannau o *Drws y Society Profiad* (1777), a bwysleisia barhad y gwaith a chyffelybu Diwygiad Llangeitho i Bentecost Cymru – ill tri'n cynnwys propaganda digywilydd ar y naill law, ac amddiffyniad cadarn o ffenomen Diwygiad a thröedigaeth ar y llaw arall. Ac y mae'r disgrifiadau'n rhyfeddol o unffurf a chyson yn hyn o beth: mae'r ysgrythur yn cadarnhau ac yn dilysu'r Diwygiad; mae'n gyflawniad o hen addewid ac y mae'r ffaith fod cymaint o erlid arno, gan wresoced y grefydd, yn brawf pendant o'i wirionedd.

Ysgogodd Diwygiad Llangeitho esboniad ac *apologia* ac ar y lefel honno mae'n hawdd gwerthfawrogi rhyddiaith Pantycelyn. Anos o lawer yw maddau iddo am lesteirio twf a datblygiad ei gymeriadau a'i gynllun yn yr un gweithiau gyda'i amcan ddidactig unplyg, ac fe all gymryd tudalennau maith i brofi ei *thesis*. Moesol a bugeiliol yw ansawdd *Hanes Bywyd a Marwolaeth Tri Wŷr o Sodom a'r Aipht*,[16] a *Cyfarwyddwr Priodas*.[17] Mae llawer o agweddau ar y ddau waith hyn yn bur foddhaol yn llenyddol. Ond y mae Pantycelyn yn dryloyw o ddidactig: mae'r disgrifiad o rinweddau Ffidelius yn *Hanes Tri Wŷr* ddwy waith yn hwy na'r portread byw a lliwgar o bechodau Afaritius a Phrodigalus; yn *Cyfarwyddwr Priodas*, y drydedd ddeialog lle y cynghora Mary ei ffrind Martha ynglŷn â sut i adennill serch ei gŵr yw'r hwyaf o dipyn. Pan ddyry Pantycelyn gyfle i'w gymeriadau lefaru drostynt eu hunain (adrodd yn ail-law amdanynt a wneir yn *Hanes Tri Wŷr* drwy enau dau gymeriad arall) fe welir eu bod yn rhyfeddol o huawdl ac effro i'w sefyllfa. Eithr, gosod ffydd a buchedd allan mewn 'canolddydd oleuni', chwedl Pantycelyn yntau, yw prif amcan y llenor yn ei weithiau rhyddiaith, ac fe ddistrywia hyn, yn rhy aml ysywaeth, ei integriti artistig.

Byddai'r gynulleidfa wreiddiol yn rhwym o dderbyn llawer mwy o fudd o'r gweithiau hyn na darllenwyr diweddarach. Ysgrifennwyd *Cyfarwyddwr Priodas*, er enghraifft, fel ymateb 'i lygredigaeth yr oes bresennol mewn perthynas i garwriaeth a phriodasau proffeswyr cred', a'r tebyg ydyw fod angen arweiniad gwirioneddol ar y Methodistiaid ynglŷn â diweirdeb priodas. Cymeriadau cynddelwaidd yw'r tri gŵr o Sodom a'r Aifft, enghreifftiau o'r hyn a chwaraewyd ar lwyfan y byd droeon. Ond fe ofala Pantycelyn fod eu hymarweddiad cymdeithasol wedi'i leoli'n blwmp ac yn blaen yn y ddeunawfed ganrif. Trwy'r rhain i gyd cyflwynir profedigaethau bywyd yn gosb am wrthgiliad (hanes Martha yn *Cyfarwyddwr Priodas*), yn dynged yr annuwiol – Afaritius a Phrodigalus, ac yn brawf ar y ffyddlon – hanes y cymeriad patrwm Ffidelius. Estyniad o weithgarwch y seiat – 'rhyw drefn newydd ddaeth gan y Methodistiaid i mewn', chwedl Pantycelyn – yw'r gweithiau rhyddiaith bugeiliol:

... i geryddu, i hyfforddi, i adeiladu, ac i gefnogi aelodau gweinion ag sy barod i gyfeiliorni i ryw ochr, naill ag i chwant, pleser, neu garu teganau o un tu, neu i falchder, rhyfyg, hunan-dyb, a chenfigen o'r tu arall, neu ynteu i gael eu denu trwy hoced dynion i dwyllo, i athrawiaethau gau a chyfeiliornus, ac i amrywiol bethau eraill ag sydd wedi gwneud mawr niwed i seintiau Duw.[18]

Llefara profiad a blinder yn hyglyw yn y dyfyniad hwn sydd hefyd yn croniclo rhan fawr o waith eneidegol y Diwygiad yn drefnus, yn eglur ac yn bragmatig. Yr argraff annileadwy a gaiff y beirniad llên o weithiau bugeiliol Pantycelyn yw bod ei awydd i ymgeleddu'i bobl yn weinidogaethol yn tagu twf ffurfiol ei waith, mewn cyfnod pryd yr oedd momentwm rhyddiaith yn symud yn anochel i gyfeiriad y nofel.

Awgrymodd Saunders Lewis fod rhyddiaith Pantycelyn yn nes i nofelau'r ugeinfed ganrif nag i waith Daniel Owen, am ei fod yn trafod 'drysni cymhleth y profiadau cyfrwysaf' a ddaw i aflonyddu ar seicoleg ac enaid dyn.[19] Mae'r Dr Lewis yn llygad ei le, ond a gaf nodi ymhellach fod rhyddiaith Pantycelyn, mewn un nodwedd o leiaf, yn bur agos i ryddiaith yr Oesoedd Canol? Mae pwyslais y ddau fath o ryddiaith ar y cymeriadau a'u gweithredoedd, neu yn achos Pantycelyn, ar yr hyn a brofant ac a gredant. Ychydig iawn o ddisgrifio a geir ynddynt ar yr amgylchfyd, y tirlun a'r cefndir cymdeithasol yn gyffredinol. Ac yn hyn o beth mae'r rhyddiaith yn foel ac yn unochrog. Mae ansawdd alegorïol gweithiau Pantycelyn yn nes o lawer i chwedlau'r Oesoedd Canol nag at y darlun o amgylchiadau bydol y gymdeithas Fethodistaidd gapelog a geir yn nofelau Daniel Owen, neu'r disgrifiadau o gymdeithas seciwlar gymhleth yr ugeinfed ganrif a geir mewn nofelau cyfoes.

O ran ffurfiau'i ryddiaith, gellir gosod Pantycelyn yn blwmp ac yn blaen yn y ddeunawfed ganrif. Dylanwad Bunyan a'r Piwritaniaid ar y naill law, a llenyddiaeth ffasiynol Saesneg ei oes ar y llaw arall, a gyfrif mai ar ffurf y llythyr, yr ymddiddan a'r teithlyfr y sgrifennodd Pantycelyn ei ryddiaith. Llythyrau oedd ei ddau waith rhyddiaith cyntaf, ynghyd â'r ymdriniaeth apocalyptaidd â'r *Aurora Borealis*. Ymddiddanion yw'r pump arall, gyda *Pantheologia* yn perthyn yn ychwanegol i *genre* y teithlyfr. Yr oedd ffurf y llythyr yn gwbl nodweddiadol o'r cyfnod, ond yr oedd y defnydd a wnaed ohoni'n amrywio'n helaeth o ran thema ac adeiladwaith. Fel y gwelsom, defnyddiai Pantycelyn ei lythyrau ef i gyfiawnhau ac i ddisgrifio effeithiau Diwygiad Llangeitho. Ychwanegai'r angenrheidrwydd hanesyddol, diwinyddol ac eneidgol i ddisgrifio'n fanwl gywir yn sylweddol at realaeth lenyddol y cynnwys a oedd eisoes yn gryf gan mai stori yn y person cyntaf yw'r llythyr yn y bôn. Cawn glustfeinio ar atgofion a theimladau a meddyliau sydd yn brofiad byw. Trwy ffurf yr ymddiddan gellir cyflwyno sgwrs gelfydd, dadl neu ymryson, a gellir dychanu, gwatwar neu addysgu: mae'r elfennau hyn i gyd yn rhyddiaith Pantycelyn. Ei fethiant llenyddol, fodd bynnag, yw fod ei gymeriadau yn gwbl ddarostyngedig i'r genadwri a bregethir trwyddynt. Ac ar y cyfan nid deialog a gawn, ond y naill araith swmpus yn dilyn y llall, neu'r naill gymeriad ymofyngar yn promptio'i gyfaill i ddatgelu'r trysorau ysbrydol sy'n hysbys iddo.

Pan drown at ddefnydd Pantycelyn o *genre* y teithlyfr yn *Pantheologia* symudwn at wedd gwbl wahanol ar ei weithgarwch llenyddol. Cynnyrch y *tiwtor efrydiau allanol* yw'r enseiclopedia trwmlwythog hwn ar gyfer dosbarth a oedd yn bur gyndyn i dderbyn yr addysg a gynigid iddynt mor hael a helaeth. Ymddangosodd rhan gyntaf y gwaith ym 1762, blwyddyn Diwygiad Llangeitho (gwedd arall ar y trobwynt llenyddol, felly), ond rhaid bod Pantycelyn wedi ymchwilio llawer yn y maes yn y blynyddoedd cyn hynny. Cyhoeddwyd *Pantheologia* mewn saith rhan dros ddwy flynedd ar bymtheg, a chynigiodd Pantycelyn y saith rhan ynghyd i'w bobl am dri swllt. Mae'r derbyniad a gafodd y gwaith yn brawf unwaith eto nad cwbl esmwyth fu gyrfa gyhoeddus y llenor o Bantycelyn: yr oedd y *Pantheologia* yn wrthodedig gan ddynion. Ceir amddiffyniad hir drosto ar ddiwedd cyfieithiad Pantycelyn o *Hanes Troedigaeth Ryfedd a Hynod y Parchedig Mr Thomas Goodwin, D.D.*, 1779,[20] y flwyddyn y gorffennodd *Pantheologia* ei daith rownd y byd a thrwy'r wasg. Cwynodd amryw, meddai, 'nad yw y llyfr hwn yn fuddiol i nemawr, am nad oes ynddo ond hanesion'. Ateb parod nodweddiadol Pantycelyn yw mai llyfr hanes yw llyfr Duw, y Beibl, ac â ymlaen i restru pedwar rheswm cadarnhaol pam y dylid darllen y *Pantheologia*. Mae'n amlwg o'i ragymadrodd i'r gwaith, a'i watwar hwyliog ar anwybodaeth y Cymry, fod yn rhaid i Bantycelyn gyfiawnhau ymddangosiad ei *magnum opus* addysgol yng ngŵydd ei gynulleidfa. Trosglwyddo gwybodaeth am holl grefyddau'r byd a wna'r awdur trwy'r ymddiddan rhwng Apodemus ac Eusebius. Apodemus yw'r teithiwr a lladmerydd y ddysg. Confensiynol, fel y dywedais, oedd ffurf y teithlyfr yn y cyfnod hwn. Yr oedd teithio yn y ddeunawfed ganrif yn beryglus, ac eto'n weithgarwch derbyniol y dyn diwylliedig yr oedd yn ofynnol iddo feddu ar y profiad ehangaf, cywiraf posibl o'r byd. Ond cwbl wahanol yw *Pantheologia* Pantycelyn i deithlyfrau nodweddiadol y cyfnod. Ysgrifennodd Henry Fielding *Journal of a Voyage to Lisbon*, 1755, a Tobias Smollett *Travels through France and Italy*, 1766, ac *ego* yr awduron eu hunain yw canolbwynt y gweithiau hyn. Yr oedd Pantycelyn yn wahanol am fod ganddo olwg amgenach ar y byd. Yr oedd ef am weled goleuni'r Efengyl yn llewyrchu yn yr 'ardaloedd pella / t'wylla is y nef'. Ac mewn cyfnod o ymledu'r ymorchest ymerodrol dros y byd, canodd y pererin Methodistaidd droeon fod 'trysorau'r *India* bell', a 'chyfoeth maith *Peru*' megis sorod o'u pwyso â gwerthfawrogrwydd cariad Duw. Er, felly, fod ffurf a *genre* y *Pantheologia* yn hynod gonfensiynol, yr oedd ei ddeunydd a'i amcan yn amheuthun yn ei gyfnod, ac yn wir, nid oes dim arall tebyg iddo yn hanes llenyddiaeth Gymraeg.

Mae gweithiau rhyddiaith Pantycelyn yn nodwedd amlwg ar gynnyrch llenyddol ei gyfnod diweddar, y cyfnod wedi Diwygiad Llangeitho. Byddai arolwg bras o'r cyfnod hwnnw'n cadarnhau mai Pantycelyn yw un o'r llenorion mwyaf toreithiog a gafwyd hyd yma yng Nghymru – o leiaf, mae'n gystadleuydd i T. Gwynn Jones, Bobi Jones ac Alan Llwyd! Yn y blynyddoedd rhwng Diwygiad Llangeitho a'i farw naw mlynedd ar hugain yn ddiweddarach, cyhoeddodd Pantycelyn, yn ogystal â'i holl weithiau rhyddiaith: ail gasgliad o emynau Saesneg;[21] oddeutu deg ar hugain o farwnadau; ail argraffiad diwygiedig o *Golwg ar Deyrnas Crist*[22] a'i ail gerdd

epig, *Bywyd a Marwolaeth Theomemphus.*[23] Cyhoeddodd gyfieith-
iadau niferus hefyd, a gweithiau mwy amrywiol eu naws, gan
gynnwys, ymhlith eraill, yr aml-gyhoeddedig, *Atteb i wr Bonheddig,
a geisiodd brydyddu senn ir ysbryd a ddesgynodd ar rai
gwrandawyr bywiol yn ddiweddar.*[24] Daeth nifer o gasgliadau
emynau'n dwyn ei enw o'r wasg, yn adargraffiadau llawer ohonynt
neu'n gasgliadau bychain o ryw ddwsin o emynau, ond hefyd y ddwy
gyfrol odidog, *Ffarwel Weledig, Groesaw Anweledig Bethau* . . . ,[25] a
Gloria in Excelsis . . .[26] Fe hoffwn gloi'r ddarlith gydag ychydig o
sylwadau ar yr emynau aeddfed hyn.

Rhyngddynt, fe ffurfia *Ffarwel Weledig* a *Gloria in Excelsis* tua
hanner cynnyrch emynyddol Pantycelyn. Canu apelgar am yr
adnabyddiaeth ddofn a feddai Pantycelyn o'i Waredwr erbyn hyn a
geir yn y rhan fwyaf o'r emynau. Ac y mae'n braf cael dweud o'r
diwedd fod medrusrwydd prydyddol Pantycelyn bellach gymesur â'i
awen:

> Gwna ddistawrwydd ar ganiadau
> Cras afrywiog hen y byd,
> Diffodd dân cynddeiriog natur
> Sydd yn difa gras o hyd,
> Fel y gallwyf
> Glywed pur ganiadau'r nef.[27]

Ceir rhyw erfyn diderfyn llawn hiraeth a dyhead yng nghanu
aeddfed Pantycelyn. Yma fe geir y ddeuoliaeth a'r cyferbyniad,
natur/gras, a amlygir yn ddelweddol fel 'caniadau'r byd' / 'pur
ganiadau'r nef'. Ceir yma hefyd bentyrru ansoddeiriau a gaiff ragor
o bwyslais oherwydd y goferu trychiadol o'r llinell gyntaf i'r ail.
Bardd a Christion profiadol a lefara yma, ac mae unoliaeth gref i'r
hyn a genir o ran crefft, mynegiant a phrofiad.

'O ble y cawn fedr i ganu ei glod?' meddai Llyfr Ecclesiasticus.[28]
Fe berffeithiai Pantycelyn ei dechneg yn raddol er mwyn dod o hyd
i ddull o ddweud ei brofiad ar ffurf yr emyn. Fe gyfleir anterth yr
ymdeimlad o'i lwyr ddibyniaeth ar ei Waredwr:

IESU dyro dy gymdeithas
   Nefol yn yr anial fyd;
Lle mae maglau ar ôl maglau,
   Yn fy nrysu mron o hyd:
Y mae hiraeth yn fy nghalon,
   Ac ochneidiau heb ddim trai;
Am wel'd oriau ngwaredigaeth
   Ddedwydd hyfryd yn nesau.[29]

Deil drysni'r 'diffaith dir' i faglu'r pererin egwan sy'n tramwyo dan faich ei nwydau a'i fethiant. Mae Pantycelyn yn gyson eithafol ac yn amlwg ddramatig. Y mae ei hiraeth yn anniwall. Cân yn weddigar ac ymffrostgar am ei serch at yr Iesu, gwrthrych a phrofiad ysblennydd a gogoneddus ei ffydd.

Nid molawd diamwys i fawredd Pantycelyn a gafwyd yn y ddarlith hon ac yr oedd hynny'n fwriadol. Un o symptomau y dôs o *ddathlueitis* a gawsom yng Nghymru ym 1991 yw tuedd y rhan fwyaf ohonom i fod yn anghytbwys o glodforus ein gwerthfawrogiad o Bantycelyn. Mae'n hawdd deall pam ein bod yn amddiffynnol o ddiogel a hael ein mawl tuag ato a ninnau yn y fath gyfnod o ddirywiad crefyddol enbyd. Ac fe aeth didwylledd taer Pantycelyn yn ddiwylliant llipa o saff a braf ers blynyddoedd. 'Hen bobl wedi mynd i'r gongl ac yn swatio; eto yn disgwyl i rywbeth ddigwydd', oedd disgrifiad Kate Roberts o gymdeithas y capel yn ei stori fer hir, *Tywyll Heno*.[30] Fe barai cofio dauganmlwyddiant marw Pantycelyn ryw ychydig o gyffro yn y conglau ar hyd y flwyddyn.

Nodyn mwy cadarnhaol i orffen. Ar ddiwedd ei draethawd hir, *Real Presences*,[31] daw George Steiner i'r casgliad mai pererindod dydd Sadwrn y Pasg yw cyflwr y llenor Cristnogol, rhwng dioddefaint, unigedd a gwastraff y Groglith a'r awen bron yn ddiymadferth, a rhyddid ac ailenedigaeth y Pasg pan na fydd angen na diben i'r estheteg. Deallai y llenor o Bantycelyn hyn yn iawn, a'i fynegi'n gwbl odidog:

Hyn yw'm pleser, hyn yw'm hymffrost
Hyn yw 'nghysur yn y byd,
'Mod i'n caru'r addfwyn IESU,
Dyna 'meddiant i oll i gyd;
Mwy yw nhrysor, &c.,
Nag a fedd y byd o'i fron.

Ac ni alla' i fyth fynegu,
Pe anturiwn, tra fawn byw,
Pa mor hyfryd, pa mor felus,
Pa mor gryf ei gariad yw;
Fflam ddi-derfyn, &c.,
Ddaeth o ganol nef i lawr.

Yn y bywyd fyth a bery,
Caf fi ddwfn chwilio i maes,
Faith dyfnderoedd cariad dwyfol,
A changenau dwyfol ras;
Ehengir fenaid, &c.,
I 'nabod dadguddiaethau'r nef.

Derfydd awyr, derfydd daear,
Derfydd grewyd is y ne,
Derfydd haul, a sêr a lleuad,
Daw tywyllwch yn eu lle;
Fyth ni dderfydd, &c.,
Canu iechydwriaeth gras.

Bydd cerubiaid a seraphiaid,
Ac angylion nef yn un,
Yn cymysgu Haleluia
A Hosanna bur â dyn;
Anthem cariad, &c.,
Fydd yr anthem tra f' o'r nef.[32]

Cyfoethogwyd bywyd cenedl gyfan gan anthem emynau Pantycelyn.
Hir y parhao eu canu yn y conglau.

1 'Williams Pantycelyn ac "Aleluja" 1744', *Journal of the Welsh Bibliographical Society* 6 (1945), t.113.
2 Dichon mai Daniel Rowland a'i piau.
3 *Aleluja, neu, Casgliad o Hymnau ar amryw ystyriaethau* ... (Caerfyrddin, 1744), Hymn VI, ll. 3–8: 'Yn cynnwys hiraethlon Ddymuniad y CRISTION, i foliannu'r Arglwydd IESU, am ei ddwyn, o'r Aipht, i Ganaan; o Gaethiwed i Rydd-did.'
4 Geiriau allweddol o bregeth Efangelius yn y bumed bennod o *Bywyd a Marwolaeth Theomemphus*. Gweler *Gweithiau William Williams Pantycelyn*, cyf. 1, gol. Gomer Morgan Roberts (Caerdydd, 1964), t.242. Cynnwys y rhan hon o'r epig, 'yr Efengyl yn ôl y Methodistiaid'.
5 Argraffwyd ym Mryste gan E. Ffarley a'i Fab. Daw'r dyfyniad o'r gair 'At y Darllenydd' ar ddechrau'r gyfrol.
6 Argraffwyd yng Nghaerfyrddin gan Evan a David Powell, 1762.
7 *Trysorfa Ysbrydol*, 1813, t.454.
8 Argraffwyd yng Nghaerfyrddin gan Evan Powell.
9 Teitl cyflawn y casgliad hwn ydyw, *Hosannah to the Son of David; or Hymns of Praise to God, For our glorious Redemption by Christ. Some few translated from the Welsh hymn-book, but mostly composed on new Subjects.* Argraffwyd ym Mryste gan John Grabham, 1759.
10 Evan Powell, Caerfyrddin, 1759.
11 Evan Powell, Caerfyrddin, 1761.
12 'Argraffiad Beirniadol gyda rhagymadrodd, amrywiadau a nodiadau o *Caniadau y Rhai sydd ar y Môr o Wydr &c.*. . William Williams, Pantycelyn,' wedi'i olygu gan Dafydd Alwyn Owen, Traethawd M.A. Prifysgol Cymru, 1980, Rhif 6, ll. 1–8.
13 *Ibid.*, Rhif 48, ll. 1–18, 'Anghrediniaeth, a Gweddi am Ffydd'.
14 *Gweithiau William Williams Pantycelyn*, cyf. 2, gol. Garfield H. Hughes (Caerdydd, 1967), t.16.
15 *Ibid.*
16 Argraffwyd gan John Ross, Caerfyrddin, 1768.
17 Argraffwyd gan Evan Evans, Aberhonddu, 1777.
18 *Gweithiau William Williams Pantycelyn*, cyf. 2, tt.186–7.
19 Saunders Lewis, *Williams Pantycelyn* (Llundain, 1927), t.220.
20 Argraffwyd gan E. Evans, Aberhonddu. Ar ffurf hysbysiad mae'r amddiffyniad, 46–8.
21 *Gloria in Excelsis: or Hymns of Praise to God and the Lamb* ... (Caerfyrddin, 1772).
22 J. Ross, Caerfyrddin, 1764.
23 J. Ross, Caerfyrddin, 1764.
24 J. Evans, Aberhonddu, 1784.
25 Cyhoeddwyd yn dair rhan, 1763, 1766, 1769.
26 Dwy ran, 1771 a 1772.
27 *Gloria in Excelsis* . . . *Y Rhan Gyntaf*, Hymn LII, ll. 24–30.
28 Pennod 43, adnod 28.
29 *Gloria in Excelsis* . . . *Yr Ail Ran*, Hymn XVII, ll. 1–8.
30 Kate Roberts, *Tywyll Heno* (Dinbych, 1962), t.85.
31 George Steiner, *Real Presences: is there anything in what we say?* (Llundain, 1989), t.232.
32 *Gloria in Excelsis* . . . *Yr Ail Ran*, Hymn XXXIX.

Ysbrydoledd Pantycelyn*

'Yr hyn sydd o ddiddordeb i mi,' meddai cymeriad yn nofel Albert Camus, *La Peste* (1947), 'yw dysgu sut i fod yn sant.' Bu llawer o ddyfalu ac o ymrafael ar hyd y canrifoedd ynglŷn ag union ystyr a goblygiadau'r gair hwnnw. Yn nofel y dirfodwr, er gwaethaf y trueni a bortrëedir ganddo, fe ddefnyddir y term i gyfleu datblygiad y bersonoliaeth ddynol i'r tyfiant mwyaf cyflawn. Fe geir pwyslais hynod o debyg ar y cyflawnder hwn mewn astudiaethau cyfoes ar ysbrydoledd. Cyflawnder trwy ffydd yw nod Cristnogaeth. Daw'r ysfa am sancteiddrwydd yn *critique* ar bob agwedd ar ymarweddiad dyn – y cyhoeddus a'r cymdeithasol, y cnawdol a'r ysbrydol, a hyd yn oed gilffyrdd patholegol y meddwl. Mewn Cristnogaeth y mae deffro i'r posibilrwydd o sancteiddrwydd yn wahoddiad i hunan-adnabyddiaeth ac i adnabyddiaeth o Dduw. Y mae ysbrydoledd Cristnogol felly'n ymwneud â'r ymateb a enynna ffydd yn yr ymwybod crefyddol a'r ymarfer o dduwioldeb – y gwahanol agweddau ar fod yn sant.

A wnaeth Williams Pantycelyn ddarlunio'r sant – y dyn ysbrydol cyflawn – yn ei waith? Rhaid inni ateb, 'Do, droeon'. Yn ei farwnadau, canai'n arwrol i arweinwyr a seiadwyr ffyddlon y genhedlaeth gyntaf o Fethodistiaid. Trwy'r pechadur pennaf hwnnw, Theomemphus, darluniodd hynt a helynt yr enaid unigol ar ei bererindod arteithiol trwy anialwch Diafol, cnawd a byd er mwyn ennill gorffwysfa'r sant wedi'r holl dreialon, 'a chanu o flaen yr orsedd ogoniant pur yr Oen'. Ac yn ei weithiau rhyddiaith, oherwydd eu cywair preifat a phersonol ar y naill law, ac eto eu

* Cyhoeddwyd yn *Llên Cymru* 17 (1993), tt.226–38.

cywair cyhoeddus a deidactig ar y llaw arall, cyflwynodd inni lawer cymeriad-patrwm. Er enghraifft, Mirandus yn y rhagymadrodd gwatwarus i'r gwaith enseiclopedaidd, *Pantheologia*; a Mary yn *Cyfarwyddwr Priodas*, y mae serch a bendith y nef yn cydfflamio yn ei phriodas â'r *whimp* di-liw hwnnw, Philo-Aletheius; a Ffidelius y Cristion yn *Hanes Bywyd a Marwolaeth Tri Wyr o Sodom a'r Aipht*, a wynebodd brofiadau a phrofedigaethau lu ac ennill edmygedd Cantator a Percontator a fu'n ymddiddan amdano. Sancteiddrwydd diamod yw gwobr Ffidelius:

> Wel dacw fe, Ffidelius, o'r diwedd yn ei le!
> Trwy'r anial wedi dringo i mewn i deyrnas Ne';
> Heb ofn, ac heb flinder, heb fore na phrynhawn,
> Ar delyn aur yn canu am iachawdwriaeth lawn.

A phrofiadau ac ymarweddiad Ffidelius, y Cristion a'r sant, fydd sylfaen y ddarlith hon.

Yn nodweddiadol eithafol, awgrymodd Saunders Lewis fod gennym yn *Hanes Bywyd a Marwolaeth Tri Wyr o Sodom a'r Aipht*, a argraffwyd yng Nghaerfyrddin gan John Ross ym 1768, yr ymgais gyntaf i greu nofel yn y Gymraeg. Dywedodd hyn, mae'n debyg, am i Bantycelyn yn y gwaith hwn fentro cyfuno beirniadaeth gymdeithasol gref â phwyslais ar nodweddion ac ymarweddiad tri chymeriad o gig a gwaed. Ar y llaw arall, mae'n gwbl amlwg mai amcan deidactig a roes fod i'r llyfr, fel yr eglura Pantycelyn:

> mai diben hyn o lyfran oedd dangos mor echrydus y bydd hi ar y rhai sydd yn byw ac yn marw yn eu pechod, heb adnabod Duw yng Nghrist.

Y rhai sydd yn byw ac yn marw yn eu pechod yn yr hanes hwn yw Afaritius a Prodigalus. Nodweddir Afaritius gan ei awydd gwyllt am gyfoeth, a disgrifir Prodigalus fel dyn 'anghynefin afradlon'. Trwy drais, trwy dwyll a thrwy ddichell y daeth ei gyfoeth i Afaritius, a cheir Prodigalus yn euog o amryfal achosion o anufudd-dod sifil. Dywedir am Afaritius, 'Boddi yr oedd mewn tywyllwch ac anobaith am gyflwr ei enaid', a chenir marwnad gignoeth iddo ef ac i Prodigalus. Yn y marwnadau hyn diffinnir uffern gan Bantycelyn fel 'absenoldeb y Duw byw', a manylir ar yr arteithiau corfforol a geir yno. Trwy'r cyfan pwysleisir iddynt gynllwyno'u tranc eu hunain am iddynt esgeuluso moddion gras a chyflwr eu heneidiau. I ni, heddiw, y mae rhywbeth hynod o amrwd ac anghytbwys yn y portreadu unochrog hwn. Datblygodd rhyddiaith bellach yn gyfrwng i archwilio cymhlethdodau mwyaf amlochrog meddwl a phersonoliaeth dyn. Cymeriadau cynddelwaidd yw'r ddau hyn, Afaritius a Prodigalus, esiamplau o'r hyn a chwaraewyd ar lwyfan y byd droeon, chwedl John Bunyan. Y mae ei ymddiddan ef, *The Life and Death of Mr. Badman*, yn hynod o debyg i hanes Afaritius a Prodigalus, am iddo yntau geisio rhoi rhybudd am 'fywyd a marwolaeth yr annuwiol a'u hymdaith o'r byd hwn i uffern'. Yn nisgrifiad Bunyan a Phantycelyn o fuchedd a marwolaeth yr annuwiol, fe geir, mae'n siŵr, bynciau yr oedd eu trafod yn arbennig o amserol i'r cynulleidfaoedd gwreiddiol. Fe fyddent hwy'n fwy tebygol o wgu ar bechodau trachwantus y dynion hyll hyn. Eithr yn bwysicach efallai, ychwanegai'r angenrheidrwydd diwinyddol i fod yn fanwl gywir wrth ddisgrifio'r fath gyflyrau pechadurus yn helaeth at realaeth lenyddol y portread. Dyma bennill o farwnad Prodigalus:

> Dyna'r swper sy iddo heno,
> Brwmstan todd yn tanllwyth las,
> Bwyta hwnnw, hwnnw'n tarddu
> Trwy bob twll o'i gorff i ma's,
> Yn lle cymysg pob rhyw licer,
> Yfed llid tragwyddol sydd,
> Tywyllwch dudew ellir deimlo
> Yn lle hyfryd olau'r dydd.

Ac yn sŵn wylofain a rhincian dannedd, a'u coluddion yn llosgi, gadawn hanes Afaritius a Prodigalus.

Mae'n arwydd clir o amcan Pantycelyn fod y portread o Ffidelius y Cristion yn yr hanes am dri gŵr o Sodom a'r Aifft ddwywaith yn hwy na'r darlun o ddrygioni Afaritius a Prodigalus. Mae'n angenrheidiol, meddai'r awdur, 'fod dyn Duw yn berffaith ymhob gweithred dda', a chais osod allan batrwm i deulu'r ffydd:

Angen yw cael gras fyddo yn disgleirio ymhob rhan ac yn gwneud credadun ymhob galwad ac amgylchiad yn halen y ddaear . . . Mi wnes gynnig . . . i ddodi milwr Duw i maes yn ei holl arfogaeth tan yr enw Ffidelius am mai lle pob credadun yw bod yn ffyddlon i'r hwn a'i galwodd.

Rhaid i'w gred effeithio ar bob rhan o fywyd y Cristion, meddai Pantycelyn, er mwyn iddo fawrygu'r hwn a'i galwodd, 'â'i weithred ogoneddus a rhagorol ei hun'. A'r cyflawnder profiad hwn, mai nod y bywyd Cristnogol yw cyfanrwydd, yw un o ddiddordebau pennaf efrydwyr ysbrydoledd heddiw. Swyddogaeth y beirniad llên yn ogystal, wrth ymdrin â llenyddiaeth Pantycelyn, yw cynorthwyo'r darllenydd i ddehongli mor gyflawn â phosibl ac yn yr achos hwn i werthfawrogi eglurder ac onestrwydd portread effro a manwl o sant o Gristion.

Yn debyg i Bantycelyn ei hun, i rai o'i greadigaethau, megis Martha Philopur, Mirandus a Theomemphus, ac i filoedd o Fethodistiaid, cafodd Ffidelius dröedigaeth drylwyr a dramatig. Cyn iddo gael y dröedigaeth honno, yr oedd 'wedi cofleidio pob pechod yn unchwant', eithr 'daeth adref i fyw tan aden efengyl gras'. Ef yn awr, meddai'r awdur, yw 'y pictiwr mwya cymwys ag wyf yn adnabod o Gristion ar ôl dull y Testament Newydd'. Mae'r cyfeiriad hwn at y Testament Newydd yn ddiddorol odiaeth, oherwydd fe geir Pantycelyn ymhob un ymron o'i weithiau rhyddiaith yn trin a thrafod rhinweddau a chamweddau ei gymeriadau mewn termau sydd eisoes wedi'u gosod allan yn y Gair. Wrth gyflwyno Ffidelius yn y Rhagair, cyfeddyf y daeth arno chwant 'gosod allan sant yn y fath ddoniau, grasusau, profiad ac ymarweddiad ag y mae Pedr, Iago, Jude ac Ioan yn ei osod ef allan; sant wedi ei dynnu trwy holl epistolau Paul heb gael ei ddryllio gan yr un ohonynt'. Rwy'n hollol sicr na ddymunai cymeriad Camus ymdriniaeth lawn mor arw wrth fynegi'i awydd i'w addysgu'n sant! Dadansoddir pob agwedd ar fywyd ac enaid Ffidelius dan feicrosgop y Gair a cheir ei fod yr 'un dyn o mewn ag o maes'. Wrth gyflwyno inni'r darlun crwn hwn o'r sant, gesyd Pantycelyn lawer o bwyslais ar y modd y cyflawnai Ffidelius ei ddyletswyddau cymdeithasol i'w deulu, i'w gyfeillion ac i'r gymdeithas yn gyffredinol. Ni bu ganddo erioed law mewn terfysg sifil; dangosai'r consýrn mwyaf at weiniaid y ffydd, ac yr oedd ei gymwynasgarwch yn ddiarhebol. Dyna'r dyn 'o maes', fel petai. Wrth bortreadu'r dyn mewnol disgrifia Pantycelyn nifer o brofiadau ac o elfennau sy'n sylfaenol i'w holl waith fel llenor Cristnogol: yr oedd Ffidelius yn myfyrio yn y Beibl ddydd a nos, meddir; yn ymffrostio ym mherson Crist a'i groes; yn wrol mewn profedigaethau ac yn gorfoleddu yn ei obaith tragwyddol. A'r pedwar pwynt hyn, sef y Beibl, person Crist, profedigaethau'r bererindod, a'r nef, fydd cynnwys y ddarlith o hyn ymlaen, gan gymryd y disgrifiad o enaid Ffidelius yn sylfaen ac yn batrwm, ond gan gyfeirio at bob rhan o waith Pantycelyn.

Yn gyntaf, y Beibl. Dywedir am Ffidelius mai'r Beibl oedd corff ei ddiwinyddiaeth. Yn ddiamau gellir dweud yr un peth am Bantycelyn ei hun. 'Teimlwn,' meddai Calfin am y Beibl, 'egni dwyfol yn byw ac yn anadlu trwyddo, egni sy'n ein denu a'n bywiocáu i ufuddhau iddo.' Yn y Gair fe welai'r llenor gan Bantycelyn ddehongliad ffydd. Dyma gyfrwng pennaf y gwirionedd am Dduw, ac nid yn unig ddull i ddramateiddio dirnadaeth y llenor o'r gwirionedd hwnnw, ond yr union gyfrwng a roes y ddirnadaeth iddo. Ac ymhellach, i Bantycelyn fe ddaeth y Gair yn gynsail brydyddol ac yn weithlyfr sylfaenol i'w ymdrechion llenyddol. Er enghraifft, nododd Derec Llwyd Morgan fod ffurf y gerdd epig, *Golwg ar Deyrnas Crist*, yn deillio yn y pen draw o ffurf y Beibl ei hun. *Heilsgeschichte* yw'r Beibl, adroddiad o hanes gweithredoedd achubol Duw, a dyma'r union agwedd ar y Gair a apeliai gymaint at y Methodistiaid. Yn y Beibl fe geir amlinelliad o bob dim, o'i ddechrau yn Llyfr Genesis i'w ddiweddglo yn Llyfr y Datguddiad. Yng ngherdd epig Pantycelyn ceir amlinelliad hir – a mydryddol undonog – o'r Arfaeth, o dragwyddoldeb hyd dragwyddoldeb: prin y gellid cynfas mwy ar gyfer unrhyw ddarn o lenyddiaeth.

Yn sylfaen i'w ysbrydoledd, derbyniodd Pantycelyn, drwy ffydd, y fframwaith o ddiwinyddiaeth hanes a gynigiwyd iddo gan y Beibl – ac a gynigir i bob credadun yn ddiwahân. Fe'i ceir ef yn ei weithiau i gyd yn disgrifio rhinweddau a phechodau dynion, ynghyd â gweithredoedd achubol Duw, ar gynfas eang holl oesoedd Cred. Cymerer Theomemphus, druan: nid yn unig y ceir disgrifiad afieithus o'i 'nwydau afreolus' fel dyn gwancus o gnawdol, nid yn unig y gwneir ef yn bechadur pennaf y Diwygiad, ond ef hefyd yw'r mwyaf o bechaduriaid trwy holl hanes dyn:

Fe wnaeth ffieidd-dra enbyd o fan i fan bu'n byw,
Fe addolodd Baal a Moloch, gelynion perffaith Duw,
Yn Babel ac yn Edom, a Phalesteina fawr,
Ni adewodd ef un eilun nad aeth o'i blaen hi 'lawr.

Fe gludodd arno ei hunan holl feiau maith y byd,
Pechodau'r India dywyll ac Ewrop fach ynghyd;
Pob pechod oedd mewn natur, pob bai sy amdano sôn
O lyfyr cyntaf Moses i lyfyr ola' Iô'n.

A gwelsom i Bantycelyn, oherwydd amcanion deidactig ei alegori,
osod Afaritius, Prodigalus, a Ffidelius ei hun yn Sodom a'r Aifft, ac
nid yng Nghymru'r ddeunawfed ganrif, er nad oes yr un gronyn o
amheuaeth nad dyna yw eu priod gyfnod.

Yn *Drws y Society Profiad* croniclodd Pantycelyn weithgarwch
eneidegol y Diwygiad Methodistaidd, a'r gwaith hwnnw hefyd yw'r
glòs mwyaf cyflawn sydd gennym ar ei emynau a'u dadansoddiad o
eneideg y Methodistiaid. O'r *Drws* y mae'n deg casglu y byddai'r
Beibl yn gyfrwng ac yn system o gyfeiriadaeth y byddai modd i'r
dychweledigion ymateb gyda rhwyddineb i ddarlun y llenor o Dduw
a'i waredigaeth. Byddai sylwi ymhellach ar bregethu teipolegol y
Diwygwyr yn cadarnhau'r farn hon ynglŷn â dealltwriaeth y
gynulleidfa. Wrth i Bantycelyn yn y *Drws* ddisgrifio gwaith gras
Duw yn enaid dyn, fe gais ef gyfiawnhau bodolaeth a gweith-
gareddau'r *societies* drwy ddadlau bod iddynt eu sylfeini yn yr Hen
Destament a'r Newydd. Mae'n amlwg i seiadwyr y ddeunawfed
ganrif deithio'n fynych yn eu trafodaethau ar hyd pinaclau'r
Arfaeth o'r Môr Coch i'r groes. Ymgymerai'r Methodistiaid felly'n
gyson â'r daith ddiwinyddol brofiadol sy'n deillio o'r ddiwinyddiaeth
hanes a geir rhwng cloriau'r Beibl.

Yr oedd gwybodaeth bersonol Pantycelyn o'r Ysgrythur yn hynod
fanwl, a cheir adnodau ohoni ymhob rhan o'i waith. Yn gwbl sicr, fe
ystyriai'r llenor y Beibl yn 'awdurdodol eiriau'r nef', yn awdurdod
ar ei brofiad ef ac yn gadarnhad o ddilysrwydd y Diwygiad. Yn wir
fe gais Pantycelyn gysylltu gwaith rhyfeddol Duw yng Nghymru'r
ddeunawfed ganrif â'r holl ganrifoedd a chenedlaethau o achub ei
bobl a ddisgrifir yn y Gair, ond yn enwedig, wrth gwrs, â hanes yr
Ecsodus allan o'r Aifft i Wlad yr Addewid.

Mae'n ddiddorol odiaeth sylwi, wrth i ysbryd diwygiad ailafael ym mywyd y Methodistiaid wedi Diwygiad Llangeitho, 1762, fod Pantycelyn yn cychwyn ar ei yrfa fel awdur rhyddiaith drwy ysgrifennu llythyr ysgrythurol. Llythyr ydyw gan ferch ifanc a brofodd holl gystudd a llawenydd tröedigaeth. Dyma deitl cyflawn y llythyr hwnnw:

LLYTHYR MARTHA PHILOPUR AT Y PARCHEDIG PHILO EVANGELIUS EI HATHRO. Yn manegu iddo ei Phrofiad, a'r Testynau hynny o'r Ysgrythur a ddaeth i'w Chôf, i gadarnhau y Gwaith rhyfeddol ac anghynefin o eiddo'r ARGLWYDD, a ymddangosodd ar Eneidiau Lluoedd o Bobl yn SIR ABERTEIFI, ac sydd yr awrhon yn tannu ar lled i Eglwysi Cymdogaethol.

Beth a ddywedir wrthym gan y teitl hwn am grefydd y Methodistiaid – heblaw eu bod yn hirwyntog iawn eu teitlau? Yn y lle cyntaf, ac yn bennaf, yr oedd hi'n grefydd bersonol. Profiad merch ifanc a geir yma, merch, megis y dywed ei henw wrthym – Philopur – a oedd yn 'caru tân': 'Enynnaist ynof dân / Perffeithiaf dân y nef'. Ym mhersona'r ferch ifanc hon cais Pantycelyn gyfleu inni rywfaint o'r cyffro anghyffredin sy'n hanfod y profiad crefyddol. Eithr yn ail, yr oedd Methodistiaeth hefyd yn grefydd gynulleidfaol. Effeithiodd Diwygiad Llangeitho, yn ôl y llythyr hwn, ar 'eneidiau lluoedd o bobl', ac y mae'n hysbys ddigon i filoedd gerdded neu farchogaeth neu hwylio yno. Ac yn drydydd – ac yn bwysicach inni ar hyn o bryd – rhestra Martha Philopur un ar bymtheg o ddyfyniadau o bob rhan o'r Beibl 'i gadarnhau y Gwaith rhyfeddol ac anghynefin o eiddo'r ARGLWYDD'. Hynny yw, yr oedd Methodistiaeth yn grefydd ysgrythurol, yn ddibynnol ar y Gair i gadarnhau ffenomen diwygiad a thröedigaeth fel ei gilydd. Ac yn *Atteb Philo-Evangelius* i lythyr Martha fe gewch yr un propaganda ysgrythurol a chlodwiw dros y mudiad newydd nerthol hwn:

Wele dorfeydd yn cludo at air y bywyd, pwy a'u rhif hwynt? Mae'r Deau a'r Gogledd yn mofyn un brenin, a'i enw yn un, Iesu frenin y Saint! Pan gododd Haul y Cyfiawnder a meddyginiaeth yn ei esgyll, cans ehedeg atom a wnaeth o'r uchelder yn ddiarwybod rhyfedd, fe oleuodd y wlad gan ei lewyrch.

Cynrychiola'r arfer hon o ddibynnu ar yr Ysgrythur lawer mwy na chonfensiwn llenyddol i Bantycelyn. Mae'n wedd ganolog ar ei gamp lenyddol ac ysbrydol iddo ddehongli'r Gair yn ddwys ac yn ddefosiynol a'i gyflwyno i'r Methodistiaid yn graig safadwy o wirioneddau am Dduw a'i waredigaeth. Dygodd yr Ysgrythur yn fyw, megis, i'r enaid a chyflwyno llinyn mesur cysáct i'r credadun i ddadansoddi holl blygion y profiad tröedigaethol a'r broses o sancteiddhad. Daeth y Methodistiaid i fyw eu bywydau yn naturiol mewn cyd-destun beiblaidd. Cafodd yr Ysgrythur, o ganlyniad, ei hail-ddaearu a'i diriaethu drachefn yma yng Nghymru'r ddeunaw-fed ganrif. Gweld y Gair fel undod perffaith a wnaeth Pantycelyn, a chyda'r canfod ysbrydol hwnnw ddefnyddio cyfeiriadaeth ysgrythurol fel modd llenyddol tra effeithiol i archwilio'r bywyd ysbrydol gyda dyfnder a chymhlethdod. Llwyddai'r llenor i gwmpasu ei waith â fframwaith o ddiwinyddiaeth hanes, sef ei fod yn rhan o Arfaeth Duw 'i gadw dyn fu gynt ar goll'. A dyna paham y gallai'r seiadwyr ac eraill rywsut ail-fyw'n ffyddiog batrwm o brofiad sydd eisoes wedi digwydd ganrifoedd ynghynt, am fod Duw 'yn siwr o ddwyn ei waith i ben'.

Dychwelwn at y Beibl eto ac, yn fwyaf arbennig, at hanes yr Ecsodus pan ddown i drafod defnydd Pantycelyn o'r darlun o'r bererindod ysbrydol wrth inni ymdrin â phrofedigaethau Ffidelius. Eithr am y tro, symudwn at agwedd ar ysbrydoledd Pantycelyn sy'n cysylltu'n hail bwynt â'r pwynt cyntaf am fuchedd ein cymeriad-patrwm, Ffidelius. Yn ogystal â myfyrio yn y Beibl ddydd a nos, dywedir amdano mai ei 'ymffrost oedd bod Crist yn gyfiawnder, sancteiddrwydd, yn ddoethineb ac yn brynedigaeth'. O edrych ar waith Pantycelyn fel cyfangorff, rhaid inni sylweddoli bod ei ysbrydoledd yn Grist-ganolog a bod o leiaf un agwedd bwysig ar ei adnabyddiaeth o'r Iesu'n tarddu o'r Beibl:

> Fy Iesu yw mêr y Beibl, does bennod nad yw'n sôn
> O bell neu ynteu o agos am Groeshoeliedig O'n.

> Pob Testament sydd felly yn hollol yn gytûn
> Yn gosod iechydwriaeth ddi-dranc ar Fab y Dyn,
> A thyma'r lle datguddiwyd yn lân i ddynol-ryw
> Feddylfryd ac ewyllys sancteiddiaf pur ein Duw.

Gwêl Pantycelyn aberth Crist yn benllanw holl waith gwaredigol Duw a ddisgrifir yn y cynllun o ddiwinyddiaeth hanes yn y Beibl. Dyna i raddau helaeth iawn yw thema *Golwg ar Deyrnas Crist*, fod 'Crist yn bob Peth, ac ymhob Peth'. A thrachefn, pan gyfeiria Pantycelyn at bregethu Howel Harris yn y farwnad enwog iddo, dywedir iddo bortreadu'r Meseia, 'Yn y lliw hyfryta maes'. Ystyr hyn yw i Harris, Rowland ac eraill o bregethwyr y Diwygiad fabwysiadu dull teipolegol o ddisgrifio person a gwaith Crist fel Cyfryngwr a Gwaredwr. Yn ôl Crist ei hunan yn yr Efengylau, ac awduron eraill y Testament Newydd, yr oedd ei ddyfodiad ef i'r byd yn gyflawniad o hen addewid y proffwydi. Bellach, i'r llenor o Gristion, ac ar gyfer y gymdeithas a'r cyffro crefyddol a'i cymhellodd i ysgrifennu yn y lle cyntaf, yr oedd Crist yn ymgorfforiad o'r holl broffwydoliaethau hyn yn ffydd ac adnabyddiaeth y credadun. Er enghraifft, cymerer y pennill hwn o emyn gan Bantycelyn sy'n seiliedig ar eiriau enwog Malachi (ac a ddyfynnwyd eisoes yn y ddarlith hon o enau Philo-Evangelius):

> Cyfod Haul Cyfiawnder Goleu,
> 'Nawr llewyrcha yn dy Nerth,
> Danfon Feddiginiaeth rasol,
> Tros y Creigydd mawrion serth.

Nid oes unrhyw amheuaeth nad at Grist y cyfeiria'r emynydd. Byddai'n bosibl dyfynnu'n helaeth iawn o emynau Pantycelyn i brofi'r pwynt hwn ynglŷn â'i gyfeiriadaeth deipolegol at berson Crist. Cyfeiriad teipolegol, yn y bôn, yw'r 'nefol addfwyn *Oen*', ac y mae'n ddiddorol sylwi, o'r holl gyfeiriadau at berson a gwaith Crist a geir yn emynau Pantycelyn – ac yn emynau ei gymheiriad yn Lloegr, Charles Wesley – mai Crist yr Oen a ddigwydd fynychaf. Mae'n amlwg y byddai'r math hwn o ddarlun o Grist, mewn cyfnod o ddiwygiad megis canol y ddeunawfed ganrif yma yng Nghymru, yn sicrhau'r dychweledigion fod eu Gwaredwr yr un ddoe, heddiw ac yn dragywydd. Gwelai Pantycelyn Grist yn uchafbwynt i naratifau'r Hen Destament, nad oeddynt ond megis cysgod neu raglun o wirioneddau'r Cyfamod Newydd.

Gŵyr pob credadun yn y bôn mai ffordd y groes yw llwybr ysbrydoledd Cristnogol. Gellir disgrifio Pantycelyn yr emynydd fel bardd y groes, ac, yn wir, y mae i aberth Crist ar Galfaria a'r hyn a gyflawnwyd 'ar groesbren un prynhawn' le canolog yn ei holl waith. Disgrifio'n llenyddol brif genadwri'r Diwygwyr a wnâi Pantycelyn wrth roi'r lle canolog hwn i'r groes, ac fe gadarnheir hyn gan ei farwnadau i Harris a Rowland. Wrth ddisgrifio Harris yn pregethu yn 'llawn gwreichion goleu tanllyd' ym mynwent eglwys Talgarth ar fore bythgofiadwy ei dröedigaeth, disgrifia Pantycelyn hefyd beth o gynnwys arferol pregethu'r Diwygiwr:

> Y mae'r iachawdwriaeth rasol
>   Yn cael ei rhoddi ma's ar led,
> Ag sy'n cymell mil i'w charu
>   Ac i roddi ynddi eu cred;
> Haeddiant Iesu yw ei araith,
>   Cysur enaid a'i iachad,
> Ac euogrwydd dua pechod
>   Wedi'i gannu yn y gw'ad.

Mae'r bregeth yn Grist-ganolog yn ei phwyslais ar y groes a'r gwaed. Ceir pwyslais tebyg yn y farwnad i Daniel Rowland – a lwc fawr Methodistiaeth oedd i Rowland farw ryw dri mis o flaen Pantycelyn, gan roi inni, felly, farwnad hollbwysig i ddeall cynnwys pregethu athrawiaethol cennad Llangeitho:

> Fe gyhoeddodd iachawdwriaeth
> Gyflawn hollol berffaith lawn,
> Trwy farwolaeth y Meseia
> Ar Galfaria un prydnawn.

Yng ngolwg y Methodistiaid, Crist oedd cyfrwng y waredigaeth fwyaf a gaed, ac mewn cannoedd ar gannoedd o emynau mynegai Pantycelyn sicrwydd yr ymollwng i afael y fath achubiaeth anghymharol.

Yr oedd 'y weithred ryfedd wnawd ar Galfaria fryn', chwedl Efangelius yn ei bregeth i Theomemphus, yn gorfodi'r dychweledigion i wynebu eu hunaniaeth fel pechaduriaid. Mae'n wedd ar fawredd Williams Pantycelyn iddo ddarlunio'r bywyd ysbrydol yn ei holl amryfal agweddau, a mentrodd yn fawr wrth ddadansoddi cyflwr yr enaid gyda'r fath fanylder clinigol. Aeth i'r afael hefyd ag agweddau negyddol ar brofiad ffydd â'r hyder a'r llawenydd amlwg a darddai o'i adnabyddiaeth bersonol o Grist. Ofna'n aml ei drechu gan bethau negyddol megis amheuaeth ac anghrediniaeth, ac ofna'i ddiffyg meddiant o bethau cadarnhaol megis maddeuant a chyfiawnder. Yng ngolwg y groes rhaid iddo barhau i wynebu bryniau o anghrediniaeth a mynyddoedd o euogrwydd, a gwyddai'n iawn wrth brofi min temtasiwn pa mor ddryslyd y gallai'r profiadau hynny fod ym mywyd y credadun. Ac yr oedd profiad Pantycelyn yn gymysgedd o'r tawel a'r tymhestlog, o serch a storm, o adnabyddiaeth ac alltudiaeth, o dangnefedd a thrybini. Dyma ysbrydoledd sy'n arwain dyn i weld sut y mae byw bywyd go iawn, a sut, yn ôl ein diffiniad gwreiddiol o ysbrydoledd, i adeiladu'i bersonoliaeth i'r tyfiant mwyaf cyflawn. Gall llawer o feirniaid ddadlau yn sgil hyn fod nifer o ddatblygiadau seicoleg fodern yn cadarnhau disgrifiad Williams o fywyd mewnol dyn. Goddef gofid, siom, amheuon a methiant a wna'r credadun a gaiff ei arwain gan yr Ysbryd, a'u cyfeirio'n gadarnhaol at y fan lle y cywirir pob diffyg a bai, sef, yn ôl Pantycelyn, y groes. Dyma ran o'i fawredd: ei allu i roi trefn ystyrlon ar yr holl wahanol rannau o'i brofiad.

Yn sgil y groes a'r aberth, meddai Pantycelyn *droeon*, y mae'r credadun yn llwyr ddibynnol ar nerth gras Duw, a dathla ryfeddod y gras hwnnw:

> Gras yw'r cwbl sy mewn arfaeth,
> Gras yw'r cwbl yn y nef,
> Gras yw'r cwbl ar y ddaear
> O'i weithredoedd amryw ef.

Dyma ddibyniaeth ar Dduw sy'n gwbl gadarnhaol. Fe geir yr eglurhad amdani yn waelodol ymhob emyn a ganai Pantycelyn, sef bod gweithredoedd, priodoleddau a hanfod Duw yn cyfateb yn uniongyrchol i wendid, tywyllwch ac anghenion y credadun. Rhaid i'r Cristion dreulio'i fywyd yng ngoleuni materion a phrofiadau o dragwyddol bwys a ddiffinnir gan dermau eithafol, megis prynedigaeth, cyfiawnhad, ffydd, gobaith, cariad, aberth ac atgyfodiad. Ac y mae pob un o'r rhain yn y bôn ynghlwm wrth y groes ac wrth berson Crist. Caiff Pantycelyn, megis Ffidelius, bleser, difyrrwch a mwynhad wrth fyfyrio ar y groes oherwydd yr hyn a gyflawnwyd arni. A cheir rhyw erfyn diderfyn wyneb yn wyneb â'r aberth:

> Dyro olwg ar dy haeddiant,
> Golwg ar dy deyrnas rad,
> Brynwyd i mi ac a seliwyd,
> Seliwyd i mi, do a'th wa'd;
> Rho i mi gyrchu tuag ati,
> Peidio fyth a llwfrhau,
> Ar fy nhaith ni cheisiaf gennyt
> Ond yn unig dy fwynhau.

Ac y mae'r mwynhad Calfinaidd hwnnw'n brofiad hollol ganolog yn ysbrydoledd Williams Pantycelyn.

Gan fod y profiad Cristnogol wrth y groes, yn ôl Pantycelyn, yn un arwrol o'r cwbl ac o'r eithaf, fe geir ef yn canu yn ei emynau'n odidog i'w Waredwr, a thry'r canu diwinyddol am yr Iawn a phrynedigaeth yn ganeuon serch. Un o'r dulliau sydd ganddo yn ei emynau o ddisgrifio'r Iesu anghymharol yw trwy ei gyfosod â'r 'byd'. Ceir y cyfosodiad gwaelodol yn lliaws o emynau Pantycelyn rhwng *mi, ti* a'r *byd*:

> 'Does le mi wela i rannu 'mryd,
> Un amser rhyngot ti a'r Byd;
> Cariadau eraill aeth yn ddim,
> Dy hun cai fod yn Briod im.

A cheid yr un pwyslais ym mhregethu'r Diwygwyr. Meddai Daniel Rowland yn un o'i bregethau:

> Ni all myrddiwn o angylion gogoneddus y nef, na dynion y byd, ddangos un eto o'i gyffelyb.

Gwelwn yma yn gwbl eglur eithafrwydd y profiad Cristnogol, y moethusrwydd synhwyrus amlwg a oedd yn graidd i grefydd y Methodistiaid. Cadarnheir yr eithafrwydd yn gyson gan Bantycelyn trwy ddefnyddio geiriau megis 'fyth', 'dim ond', 'i gyd', 'oll', 'erioed'.

Ffidelius a'r Beibl; Ffidelius a Christ; ac yn drydydd, Ffidelius a'r bywyd Cristnogol. Yn ei bortread go faith o'r sant hwn dengys Pantycelyn nad ffordd allan o fywyd a phrofedigaeth yw'r bywyd ysbrydol, ond bod ysbrydoledd yn arfogaeth i'r Cristion i gyfarfod â gorthrymder y byd hwn a'i oresgyn. Ymdrinnir â phrofedigaethau eneidegol Ffidelius dan dri phen: picellau tanllyd y gelyn Satan, y byd hwn, a thorfeydd meithion o nwydau afreolus. Edrydd iddo gael ei guro o'r tu mewn ac o'r tu allan, ac iddo wynebu cystuddiau ar yr un raddfa â Job. Trwy'r cyfan, fodd bynnag, fe arhosai Ffidelius yn 'rhinweddol a hyfryd ei ymarweddiad', a hynny am fod ganddo 'gryfder mewnol'. Dyma'i nodweddion (a gwelwn eto seicoleg drefnus Pantycelyn ar waith): heddwch cydwybod yn wastadol; dylanwadau hyfryd o'r ysbryd nefol; goleuni rhyfeddol; ac 'ysbryd o gadernid a nerth ag oedd y Nefoedd yn stofi arno wrth raid'. Hwyrach y bu gormod o ganolbwyntio gan feirniaid ar y disgrifiad o eneideg y profiad Methodistaidd a geir yn *Drws y Society Profiad* inni werthfawrogi'n llawn bwysigrwydd y portread daubegynnol hwn o Ffidelius a gorthrymder a thangnefedd enaid.

Mae'n hollol amlwg wrth ddarllen disgrifiad Pantycelyn o fuchedd Ffidelius fod y Diwygiwr yn ystyried bywyd ar y ddaear hon yn ysbaid o ddisgwyl, o wylo, ac o ddysgu sut i fyw. Yng ngeiriau adnabyddus Keats yn un o'i lythyrau, dyma 'the vale of soul-making'. Yn nyffryn profedigaethau'r byd hwn y deffroir ac y llunnir enaid dyn yn ôl delw gras Duw, meddai Pantycelyn. Wrth i'r credadun deithio a brwydro trwy anialwch y byd a'r bywyd hwn, fe gaiff ei yrru ymlaen ac i fyny'r un pryd. Yn ei bregeth ar Rufeiniaid 8:28 dywed Daniel Rowland: 'Bodlonwn i ragluniaethau Duw; a chwympwn i mewn â hwynt . . . Mae pob cystudd o fuddioldeb mawr i'r duwiol.' Camp arbennig Pantycelyn oedd iddo ddisgrifio profiad ffydd yn ei amryfal agweddau a'i fynegi'n drydanol a dramatig. Gwelir hyn yn arbennig yn ei emynau a'u darlun o'r frwydr ysbrydol a thaith y pererin; yn wir, y mae'r ddwy thema'n agwedd ar yr un peth.

I Bantycelyn yr oedd yr enaid yn fan lle yr ymdrawai pechod a gras yn gyson yn erbyn ei gilydd. Dyna ei ddiffiniad o sancteiddhad, ac y mae'n wedd ar ei grefft fel bardd Cristnogol iddo gyflawni'r gamp o beidio â phrydyddu athrawiaeth a diwinyddiaeth, ond eu haralleirio a'u delweddu. Er y gall ei ddarlun, rhaid cyfaddef, fod yn bur anghelfydd ar brydiau:

Cyn ystyried mi ddechreuais
Daith o'r *Aipht* i'r *Ganaan* wlad,
Fod fath anial mawr mor ddyrus
Rhyngwi erioed a thŷ fy Nhad;
Pharoah a'i lu, creulon cry,
Gyntaf a'm gwrthnebodd i.

Yna torf a thorf drachefn
Bob yn fyrdd neu bob yn un,
Moab, Midian a Philistin,
Oll yn cyngrair yn gyttun;
Gosod wnad, rhwydau i'm tra'd,
Fyrdd rhwng yma a thŷ fy Nhad.

Pwysleisia Pantycelyn yma fethiant a gwendid y credadun wrth iddo gefnu ar yr Aifft a theithio i Ganaan. Yr anialwch yw canolbwynt y daith a maes y frwydr. Yn lle teithio ymlaen, aros yn ei unfan a wna'r credadun, ac wynebu peryglon di-ben-draw oherwydd ei ymwybyddiaeth o rym y gelyn, ei ddadansoddiad o'i natur ef ei hun. Yng ngwaith emynwyr eraill, megis William Cowper, fe all disgrifiadau fel hyn o frwydr ac ymdrech fewnol fod yn arwydd o afiechyd seicolegol. Ond am Bantycelyn, rhaid inni sylwi bod ei ddisgrifiadau o'r frwydr ysbrydol ymhlith y darnau mwyaf huawdl, uniongyrchol a dramatig sydd ganddo. Byddai cyffro'r geiriau yn codi'n ddiamau o'i brofiad ei hun – a phrofiadau eraill o seiadwyr y Diwygiad. Yn wir, mae'r adroddiadau cynnar a anfonodd yr arolygwyr yn ôl i'r sasiwn ynglŷn â'r aelodau a oedd dan eu gofal yn cynnwys disgrifiadau y ceir adleisiau ohonynt yn emynau Pantycelyn. Byddai'n bosibl enghreifftio'n helaeth i brofi hyn, ond gellir nodi bod William Richard, un o arwyr anadnabyddus blynyddoedd cyntaf y mudiad Methodistaidd, yn dadansoddi cyflwr eneidegol y seiadwyr dan ei arolygaeth yn ne Aberteifi a gogledd Penfro mewn termau hynod o debyg i emynau Pantycelyn:

> ... under many doubts and fears ... many hard and strong trials within, longing for Christ ... under a pure broken heart for sin ... There is many that has been under much bondage ...

Wrth gwrs, fe geir agwedd bellach ar ganu Pantycelyn – agwedd gwbl nodweddiadol ohono ac o ffydd y Methodistiaid. Ceir mynych sôn ganddo am ryddhad ac am fuddugoliaeth ar ôl helbul y frwydr:

> Da i mi fod yr addewid
> Wedi ei roddi gan fy Nuw,
> A bod gair o enau'r nefoedd
> Uwch gelynion o bob rhyw;
> Ei addewid ef, gadarn gref
> Arwain eiddil gwan i'r nef.

Dibynna'r trobwynt ar ddwy ffaith sefydlog: rhaid i'r Cristion gael ei arwain allan o'r anialwch – Duw yw arweinydd y daith; rhaid i'r Cristion drechu ei elynion, a dywed yr emynydd, fel y Salmydd gynt, fod Duw yn drech na phob gelyn:

> Etto i'r lan f enaid gwan
> Â, tr'o Iesu i mi yn rhan.

O ansicrwydd y daith bell a'r frwydr yn erbyn gelynion ymosodol caiff y credadun fuddugoliaeth oherwydd ei berthynas â Christ.

Mae'r portread o daith y credadun yn un hen, hen mewn llenyddiaeth Gristnogol ac, yn wir, yn gwbl gynddelwaidd. Mae'n sicr mai'r Gair oedd ysbrydoliaeth bennaf Pantycelyn wrth iddo ddehongli'r bywyd ysbrydol fel hyn. (Fe ddylid cofio hefyd, mae'n siŵr, am boblogrwydd clasur alegorïol John Bunyan, *Taith y Pererin*, yn y ddeunawfed ganrif.) Yr oedd taith y pererin Methodistaidd yn cyfateb i Ecsodus y genedl etholedig, gyda'r Aifft, yr anialwch a Chanaan yn pennu adeiladwaith y daith, a'r mannau bygythiol a gelynion ymosodol yn ychwanegu at y tyndra ac yn diffinio'r perygl i'r bywyd ysbrydol. Cyflwynir profedigaethau'r Iddewon fel cydberthnasau uniongyrchol i dreialon eneidegol y credadun:

> Griddfan 'rwyf o tan fy meichiau
> Yn y dywyll Aiphtiaid dir,
> Ac ochneidio am gael gweled
> Bryniau hyfryd Gilead bur;
> Dwg fi o tan lywodraeth Pharo,
> Grym fy meiau o bob rhyw,
> Mewn i wlad y goncwest hyfryd
> Ag addewid gan fy NUW.

Cydraddolir llywodraeth symbolaidd teulu Pharo ar yr Aifft â llywodraeth pechod ar galon y credadun.

Trwy'r darlun o daith y pererin gallodd Pantycelyn ddiffinio'n fanwl ei ddibyniaeth gadarnhaol ar ras Duw. Gall fod y credadun yn wael ei wedd a heb nerth na bywyd, eithr Duw yw'r Hollalluog sy'n ei adfer. Y mae ysbrydoledd Pantycelyn wedi'i sylfaenu ar gyferbyniad eithafol, sef *pechod/gras, marwolaeth/bywyd*. Wrth ddarllen dros ei waith yn ofalus fe welir bod y mynegiant yn cael ei gynnal o hyd gan gyferbyniadau cynddelwaidd ffurfiannol: *gwendid/nerth*; *tlodi/cyfoeth*; *tristwch/dedwyddwch*; *caethiwed/ rhyddid*. Dyma ddull llenyddol o ddisgrifio dilechdid ontolegol y berthynas *Mi/Ti*, wrth i'r credadun gael ei lusgo wyneb yn wyneb â chyfiawnder Duw, a drama a *trauma* cynyddol y cyfarfyddiad hwnnw a ddisgrifir gan Bantycelyn yn ei emynau. Gweithredodd fframwaith taith y pererin fel *leitmotiv* yng ngwaith y llenor, nes ein bod ni, ddeucan mlynedd ar ôl ei farw, yn ei gysylltu'n uniongyrchol â'r thema hon.

Y mae'r oriel amryliw o ddelweddau sy'n ffurfio'r darlun cyflawn o ysbrydoledd Pantycelyn – a'r daith yn fwyaf arbennig – yn ymwneud â datblygu neu drawsnewid cyflwr: 'Ti bia newid calon dyn,' meddai'r emynydd. Yn ôl Pantycelyn, fe'n dysgir gan ffydd, nid yn unig i ble'r â'r ffordd, ond hefyd sut i gerdded y ffordd honno: teithio i'r pen draw a wna'r pererin; brwydro nes ennill y fuddugoliaeth a wna'r milwr, a charu nes anghofio'r oriau a wna'r Cristion sydd mewn cariad â'i Waredwr, nes ennill y cymundeb sy'n parhau'n dragywydd. A dyma gyrraedd ein pwynt olaf, sef gobaith llawen Ffidelius am y nef a'i orfoledd.

'Cewch yma gyflawnder o'i ras Ei hun; ac yn y nefoedd cewch dragwyddol ogoniant,' meddai Daniel Rowland yn un o'i bregethau, ac y mae'n ddisgrifiad perffaith gywir o fywyd a marwolaeth Ffidelius, ein sant o Gristion. Wrth bortreadu ei farwolaeth, rhoddir pwyslais ar ei ymwybod a'i ddyletswydd deuluol a chymdeithasol wrth drefnu ei ewyllys; dyna'r amlygiad allanol a chyhoeddus o'i sancteiddrwydd. Ond hefyd – a dichon i Bantycelyn fod yn dyst i hyn droeon wrth erchwyn gwely angau'r seintiau Methodistaidd – disgrifia'r Diwygiwr ymdeimlad Ffidelius ei fod yn goncwerwr trwy gariad Crist ac mai bywyd oedd yn ei aros yn y nef. A dyna, yn wir, a nodweddai ysbrydoledd Pantycelyn, sef ei ddyhead escatolegol am weld cyflawni gwaith gras a phrofi o'r iachawdwriaeth derfynol.

Fel y gellir disgwyl, y mae'r darlun o'r nef ac o'r bywyd tragwyddol a geir ym marwnadau ac yn emynau Pantycelyn yr un mor bersonol, dramatig a Christ-ganolog â gweddill ei waith. 'Canys gweled yr ydym yr awr hon trwy ddrych mewn dameg,' meddai Paul, 'ond yna, wyneb yn wyneb.' A dyma'r disgwyliad sy'n ennyn yn Williams hiraeth angerddol am ddianc o'r byd hwn i gyflawni'r berthynas â'i Waredwr a gychwynnwyd yma ar y ddaear. Mae am drigo yng nghymdeithas y saint sy'n canu clod a mawl am eu cariad a'u llawenydd yn y Crist croeshoeliedig. Yn y modd hwn gall Pantycelyn egluro i'w bobl fod eu canu cynulleidfaol daearol hwy yn gysgod o'r canu nefol tragwyddol. Fe fydd canu yn y nefoedd, meddai'r emynydd, oherwydd y waredigaeth derfynol o ddiflastod y daith. Nodwyd hyn ganrifoedd ynghynt gan Awstin Sant yn ei draethawd athronyddol, *Dinas Duw*:

> Vacabimus et videbimus; videbimus et amabimus; amabimus et laudabimus. Ecce quod erit in fine sine fine.

> (Fe orffwyswn ac fe welwn; fe welwn ac fe garwn; fe garwn ac fe folwn. Wele yr hyn a fydd yn y diwedd, ni bydd diwedd arno.)

Yn y nef, meddai Pantycelyn – a chanrifoedd o ddyfalu ac o ddiwinydda y tu ôl iddo – fe geir cymundeb a gorfoledd o ansawdd anhygoel a rhyfeddol. Fe fydd y profiad o gael 'trigo yn ei fynwes' ac 'edrych yn ei hyfryd wedd' yn foddhad ac yn rhyfeddod a bery byth. Dyma yw byw, mewn gwirionedd, sef cyfarfod yn y berthynas *Mi / Ti* yn derfynol, a syllu, edrych a myfyrio. O'i weithiau cynnar ymlaen, tra oedd yn dal yn ŵr ifanc o ran oedran ac yn ŵr iau fyth yn y ffydd, mae Pantycelyn yn ffarwelio, megis, â phethau'r byd i gofleidio tragwyddoldeb. Iddo ef y mae'r nef a'r cymundeb a geir yno yn gyfystyr â dedwyddwch, a cheir darlun cadarnhaol *iawn* ohono yn ei emynau oll:

> Gwlad o oleuni heb dywyllwch,
> Gwlad o gariad heb ddim trai,
> Gwlad heb hawddfyd na phleserau
> Ond yn unig dy fwynhau.

Mae sylweddoli'r cyferbyniad a wêl yr emynydd rhwng y byd a'r nef, byd o amser a'r byd a bery byth, yn sylfaenol i werthfawrogi'i ddarlun o'r ysbrydoledd Cristnogol y mae ef wedi'i ddelweddu a'i ffurfio mor loyw yn ei holl waith.

Rhoddwn y gair olaf i Cantator wrth iddo farwnadu Ffidelius. Am iddo gael goleuni yn y Gair, am iddo garu Crist a'i groes, am iddo wynebu profedigaethau'r daith a'r frwydr yn llawn gras a ffydd, caiff y Cristion o'r Aifft etifeddu'r ysbryd cyflawn, trefnus hwnnw sy'n ben draw sancteiddrwydd:

> Ei nwydau oll sydd heddiw heb derfysg yn gytûn,
> Yn gryno yn moliannu Creawdwr Nef yn ddyn;
> Galluoedd maith ei enaid mewn digymysgedd hoen,
> Sy'n swnio'r hymn dragwyddol i'r croeshoeliedig Oen.

Do, fe fynegodd cymeriad Albert Camus ei awydd i fod yn sant, eithr i fod yn sant *heb* Dduw – *un saint sans dieu*. Yn ei bortread o Ffidelius rhoes Pantycelyn inni ddarlun cyflawn o'r dyn cyflawn a oedd yn sant yn ôl model y Testament Newydd a dirnadaeth ei awdur o'r ysbrydoledd Cristnogol ym mlynyddoedd dramatig y Diwygiad Methodistaidd.

Motiffau Emynau Pantycelyn[*]

Yn ei ysgrif, 'Boddi Cath', ar ôl disgrifio amgylchiadau'r weithred ganolog gymharol ddibwys, yn null pob ysgrifwr da, y mae Syr T. H. Parry-Williams yn arwain y darllenydd at fyfyrdod mwy sylweddol ac arwyddocaol ar hanfod bywyd. Â ati i ddadansoddi natur profiadau canolog byw – geni, marw, caru, colli. Unwaith mewn bywyd y dônt, meddai, a naill ai fe gawn ein hunain yn eu rhag-fyw neu'n eu had-fyw, yn ôl ein persbectif ar bethau. Yn rhan o'r profiadau, fe geir gwahanol deimladau a gwahanol raddfeydd o emosiwn. Ac y mae iddynt i gyd eu nodweddion cyffredin. 'Gwyddom,' meddai'r ysgrifwr, 'nad oes llawer o wahaniaeth rhwng gwae a gorawen yn eu hanterth: anterth yr ymdeimlad ohonynt ydyw'r peth mawr.' Yr ydym oll, bid siŵr, yn fwndel o deimladau, ac yn gyfarwydd â phrofi dyfnderoedd ing ac uchelfannau gorfoledd. Yr hyn a erys yn y cof, meddai, am yr adegau tyngedfennol hynny yn ein hanes, yw eithafrwydd y profi ohonynt. Rhoddwyd i Williams Pantycelyn brofiadau a oedd, megis dadansoddiad yr ysgrifwr, yn gymysgedd o wae ac o orawen, o gystudd ac o lawenydd. Yn ei emynau, llwyddodd yn rhyfeddol i gyfleu maintioli'r agendor a'r sbectrwm eang o deimladau a fodola rhyngddynt, yr holl gyflyrau a ddeuai blith draphlith i'w gilydd yn nyddiau anterth y Diwygiad Methodistaidd. Trosglwyddai i'w gynulleidfa nwyfus brofiadau a oedd, ar y naill law, yn ad-fyw 'awr o bur gymdeithas felys' â'i Arglwydd, ac ar y llaw arall ddyheadau a oedd yn rhag-fyw'r 'wledd wastadol' a baratowyd eisoes ar ei gyfer yn y nef. Anterth yr ymdeimlad ohonynt oll – a llawer rhagor o brofiadau tebyg – yw

[*] Cyhoeddwyd yn *Meddwl a Dychymyg Williams Pantycelyn*, gol. Derec Llwyd Morgan (Llandysul, 1991), tt.102–21.

emynau Pantycelyn, ac o ganlyniad y maent o hyd yn bethau mawr iawn yng ngolwg nifer ohonom, ddau gan mlynedd ar ôl ei farw.

Ffurf od ar lenyddiaeth yw'r emyn, ac fe all y sylweddoliad fod egwyddorion sylfaenol prydyddiaeth, megis mydr ac odl, ar waith ynddo, beri sioc i'r sawl a'i coledda'n rhan annwyl a chanolog o'r bywyd ysbrydol. I'w gynulleidfa y mae i'r emyn safle breintiedig fel darn o lenyddiaeth, er y byddai rhai am ddweud bod y safle hwnnw'n amwys, ac eraill am honni nad yw yr un emynydd yn teilyngu cymaint o barch.[1] Yn sicr, y mae'n llenyddiaeth anodd i'w chloriannu'n deg. Fe geir mewn emyn, ac yn bendant yn y math o emynau a ganai Williams Pantycelyn, fynegiant sy'n hynod bersonol, yn annoeth o breifat, efallai, ac eto, bwriedir iddo gael ei ddatgan yn gwbl gyhoeddus, eiddo'r dorf ydyw (neu, yn amlach heddiw, y dyrnaid). Ac y mae'r mawl yn weithredol: fe ddaw'r credadun wyneb yn wyneb â Duw hollalluog a thrugarog, a chynnig iddo glod, ar sail ei ymddiriedaeth, a'i gariad, a'i lawenydd. Fe'n trewir yn gyson gan symlder ac uniongyrchedd y mynegiant; eto, gall y disgrifiad o'r profiad fod yn anesboniadwy o graff ei oblygiadau eneidiol. Cyfansoddwyd yr emynau'n wreiddiol ar gyfer cyfnod arbennig o asbri crefyddol, eithr gwneir hwy yn oesol eu hapêl gan eu cyffredinolrwydd a'u hehangder – am mai profiad yr enaid sydd ynddynt. Yng nghyfnod Williams hefyd, sef blynyddoedd canol y ddeunawfed ganrif, yr oedd crefydd y bobl yn ganolbwnc bywyd; eto, yr oedd hadau seciwlariaeth ein cyfnod ni eisoes wedi'u plannu. Ac fe geir problem feirniadol ychwanegol gyda'r emyn fel ffurf lenyddol, sef ei fod yn arddangos ôl crefft ymwybodol, ac eto'n rhoi'r argraff gyffredinol fod y mynegiant yr un mor ddigymell ac ysbrydoledig â'r profiad a ddisgrifir. Er y gwyddom oll i Williams ymaflyd codwm â'r iaith – a gwelir ôl y frwydr yn aml ar ei batrymau cystrawennol – yr ydym mor gyfarwydd â'i arddulleg fel y teimlwn fod y cyfan, megis y dywedodd am ei gerdd epig *Theomemphus,* wedi rhedeg allan o'i ysbryd 'fel dwfr o ffynnon, neu we'r pryf copyn o'i fôl ei hun'.

Darlun cyfansawdd o brofiad y Cristion sydd gan Williams yn ei emynau, ac y mae'r holl brofiadau cyffrous, angerddol ac ansefydlog yn dilyn ei gilydd y naill ar ôl y llall. Sail ei wreiddioldeb unigolyddol fel llenor, ac un o'r rhesymau pennaf am ei le unigryw yn hanes llenyddiaeth Gymraeg, yw ei ddefnydd cwbl ryfeddol o ddelweddau eglur a beiddgar i ddisgrifio'i brofiad:

> Mae pen ein taith gerllaw,
> Ar fyrder gwawria'r dydd,
> O fy nghadwynau caeth bob rhyw
> Fe dyn fy NUW fi'n rhydd;
> Tros yr *Iorddonen* las
> Caf landio maes o law
> I fwyta ffrwythau nefol pur
> Yr hyfryd dir sydd draw.
>
> Ac yna darfod wna
> Fy ngofid a fy ngwae
> Ac y dechreuir cadw gwledd
> Gorfoledd i barhau,
> Ynghanol tyrfa faith
> Bob llwyth, a iaith a dawn
> Un Saboth heb na haul na lloer
> Na bore na phrydnawn.

Dyna ddau bennill cyntaf un o lu emynau anadnabyddus Williams Pantycelyn.[2] Cofnodi'i ddyhead escatolegol a wna'r bardd yma, y caiff fynd o'i ofid a'i wae i fwynhau'r tragwyddol Saboth yn y nef. Ceir delwedd wahanol ymhob llinell bron: mae yma o leiaf ddeg darlun gwahanol. Hynny yw, i gyfleu'r holl amryfal gyflyrau ar brofiad ffydd, y tyndra rhwng bywyd mewn byd o amser a'r delfryd o'r byd a bery byth, yr oedd yn rhaid i Williams wrth ystorfa helaeth a chyfoethog o ddelweddau. Taith y Cristion dros yr Iorddonen – a gysylltir ag afon angau oherwydd ei lle strategol yn hanes y genedl etholedig – allan o'r byd hwn, yw'r fframwaith sydd yma, gyda disgrifiad o obaith y credadun am fynd o gaethiwed i ryddid, i gyflwr sefydlog o ddymunoldeb tragwyddol. A llwydda'r bardd i gyfleu'r wedd gadarnhaol sy'n sylfaen i'r profiad hwn gyda'r cyferbyniad pellach o'r gwae yn darfod a'r wledd yn dechrau. Cawn sylwi eto ar y modd y mae dull bwriadol cyferbynnu yn densiwn creadigol yng ngwaith yr emynydd, ac yn rhoi llawer o effeithiol-rwydd esthetig i'r emynau. Camp Williams oedd trosi profiadau'r enaid yn ddeunydd llên, gan ddefnyddio'i grefft yn llawforwyn i'w genadwri; yn wir, y mae'r grefft yn wedd ar yr ymollwng sy'n hanfod y profiad, yr ymollwng i afael y fath achubiaeth ryfeddol. Yr oedd yr emyn – gofynion y *genre* – yn gorfodi'r emynydd i batrymu'i brofiad (profiad eithafol a oedd yn meithrin ffydd) mewn ffurf gryno a chofiadwy a grymus. Yr oedd Pantycelyn yn gampwr ar ddefnyddio gwahanol *genres* llenyddol i'w ddibenion ei hun, eithr yn yr emyn daeth o hyd i ffurf lenyddol gyfaddas â'i ddull cwbl newydd o drafod y profiad crefyddol. Ef yw tad yr emyn cynulleidfaol Cymraeg. Chwyldrodd ddwys urddas Salmau Cân Edmwnd Prys a rhigymau diwinyddol yr hen Ymneilltuwyr yn fynegiant uniongyrchol, dramatig a chyffrous o'i brofiad Crist-ganolog.

Wrth iddo osod ar gân ei brofiadau mawr ysbrydol, ymdriniodd Pantycelyn droeon â'r un cysyniadau sylfaenol – ei serch at yr Iesu croeshoeliedig, ei frwydr ysbrydol, ei bererindod, a'r nef a'i orfoledd. Eithr y tu mewn i'r cysyniadau hyn fe geir amrywiaeth ddi-bendraw. Cam dybryd â'r emynau fyddai hyd yn oed ystyried gwneud dadansoddiad cyfundrefnol o'r holl ddelweddau. Ond mae'n werth edrych ar fotiffau Williams. Defnyddir y term 'motiff' gan feirniaid llên ar gyfer yr unedau thematig hynny a gynnwys ychydig o ddelweddau arwyddocaol am brofiad y bardd. Dylid cofio, wrth gwrs, mai un criterion beirniadol ymhlith llawer eraill y gellir eu cymhwyso at lenyddiaeth yw'r motiff. Fel arfer, bydd y motiff yn hawdd i'w adnabod, ac yn ychwanegiad sylweddol at arwyddocâd ac eglurder y darlun. Dyma ddull ymwybodol y llenor o ragosod rhai patrymau ystyrlon wrth iddo roi trefn greadigol ar ei brofiad a'i weledigaeth. Gall gyfuno neu gyferbynnu sbectrwm eang iawn o fotiffau, er mwyn atgyfnerthu'i thema a chreu rhagor o unoliaeth i'r darn. Y perygl ydyw i'r beirniad naill ai weld motiffau ymhobman, neu fethu â'u gweld o gwbl. Amcan yr ysgrif hon yw didoli ychydig ar emynau Pantycelyn er mwyn dadansoddi rhai o'u prif fotiffau, gan gofio, fel y dywedwyd, fod pob cerdd yn fwy na chyfanswm ei gwahanol adrannau. Gobeithir dangos hefyd fod gennym yn emynau Williams Pantycelyn ganu hynod ddyfeisgar, ac, o bosib, hynod hunanymwybodol yn ogystal.

Dylem gofio o hyd mai amcan emynyddiaeth Pantycelyn oedd gogoneddu Duw ac adeiladu'i Eglwys, gan ddefnyddio geiriau 'wedi'u ffitio gan yr Ysbryd'. Ar ddechrau'i yrfa fel emynydd cyhoeddus cyfaddefodd:

> Pa fodd, nis gwn, gwnaf weddus Gân!
> I'm CRIST, a'i ryfedd Ras:
> Fe'm tynnodd i trwy ddŵr a thân,
> O'r dywyll Aipht i ma's.[3]

Daeth gwaredigaeth i'w ran sydd gymaint yn fwy na'i fedr fel llenor i'w mynegi. Bum mlynedd ar hugain yn ddiweddarach, ar ôl sôn droeon am annigonolrwydd ei awen, erys ei broblem sylfaenol:

> Pa le dechreuaf ganu
> Am ddwyfol farwol loes,
> A haeddiant mawr yr Aberth
> Fu yn hongian ar y groes?
> Anfeidrol bwysau pechod
> A wasgwyd arno ef,
> A'r pris anfeidrol dalwyd
> I groesi llyfrau'r nef.[4]

Mae'r anfeidrol ynghlwm wrth yr anhraethol, ac o'i brofi y mae'r bardd yn dod wyneb yn wyneb â ffin iaith (ac â ffin bywyd yn ogystal, wrth gwrs). Caiff y credadun waredigaeth o Aifft ei bechod tywyll a phrofi gras Crist yn ei galon. Mae'n rhydd o bwysau pechod oherwydd digonolrwydd aberth y groes. Dyna hefyd brif a phriod destun pregethu'r Diwygiad. 'Haeddiant Iesu yw ei araith,' meddai Pantycelyn am Howel Harris; dyna hefyd bwnc y lleferydd llifeiriol o bulpud Llangeitho am flynyddoedd. Yr oedd yr emyn yn ffurf brydyddol ar genadwri'r Diwygwyr, yn ogystal ag yn ddarlun manwl, didostur o gyflwr yr enaid. I fynegi hyn oll, fodd bynnag, dywed yr emynydd fod iaith yn annigonol. Yn awr, fe all athronwyr a diwinyddion fynd ati i drafod holl oblygiadau iaith crefydd a'r problemau o fynegi profiadau sydd, yn ôl amodau ystyr, y tu hwnt i fynegiant mewn iaith, eithr yr hyn a wna'r beirniad llên yw sylwi ar gysondeb y motiff, sef annigonolrwydd iaith, yng ngwaith y llenor. Cynrychiola'r groes anhraethol waredigaeth, ac y mae marwolaeth Crist arni'n gyfystyr â chariad. Dyma gariad mwy, a pherson mwy nag y gall meddwl dyn ei amgyffred. Y mae Crist, yng ngolwg y credadun sydd wrth ei fodd yn Nhrefn y Cadw, yn hollol anghymharol, ac y mae ei gariad 'heb gymar iddo'n bod'. Ni ellir gwneud cyfiawnder â'r fath ryfeddod mewn iaith, ebe Pantycelyn:

Uwch pob geiriau i ddodi ma's,
Yw dy gariad, yw dy heddwch,
Yw dy anfeidrol ddwyfol ras.[5]

Er hyn, y mae ei waith yn ffurfio corff disglair o lenyddiaeth drwyadl Gristnogol sy'n trafod, gyda huodledd geiriol rhyfeddol a thaerineb ysbrydol, bob math o agweddau ar brofiad y credadun. Fe gawn ein hargyhoeddi'n llwyr gan *bersona* yr artist sydd yn hollbresennol yn yr emynau: yr ydym yn cyflawn gredu ein bod yn darllen rhyw fath o fersiwn – fersiwn dramatig a thrydanol yn achos Williams – o fywyd dyn go iawn. Llefara'r emynydd yn egnïol yn y person cyntaf, gan amlaf, a dug ei intensiti emosiynol gadernid argyhoeddiad. Er i Bantycelyn ddatgan na all gyfleu'r waredigaeth o ormes Ffaroaidd ei bechod na nerth yr anfeidrol Iawn a fu ar y groes (ac yn ddiwinyddol ac yn athronyddol y mae hyn yn hollol wir), yn bendifaddau, fe lwyddodd i gyfleu yr ymdeimlad ohonynt, gydag angerdd a chydag ymffrost. Wrth gwrs, trwy bwysleisio'n gyson ei anallu awenyddol i ganu am angau Calfari, pwysleisio ymhellach y mae faintioli ei ryfeddod a maintioli'r waredigaeth a gafodd drwyddo. Elwodd emynau Pantycelyn yn ddirfawr o'i fynegiant onest, a'i annigonolrwydd tybiedig fel bardd Cristnogol.

Os nad oedd y llenor yn gwbl sicr o addaster ac effeithiolrwydd iaith fel cyfrwng mynegiant i'w brofiadau, yr oedd yn berffaith siŵr ynglŷn â rhai agweddau ar ei ffydd. Dibynna'r cyfan ar ei berthynas â'r Crist croeshoeliedig, perthynas a brofid yng nghalon dyn. 'Â'r galon mae credu i iechydwriaeth,' meddai Philo-Evangelius, wrth ateb llythyr Martha Philopur. Yn ôl dealltwriaeth Williams o'r profiad Cristnogol yr oedd y galon yn ganolog yn nrama'r dröedigaeth. Hi oedd eisteddfa Duw yn yr enaid unigol. Ceir clystyrau o fotiffau'n mynegi hyn a'r angen ar i Dduw adeiladu'r galon yn ôl ei ddelw ei hun:

Teml berffaith addas gywir,
Yn fy nghalon gwna it' dy hun.[6]

134

Yr Apostol Paul oedd y diwinydd cyntaf i ddisgrifio'r profiad Cristnogol yn y termau hyn ac fe'i dilynwyd gan Luther a Calfin. O'r galon y daw gwir addoliad, a thrwy ras Duw newidir calon dyn yn deml i'r Hollalluog. Cynnig *ei galon* i Dduw a wna Theomemphus ar ôl ei dröedigaeth dan bregeth cariad Efangelius. Eithr gwaith Duw yw'r cyfan, meddai'r emynydd: 'Ti bia newid calon dyn'. Y mae crefydd y galon yn broses hir o drawsffurfiad sy'n ddibynnol ar 'hyfryd pur maddeuol ras'. Mae'i gariad at y Crist croeshoeliedig, cariad sy'n disodli llygredd pechod, yn diddyfnu'r credadun o bob serch arall, ac y mae'n gariad sydd i fod yn hollol lywodraethol ym mywyd y Cristion.

Mae'n ddigon hysbys mai yng Nghaniad Solomon yn y Beibl y ceir archwilio a disgrifio perthynas gariadlon debyg i hon rhwng Williams a'i Waredwr, ac atseinio naws y caniadau a wneir yn fynych. Cafodd y llyfr, sy'n llawn digywilydd-dra sanctaidd, ei weld ar hyd y canrifoedd fel secwensiau o ganeuon corfforol-ysbrydol. Y mae ei awdur yn ymhyfrydu ym mawr serch y cariadon ac ym mhryd a gwedd a mynwes yr Anwylyd, ac yn mynegi'r hyfrydwch hwnnw mewn iaith drosiadol.[7] Wrth i Williams Pantycelyn fynegi ei agosrwydd at yr Iesu, i 'ddifyrru ar ei wedd', y mae'n aml aml yn defnyddio ymadrodd y Caniad. Hwn, meddai, yw 'Rhosyn Saron', 'tegwch nef y nef'. Y mae emyn a luniodd Williams ar y chweched adnod o'r wythfed bennod o'r Caniad yn gorffen fel hyn:

> A dod fy nghalon wag yn llawn
> O'th gariad peraidd fore a nawn,
> Câr dithau finnau yn ddi-drai,
> A'r undeb yma fyth barhau.[8]

Y galon a gaiff ei llenwi â chariad yr Anwylyd ac fe ddaw'r undeb yn uchafbwynt y profiad o chwilio ac o fwynhau ar ôl dyheu am 'weld ei wyneb', a 'byw yn ei gwmni'. Drwy'r Caniad hefyd gallodd Williams bwysleisio rhagoriaeth cwmni'r Arglwydd dros unigedd y pechadur, rhagoriaeth agosrwydd ar bellter a dieithrwch – pellter a deimlai Williams yn annioddefol ar brydiau. Disgrifio'r ymateb i Grist a wna'r emynydd yn y penillion sy'n dwyn y motiffau hyn, a chyferbynnu'n rymus brofiadau sylfaenol serch, absenoldeb a phresenoldeb. Ymdeimlir yn gyson â'r moethusrwydd synhwyrus amlwg oedd yn graidd crefydd Pantycelyn, ac fe ddefnyddia'i synhwyrau o hyd i ddeall ac i ddisgrifio'i brofiad: *gweld* y groes a wna; *clywed* lleferydd yr Iesu; a *theimlo* a *blasu'r* cymundeb wrth i'r Tragwyddol ymafaelyd ynddo:

> Mae'th gariad gwerthfawrocaf drud
> Yn fwyd, yn ddiod i mi o hyd;
> Mae'n gwmpni, mae'n llawenydd llawn,
> Mae'n bob peth i mi fore a nawn.[9]

Dyma, felly, agosrwydd perthynas serchiadol yn brif ddeunydd barddoniaeth, ac archwilir natur y berthynas *Mi* a *Ti* yn gyson yn yr emynau wrth i'r emynydd ei bortreadu'n uniongyrchol:

> Anweledig 'r wi'n dy garu,
> Rhyfedd ydyw nerth dy ras,
> Dynnu f'enaid i mor hyfryd,
> O'i bleserau penna maes;
> Ti wnest fwy mewn un funudyn
> Nag a wnaethai'r byd o'i fron,
> Ennill it' eisteddfod dawel
> Yn y galon garreg hon.[10]

Mae rhyw ddyfnder adnabyddiaeth gynnes yn y pennill hwn wrth i'r emynydd ddisgrifio effaith gras ar ei galon. Ceir yma hefyd nodwedd sy'n gyffredin iawn yn emynau serch Pantycelyn, sef cyfosod *ti* a'r *byd,* a diffinio rhagoriaeth lwyr y cariad anweledig dros 'bleserau gwag y byd'. Ni all y byd a meidrol bethau ei swyno rhagor. Mae'r emynydd wedi cyfeirio'i chwantau a'i hiraeth at gariad purach, at wrthrych sy'n trosgynnu'r disgwyliadau mwyaf ohono. Yma, gwelir Calfiniaeth Williams. Yn unol â neges nifer o adnodau yn y Testament Newydd, taranodd Calfin yn erbyn cariad 'dall ac anwar' tuag at y byd hwn.[11] Mae'r credadun, bellach, wedi'i eni 'i lawenydd uwch nag sy 'mhleserau'r llawr'. Yng ngweithiau rhyddiaith Pantycelyn, hefyd, ceir ymgais ymarferol i ddangos peryglon caru'r byd. Disgrifir tranc Afaritius yn *Hanes Tri Wyr o Sodom a'r Aipht,* er mwyn rhybuddio rhag 'y trueni sydd o garu'r ddaear yn fwy na'r nefoedd'.[12] Gall y byd hwn fod yn rhwystr gwirioneddol i'r credadun:

Gorchudd ar dy bethau mawrion
Yw teganau gwag y byd;
Cadarn fur rhyngof a'th ysbryd
Yw'm pleserau oll ei gyd;
Gad im gloddio trwy'r parwydydd
Tewon trwodd at fy NUW
I gael gweld trysorau gwerthfawr
Fedd y ddaear ddim o'u rhyw.

Mae'r teganau'n fur ac yn barwydydd rhwng y Cristion ac ysbryd Duw, meddai Pantycelyn, mewn emyn o'r drydedd ran o *Ffarwel Weledig, Groesaw Anweledig Bethau.* Fodd bynnag, gall yr emynydd ar adegau, ar yr adegau hynny pan na chaiff ei faglu gan y byd, y cnawd a chwant, ymrwymo'n gadarnhaol i fyw ar wastad bywyd newydd:

Mi dorra'r clymmau oll i gyd
Sy rhyngwi a gwrthrychau'r byd,
A phob cariadau gwag y llawr.[13]

Yr hyn a rydd hyder iddo i gyflawni hyn yw ei ddyhead ysol i fwynhau ei gymundeb â'r Arglwydd. Gall ymffrostio wedyn iddo ennill yr oruchafiaeth:

Ffarwel, ffarwel ddeniadau'r byd!
Methodd eich tegwch fynd a'm mryd.[14]

Ac yn gelfydd iawn yma fe esyd y bardd gorfan trochaig ar ddechrau'r ail linell ar ganol corfannau iambig i bwysleisio pendantrwydd ei ymwrthod â'r byd.

Prif bwnc yr Efengyl, yn ôl dealltwriaeth Pantycelyn o'r ffydd Gristnogol, yw marwolaeth Crist ar y groes. O amgylch aruthredd yr aberth y try holl gynnwys ei emynau, a'r ymateb i'r waredigaeth a gaed drwy'r aberth honno a rydd iddynt eu cyffro. Yng ngolwg y Methodistiaid yr oedd 'y weithred ryfedd wnawd ar Galfaria fryn' o dragwyddol bwys, ac yn arwyddocáu drama lawn tyndra yr oedd yn angenrheidiol i'r credadun fyw trwyddi yn ei enaid ei hun. Yn lle pechod, gorseddwyd gras, yn lle marwolaeth, rhoddwyd bywyd. Fel y dywedwyd, fe gynrychiolai hyn oll anhraethol waredigaeth i

Bantycelyn a dychweledigion y Diwygiad Mawr, a thry'r anhraethedd yn eithafedd yn eu profiadau a'u llenyddiaeth, nes i'r eithafedd ei hunan dyfu'n fotiff, nes iddo ddatblygu'n gynrychioliadol o'r profiad. Darganfyddiad gorfoleddus y pererin Methodistaidd oedd i iachawdwriaeth ddigymar ddod i'w ran:

> O uwchder heb ei faint!
> O ddyfnder heb ddim rhi!
> O led a hyd heb fath,
> Yw'n Iechawdwriaeth ni!'[15]

A Christ yw unig gyfrwng yr achub. Wrth ateb ei gwestiwn rhethregol ei hunan, 'Pwy ddyry im falm o *Gilead* / Faddeuant pur a hedd?' dywed Williams:

> Does neb ond ef a hoeliwyd
> Ar fynydd Calfari.[16]

Y mae *un* radd o haeddiant, un *gronyn* o rinwedd gwaed y groes yn ddigon i achub y pechadur duaf a gaed. (Y mae *maint* a *sylwedd* y waredigaeth yn fotiffau hefyd.) Nid trasiedi hyll a hagr oedd y croeshoeliad yng ngolwg y Methodistiaid, ond gweithred oedd yn ateb 'dyfnder eithaf trueni dynol ryw'.

Beth bynnag fo testun yr emyn a natur y profiad a fynegir ynddo, y mae'r groes yn hollbresennol yng ngwaith Williams. Mae'r digwyddiad hanesyddol, athrawiaethol a diwinyddol yn thema ganolog. Ynghlwm wrth y groes yr oedd holl brofiadau euogrwydd, edifeirwch, pechod, gras a maddeuant, a hefyd y paradocsau fod Iesu'n marw'n fywyd, fod iechyd yn ei glwyfau. Cân Pantycelyn yn fuddugoliaethus am y *Blut und Wunden:*

> Dyma'r euog ofnus aflan
>   Etto yn chwennych bod yn wyn
> Yn yr afon gymmysg liwiau
>   Darrodd allan ar y bryn;
> Balm o Gilead, &c.
> Anghydmarol yw dy waed.[17]

Y mae'r aml deitlau a'r motiffau a ddefnyddir i ddisgrifio person y Gwaredwr yn diffinio rhyw agwedd neu'i gilydd ar ganlyniadau'r aberth ac uchafbwyntiau'r arfaeth. Mae'n feddyg, yn haul cyfiawnder, yn oen di-nam, diniwed a aberthir i arwyddocáu unwaith ac am byth mai 'mwy na rhifedi beiau'r byd / Yw haeddiant dwyfol loes'. Gorfodir y credadun, oherwydd y fath waredigaeth a chariad, i gydnabod ei ddiffyg wyneb yn wyneb â hollgyflawnder a chyfiawnder Duw. Ac wrth gydnabod ei hunaniaeth fel hyn, daw'r credadun i sylweddoli'r datblygiad sy'n angenrheidiol yn ei brofiad ysbrydol, a gweld posibiliadau eithaf byw i Grist a thrwyddo ef.

Mae'r berthynas *Mi / Ti*, felly, yn ogystal â bod yn fotiff ac yn brofiad i Williams, hefyd yn arwydd o gyferbyniad sylfaenol rhwng amherffeithrwydd y credadun a pherffeithrwydd y Gwaredwr. Ac ynghlwm wrthi ceir y cyferbyniadau sylfaenol: byd/nef, amser/ tragwyddoldeb, pechod/gras, marw/byw. Rhaid i'r credadun, o ganlyniad, ddibynnu'n llwyr ar Dduw. Diffinnir y berthynas hon o ddibyniaeth gadarnhaol yn emynau Pantycelyn trwy ei ddefnydd mynych o gyferbyniadau cynddelwaidd ffurfiannol sy'n holl- bresennol yn adeiledd thematig waelodol y penillion. Ymgais i egluro'i brofiadau yw defnydd Williams o gyferbyniadau, ymgais i bortreadu arwyddocâd y trawsnewid a ddigwydd yn enaid dyn, a dangos yr hyn sy'n bosib trwy ras Duw. Y mae dwy elfen y cyferbyniad yn cyfoethogi ei gilydd – sylweddolwn fwyfwy faintioli nerth Duw wrth werthfawrogi gwendid y credadun, a rhoddwn gyfrif am dlodi'r enaid ochr yn ochr â chyfoeth gras. Trwy ddisgrifio'r profiad fel hyn, crëir tyndra nad oes modd ei ddatrys yn llwyr nes y cyflawnir gwaith gras. Yn sgil agosrwydd ei berthynas â'r Arglwydd, gall y credadun ddeisyf:

> Dadrys y Cadwyn[au] tynnion,
> Rho fy Enaid gwan yn rhydd,
> Tynn fi maes o'r Pydew tywyll
> I gael gweld y Goleu Ddydd;
> Gwaredigaeth, &c.
> Gwna imi waeddi tra fwy byw.[18]

Cynhelir y mynegiant gan y cyferbyniadau sy'n fotiffau o brofiad trawsffurfiannol, sancteiddiol y pechadur. Effaith Duw ar ei enaid yw peri iddo feddu rhyddhad mewn caethiwed, nerth mewn gwendid, goleuni mewn tywyllwch, a chael ei godi o'r dyfnder i'r uchelder. Y mae'r ddau begwn o wae ac o orawen felly yn gynhenid yn ei brofiad. Yn narlun cyflawn Williams o'r profiad ysbrydol, darlun sy'n cynnwys nifer o wrthdrawiadau ffyrnig, ceir nifer o gyferbyniadau eraill, rhai sy'n gynhenid oherwydd ei gyflwr, eraill sy'n ganlyniad i'w brofiad. Sôn a wna'r emynydd am deimlo hyder ar ganol ofn, gorfoledd mewn galar, esmwythyd er gwaethaf baich ei bechod, dedwyddwch er gwaethaf tristwch. A rhaid i ni sylweddoli mai anterth yr ymdeimlad ohonynt a drosglwyddir i ni gan Bantycelyn fel gwir deimladau dilys. Unwaith eto, ynghanol y trobwll mawr hwn o deimladau a chynyrfiadau, gallu dwyfol ras, meddai'r emynydd, sy'n gwared rhag i'r cyfan fynd â'i ben iddo. Ychwanegodd yr angenrheidrwydd diwinyddol i fod yn fanwl gywir wrth ddisgrifio profiadau eneidegol gryn realaeth lenyddol i waith yr emynydd. Mae'r motiff o gyferbynnu hefyd yn ddull effeithiol dros ben o ehangu ystyr ac arwyddocâd y darlun i'r darllenydd a'r gynulleidfa. Gosod allan eu profiadau tumewnol hwy a wna'r emynydd, gyda'r amcan, ys dywed *Drws y Society Profiad,* o 'borthi praidd Duw yn yr anialwch'. Ac fe'u porthid gan Williams wrth iddo ddiffinio'i ddyhead wyneb yn wyneb ag aberth unigryw'r groes a oedd yn sicrhau ffordd newydd iddynt i olud y nef:

> Os gelynion ddaw i'm cwrdd
> A rhyw ddaearol swyn,
> Mi drycha'r aberth ar y pren,
> Ddioddefodd er fy mwyn:
> Fe ddiffodd cariad pur
> Fu ar yr hoelion dur bob ple
> Sy gan y byd, y cnawd, a chwant
> I'm denu o ffordd y ne'.[19]

Trwy ei ddyfeisgarwch llenyddol, tanlinellodd Williams i'w gynulleidfa y ffaith orfoleddus y gall y gwan, y tlawd a'r caeth yn arfaeth Duw ennill yr oruchafiaeth. Yn sicr, yr oedd yr emynydd yn gweld y bywyd ysbrydol yn rhyw fath o frwydr barhaus. Ymesyd llu o elynion mewnol eneidegol arno, a rhaid iddo ddibynnu ar y groes i ennill y fuddugoliaeth:

O tu mewn y mae ngelynion,
Hen ellyllon mawr eu grym,
Ac sy'n ceisio trwy bob moddion
Wneud fy enaid llesg yn ddim;
Ti dy hunan, &c.
All eu hattal er eu grym.[20]

Diffiniad pellach o ddibyniaeth gadarnhaol y credadun ar Dduw yw'r darlun cynddelwaidd o fywyd dyn fel brwydr ysbrydol. Mae'n ddarlun sy mor hen â Llyfr y Salmau, ac, mewn llenyddiaeth grefyddol heblaw'r Ysgrythur, mor hen â'r *Psychomachia.* Gellir dweud yn ddibetrus fod cyffro geiriau'r frwydr a'r ymdrech ysbrydol a ddisgrifir yng ngwaith Pantycelyn yn codi'n ddiamau o'i brofiad ei hun:

Rwyf fi'n ymladd, 'rwyf fi'n methu
Colli, ac yn cario'r dydd.[21]

Mae'r darlun yn naïf o onest ac agored, eithr ceir cryn gadernid yma hefyd oherwydd cyfuniad y negyddol a'r cadarnhaol. Rhaid ymdrechu'n galed yn erbyn pechod, meddai'r emynydd, er i'r fuddugoliaeth gael ei hennill eisoes. Gall ddibynnu ar Dduw i fod yn fuddugol ymhob brwydr a ddaw i'w ran, ac fe ddaw disgrifiadau o fethiant, siom ac ofn yn aml aml yn ei emynau.

Cyflea'r darlun o fywyd y Cristion yn cyfateb i frwydr ymdeimlad o ddiffyg datblygiad profiadol. Ar lefel seicolegol – a sylwodd amryw feirniaid ar graffter seicolegol Williams – y mae methiant neu rwystr, a gallu'r credadun i'w hwynebu a'i goresgyn, yn fath ar fynegai i'w gynnydd ysbrydol. Mae fel petai'r emynydd yn trosglwyddo i ni wybodaeth uniongyrchol o'i brofiad, ac wrth wneud hynny yn diffinio ymhellach natur ac agosrwydd ei berthynas â Duw, sy'n noddfa ddiysgog gadarn ac yn nerth i'r enaid egwan. Nid yw'n ddigon i'r credadun harneisio holl rymusterau'i bersonoliaeth; os gwna hyn, erys yn ei unfan. Rhaid iddo wynebu peryglon di-bendraw y mae yntau yn llwyr ddiymadferth i'w trin. Yr Arglwydd yn unig sy'n trechu, meddai'r emynydd, ac nid oes amheuaeth unwaith eto ynglŷn ag eithafrwydd y profiad:

Does ond Cariad a Goncwera,
Oll sydd yn'wi nawr yn ddrwg.[22]

Dyma'r un godidoca'i rym yn y frwydr yn erbyn pechod. Eithr rhaid
i'r frwydr rywdro ddod i ben, rhaid cael canlyniad iddi; ac yn y bôn
y mae'r emynydd yn arddangos *certitudo salutis.* Wrth ddisgrifio'i
hyder yn y fuddugoliaeth gall yn aml greu unedau thematig tra
chymhleth o fotiffau, gan fwriadol gymysgu delweddau serch a
delweddau buddugoliaeth mewn brwydr. Trwy wneud hyn y mae
Williams yn dynodi bod y profiad o garu Crist y groes yn effeithio
ar bob agwedd o'i fywyd. Cymerer y pennill hwn, er enghraifft. Cân
serch yw'r emyn, eithr nid yw'r profiad yn wrthrychol, gan fod yr
emynydd yn disgrifio effaith y Crist anghymharol ar enaid dyn:

Mae dy wedd yn drech na'r fyddin,
    O elynion mawr eu grym,
Nid oes yn y nef a'r ddaear
    Saif o flaen dy wyneb ddim:
Gair o'th Enau, &c.
A wna'r tywyll nos yn ddydd.[23]

Y mae'r datganiad cadarnhaol yn y ddwy linell gyntaf, a'r
datganiad negyddol sy'n arwyddo effaith gadarnhaol yn y drydedd
a'r bedwaredd linell, yr un mor eithafol â'i gilydd. Mae'r cyfuniad o
fotiffau serch mewn uned thematig sy'n ymwneud â'r frwydr
ysbrydol yn bur gymhleth, ac eto'n diffinio rhagoriaeth cariad Crist.
Ni fyddid yn arferol yn disgwyl datganiadau sy'n cydraddoli tegwch
a chadernid milwrol, eithr y mae thema'r *Christus victor* yn thema
hen hen mewn llenyddiaeth Gristnogol. Ychwanega'r fath gyfuniad
o fotiffau yn sylweddol at realaeth lenyddol y pennill. Ceir
cydblethiad hynod yn y fan hon rhwng sŵn y geiriau, y motiffau a'r
gystrawen, i greu darn cywrain o lenyddiaeth sydd yn ei uchaf-
bwynt yn mynegi'r sicrwydd y caiff y credadun ei drawsffurfio o'i
gyflwr cynhenid o drigo yn y tywyllwch i fyw'n wastadol mewn
goleuni nefol.

Y mae ysbrydoledd Crist-ganolog Williams Pantycelyn felly yn
amlochrog ac yn amlweddog. Y groes yw'r canolbwynt, a chariad
buddugoliaethus yw'r canlyniad. Fel y gwelsom, dywed yr emynydd

142

droeon na all fynegi'i brofiadau'n deilwng, ac eto disgrifia ei serch at yr Iesu croeshoeliedig, ei ymwrthodiad â'r byd, y trawsnewidiad yn ei gyflwr eneidegol, a'i frwydr ysbrydol, a'u cyflwyno'n agweddau hollbwysig ar brofiad yr Efengyl. Yn ei ddarlun o'r frwydr ysbrydol yn arbennig, dibynna'r llenor ar yr Ysgrythur fel rhyng-destun *(inter-text)* er mwyn agor cyfanfyd ehangach o brofiadau, a phriodi arfaeth ac arddull trwy ddwyn ar gof ganrifoedd o ymwneud Duw â'i bobl. Gallai ddibynnu ar ei gynulleidfa i werthfawrogi'r darlun ysgrythurol hwn, am iddynt gael eu hyfforddi'n gyson trwy'r seiadau, a thrwy bregethu teipolegol y Diwygwyr i actio'u profiadau eneidegol ar gefnlen epigol hanesion y Gair. Addasodd y llenor ei ddeunydd ar gyfer ei gynulleidfaoedd, gan adlewyrchu eu gobeithion a'u profedigaethau. Rhaid i ni gofio, wrth gwrs, fod yr hyn a ddisgrifir yn brofiad gwirioneddol iddo yntau hefyd, er, mae'n gwbl briodol mentro iddo ddiffinio serchiadau a brwydrau ysbrydol pob un o'r dychweledigion i ryw raddau, ac yn sicr rhoes fynegiant i gymhlethdodau mwyaf mewnol a phreifat dyn.

Hunangofiant a chofiant ysbrydol amhrisiadwy a geir yn emynau Williams, felly, tystysgrif o weithgarwch rhyfeddol y Diwygiad Methodistaidd. Gosododd ar gân gydag angerddolder nad oedd ei fath yn llenyddiaeth Gymraeg y ddeunawfed ganrif, na'r canrifoedd o'i blaen, amrediad eang iawn o gyflyrau eneidegol a oedd yn cyffwrdd â phob rhan o brofiad dyn. Yr oedd gan yr emynydd yr hyder i ddatgan yn uniongyrchol ei fod yn wan, ac yn methu symud ymlaen – disgrifiad, mae'n ddiamau, a ddaeth â llawer o gysur i eneidiau'r dychweledigion, yr oeddynt eu hunain yn disgrifio'u hanawsterau ysbrydol yn boenus o arteithiol ar adegau yn y seiadau. Darlun o anhawster ac o wendid a gawn dro ar ôl tro gan yr emynydd:

> O Arglwydd, gwel fi'n llesg a gwan,
> Yn ffaelu dringo'r Byd i'r lan;
> Am fyn'd yn lew i'r *Ganaan* lan,
> Heb allu symud fawr ymlaen.[24]

Yma, mynega Pantycelyn ei anobaith a'i hiraeth wrth iddo awgrymu cyfeiriad y bywyd ysbrydol. Y mae, fel pererinion holl oesoedd cred, ar ei daith i'r 'Ganaan nefol sy'n parhau'. Gellir awgrymu mai'r daith yw'r pwysicaf o brif fotiffau Pantycelyn; yn sicr, mae iddi le allweddol yn ei waith. Disgrifir gwahanol fathau o deithiau ganddo: ei daith ddaearyddol tuag at i fyny wrth iddo ddringo'r creigiau serth, y bryniau a'r mynyddoedd. Yr oedd y tirlun, bob amser, yn adlewyrchu anawsterau eneidegol yn ei emynau. Mewn lliaws o emynau eraill ceir disgrifiad o fordaith yr enaid egwan yn rhodio'r tonnau, bron â boddi yn y llifeiriant, ac yn mynegi ei hiraeth am gael 'landio draw'. Eithr y daith a gyfleir amlaf yn ei waith yw'r daith ysgrythurol, ddiwinyddol, brofiadol o Aifft ei bechod i fwynhad tragwyddol yng Nghanaan. Gwyddai Pantycelyn yn iawn i Galfin ei hun gydraddoli gwaredigaeth y genedl o'r Aifft â gwaredigaeth y credadun o'i bechod yn ei esboniadaeth feiblaidd. Gwyddai hefyd fod seiadau aneirif y ffyddlon ailanedig yn trafod ac yn diffinio'r profiad yn yr un termau. Gallwn droi i *Drws y Society Profiad* i gael tystiolaeth bendant o hyn:

> . . . pan delo milwyr Duw fel yma at eu gilydd i siarad am nerthoedd y nef, a bod allweddau y pydew diwaelod wrth ystlys y Meseia; galw i gof weithredoedd yr Arglwydd gynt, yn y Môr Coch, ac ym meysydd Soan, fel y trodd efe yr afon yn ôl, ac yr aethom trwyddi ar draed; wrth adrodd fel hyn ryfeddodau yr Arglwydd, maent yn ymgadarnhau yn erbyn eu gelynion ysbrydol . . .[25]

Wrth ddisgrifio profiadau'r enaid yn nhermau epig yr Ecsodus, yr oedd Williams yn dweud wrth ei gynulleidfa fod gwaith rhyfeddol Duw yn eu presennol, sef ffenomen y Diwygiad, yn barhad o waith achubol Duw ac ymwneud Duw â'i bobl yn y gorffennol. Trwy ailadrodd ar lun emyn, pregeth a chyngor seiadol uchafbwyntiau'r ddrama fawr sy'n sylfaen i'r Beibl i gyd, profodd y Diwygwyr fod gwybodaeth o Dduw'r Ecsodus, Duw'r amhosib, yn bosib, ac y gellid dyfnhau'r berthynas a'r adnabyddiaeth o Dduw'r groes, ffocws pennaf gwaith eneidegol y Diwygiad.

Sylweddolodd Pantycelyn mai dynwarediad o iaith a phrofiadau'r Gair oedd y dull mwyaf effeithiol o fod yn driw i'r datguddiad a roddwyd iddo, ac i waith Duw yn ei enaid. Ar y naill law, yr oedd y Gair, megis yn null Calfin, yn awdurdod profiad iddo, yn gadarnhad o ddilysrwydd y Diwygiad ac o'i brofiad ei hun. Ac ar y llaw arall, gallai'r llenor o Gristion ymfalchïo yn y Gair fel cynsail i'w fynegiant tra'n ymgodymu â'r broblem gynhenid wrth fynegi profiad crefyddol, sef sut i fynegi mewn geiriau natur drygioni dyn a chariad Duw. Y mae cwmpas ac amrywiaeth a maint y gyfeiriadaeth at yr Ysgrythur a geir yn emynau Williams yn dyst iddo ymroi'n ddefosiynol, yn eneidiol ac yn llenyddol i'w syniadau canolog, ac iddo werthfawrogi'r disgrifiad o gyflyrau ysbrydol a oedd eisoes wedi'u diffinio iddo. Drwy bwyso ar y Gair fel hyn, profodd fod ffyddloniaid y Diwygiad yn rhan o'r cynllun parhaus o waredigaeth a gychwynnodd ar ôl y Cwymp, ac y gwelir ei ddiben wrth orsedd yr Oen yn Llyfr y Datguddiad. Yn llenyddol, wrth gwrs, ceir nifer o nodweddion yn Llyfr yr Ecsodus, er enghraifft, a fyddai o gymorth mawr i'r emynydd wrth iddo ymrafael â chyflyrau cyfnewidiol gras a phechod a'r broses o sancteiddhad. Yn un peth, mae disgrifiad awdur yr Ecsodus o Dduw yn eithafol: cyflwynir YHWH fel bod goruwchfydol hollol anghymharol, ac fe wŷr y cyfarwydd am y math o fawl eithafol a geir yng Nghân Moses yn y bymthegfed bennod. Hefyd, cyfyd argyfyngau anferth yn hanes Israel nad oes posib eu datrys ond trwy ymyrraeth annisgwyl yr Anfeidrol, a'i effeithiau *virtuoso*. Darlun, unwaith eto, oedd yn cydbwyso agweddau negyddol a chadarnhaol profiad y Cristion, tra'n dangos ei ddibyniaeth ar Dduw hollalluog. Dylid cofio, wrth gwrs, fod ystyr ac arwyddocâd yr holl hanesion a geir yn Llyfr yr Ecsodus – hanesion sydd fel arfer yn ymffurfio'n glystyrau – wedi'u trawsgyfeirio'n llwyr yng ngwaith Williams, gan mai pererin y Cyfamod Newydd ydyw yn ddiamau. Eithr yr hyn y mae'n ddichonadwy ei brofi yw i nodweddion llenyddol yn ogystal â ffeithiau anwadadwy yr hanes fod o gymorth amhrisiadwy i'r emynydd wrth iddo ymdrechu i ad-fyw, rhag-fyw, dadansoddi a llunio'i brofiadau yn llên greadigol werthfawr i'w gynulleidfa. Yn nhraddodiad gorau gwaith a chenhadaeth yr Eglwys, defnyddiodd Pantycelyn y Gair yn ôl anghenion a diddordebau'r gymuned yr oedd yn rhan ohoni.

I Williams yr oedd y Gair yn undod syml, yn datgan ymhob rhan o'i drysorfa o hanesion mai 'hen gartref meddyliau o hedd' fu Duw erioed. Yr oedd y darlun o daith y pererin yn fframwaith digon hyblyg a chynhwysfawr i egluro holl gymhlethdodau'r broses o sancteiddhad. Un sydd am gyflawni'r gamp o sancteiddrwydd yw'r pererin, a diffinio ei ddatblygiad yn yr ymgais hon y mae'r daith feiblaidd o'r Aifft i Ganaan. Rhoddwyd hefyd adeiledd i'r bywyd ysbrydol trwy ddarlun yr Ecsodus. Rhaid i bob taith gychwyn yn rhywle, a rhaid iddi hefyd ddod i'w phen draw rywbryd. Rhwng y ddau begwn gall pob math o brofiadau melys a chwerw darfu ar y teithiwr. A dyna a geir yn y Beibl ac yn emynau Pantycelyn. Ar ganol yr anialwch, er ei fod ef yn diffygio oherwydd grym y gelyn a maintioli'r rhwystrau, gall, er hynny, brofi'r cysuron y mae'r Anfeidrol yn eu hanfon iddo. Gŵyr mai trwy'r rhain yn unig y pery i ddatblygu a theithio 'mlaen:

> Rwi'n diffygio ar fy nhaith,
> Hir yw'r anial dir a maith;
> Drygau mawrion ar bob llaw,
> Sydd o'r *Aipht* i'r *Ganaan* draw;
> Llewyrch niwl a llewyrch tân
> Unig all fy nwyn ymla'n.[26]

Duw yn unig yw awdur cysuron aml y bererindod – blinder a lludded yw effaith y crwydriad maith yn yr anialwch o safbwynt y credadun. Yn ei holl amryfal agweddau, dyma ddisgrifiad sy'n adlewyrchiad uniongyrchol o gyflwr eneidegol yr emynydd, o anterth yr ymdeimlad o golli neu ennill y dydd ar ganol yr anialwch.

Gan fod y darlun o daith yn ddaubegynnol, sef y cychwyn a'r pen draw, gall yr emynydd ei ddefnyddio i ddatgan ei fod yn blino ar y byd, ac yn teithio'n bell o dŷ ei dad ac o gymdeithas â'i Arglwydd. Eto, y mae tegwch tŷ ei dad yn ei ddenu, nid oes modd mynd yn ôl i'r Aifft, dim ond marw yn yr anialwch neu barhau i deithio i Ganaan. Unwaith eto, y mae yma batrymau o weithredoedd a phrofiadau sy'n sylfaenol yn narlun yr emynydd o'r profiad Cristnogol. Gall gyferbynnu'r Aifft neu'r anialwch â Chanaan, y byd â'r nef, a disgrifio'r datblygiad a deimla yn ei gyflwr ysbrydol o dywyllwch a gwendid yr anialwch, yn nes i oleuni a nerth y nef. Mewn byd o amser, gall feddwl am yr oriau y caiff funud o fwynhau cwmni ei Arglwydd, a dychmygu'r modd y cyflawnir ei ddyheadau hiraethlon yn y nef:

Mi af trwy'r cystuddiau trwmaf,
Mi a' trwy'r afonydd maith,
Ac mi dreiddiaf trwy'r anialwch
Garw hir i ben fy nhaith;
  Ond i'm Harglwydd &c.
Gadw beunydd wrth fy nghlun.[27]

Mynegiant o hyder amodol sydd yma, a'r amod yn troi o amgylch yr
ond, sef bod yn rhaid i'r credadun fyw'n barhaus yn agos i'w
Arglwydd cyn y medr dreiddio trwy'r anialwch. (Sylwer ar grefft y
pennill yn ogystal. Mae'r goferu o'r drydedd i'r bedwaredd linell yn
llwyddo i bwysleisio gerwinder yr anialwch, a datrys tyndra
mydryddol a chyffro seicolegol yr ailadrodd cynyddol yr un pryd.)
Mae pen y daith mewn golwg, ac yn goron ar ddiwedd y bererindod
a'r frwydr ysbrydol. Yn y pen draw, gall fod yn sicr y derfydd ei
ofidiau i gyd.

Dibynna'r ffydd Gristnogol ar y gobaith bod bywyd tragwyddol yn
ganolog yn yr addewid – gwlad yr *Addewid* yw Canaan, wedi'i
pharatoi ar gyfer y credadun trwy'r cyfamod. Sicrhaodd y cyfamod
i'r genedl etholedig wlad Canaan er gwaethaf ei hanufudd-dod.
Sicrhaodd aberth Crist ar y groes y gall y credadun etifeddu'r nef er
gwaethaf ei bechod:

Daeth arfaeth fawr y nef i ben,
Bu'm IESU farw ar y pren,
Agorodd ddrws trwy ei boen a'i wae,
I'r *Ganaan* nefol sy'n parhau.[28]

Hyd yn oed yn nhragwyddoldeb, ni ellir amgyffred unrhyw ffordd o
waredigaeth ond a agorwyd ar y pren. Ac y mae darlun Williams o'r
nef a'i orfoledd yr un mor bersonol, yr un mor Grist-ganolog a
dramatig, â gweddill ei ganu. Fodd bynnag, fe geir sawl agwedd ar
y darlun.

Yn y lle cyntaf, ceir yr emynydd yn ymrwymo i ddilyn cyfeiriad
gwiw'r bywyd ysbrydol tuag at y nef. Gall ddatgan yr ymrwymiad
yn gadarnhaol tra'n cyferbynnu 'pleserau gwag y byd' â phleserau
parhaol, dymunol y nef:

147

Ni thro'i fy wyneb byth yn ol,
    I 'mofyn pleser gau;
Ond mi a gerdda tua'r wlad
    Sy â'i phleser yn parhau.[29]

Hyfrydwch o'r mwyaf fydd derbyn y waredigaeth derfynol o ddiflastod y daith ac arteithiau'r frwydr ysbrydol. Yn gadarnhaol, gwraidd y pleser a geir yn y nef, meddai Williams, fydd cael profiad cyflawn o degwch yr Iesu. Ar yr orsedd fe fydd yr Oen a aberthwyd 'gan harddach nag o'r blaen', a chaiff y credadun fyw'n barhaus mewn cymundeb di-dor cwbl ryfeddol ag ef. Dyma hyfrydwch nef y nefoedd, 'nad oes iaith a'i dod e' maes'. Oherwydd yr elfennau hyn a ragwêl y bardd yn y wledd sy'n ei aros yn y nef, y cyflwr ysbrydol perffaith, ceir dwy agwedd bendant ar ei ddisgrifiadau. Yn y nef, meddai, ni cheir elfennau negyddol y byd, megis cystuddiau o bob math. Diflanna'r terfysg yn y nef a phrofir hawddfyd wedi'i sylfaenu ar bleserau mwy sylweddol na deniadau'r ddaear hon. Trwy negyddu'r gwrthwyneb fel hyn, mae'r bardd, mewn gwirionedd, yn tanlinellu'i ymrwymiad i fyw profiad hynod gadarnhaol. A dyma wedd arall ar ei ddisgrifiad o dragwyddoldeb, sef gosod allan rinweddau Gwlad yr Addewid:

Gwlad o heddwch, gwlad o sylwedd,
Gwlad o gariad pur didrai;
Gwlad o wledda'r pererinion
Ar lawenydd i barhau;
Dacw'r ardal, &c.
Mae nghysuron oll eu gid.[30]

Arwydd o'i gynnydd ysbrydol yw i'r credadun ddirnad mwyfwy bleserau Canaan. Ceir rhagflas o'r nef yn y munudau o gymundeb agos-agos a gaiff y credadun yma yng nghanol byd o brofiad. Mae'n wedd ar y broblem o ddisgrifio'r profiad Cristnogol nad oes modd diffinio tragwyddoldeb ond trwy dermau amser. Rhoddwyd i Williams, mae'n gwbl ddiamau, brofiadau trosgynnol lawer o eiliadau tragwyddol, rhai nad oes modd eu mesur yn ôl y cloc. Sylweddolai, er hynny, fod bywyd i gyd yn rhagbaratoad ar gyfer tragwyddoldeb, a cheir clystyrau o fotiffau yn yr emynau lle cysegra

Pantycelyn ddyddiau'i oes i garu a chanmol yr Iesu. Erys delfrydau tragwyddoldeb heb eu cyflawni eto: yn y nef yr etifeddir gwir ffydd, gobaith a chariad yn gyflawn.

Yn ei ragair i'w *Poetical Fragments*, dywed y diwinydd piwritanaidd Richard Baxter: 'y darlun mwyaf cywir o'r nef y gwn i amdano yma ar y ddaear, yw pan ddaw pobl Duw ynghyd . . . i ganu mawl soniarus a gorfoleddus iddo'.[31] Yng ngolwg y Piwritaniaid a'r Methodistiaid, yr oedd canu cyhoeddus yn rhag-lun o'r cyflwr digyfnewid o fawl Duw-ganolog a barheir trwy dragwyddoldeb yn y nef. Yn sicr, rhagwelai Williams Pantycelyn ganu yn y nef ymhlith cymdeithas y saint. Yr oedd ef hefyd yn sicr o destun y canu: anthem angau Calfari yw thema orfoleddus canu'r nefoedd. Teimlai hiraeth angerddol am fod yn eu plith:

> Mae hiraeth arna i am y wlad
> Lle mae torfeydd di-ri
> Yn canu'r Anthem ddyddiau eu hoes
> Am angau Calfari.[32]

Sylwer, unwaith eto, ar grefft y pennill: mae'r gystrawen yn un frawddeg lefn er mwyn cyfleu'r esmwythyd y disgwylia'r emynydd ei brofi draw yn nhragwyddoldeb.

'Effeithiodd ei Hymnau gyfnewidiad neillduol ar agwedd crefydd ymhlith y Cymry a'r addoliad cyhoeddus yn eu cyfarfodydd,'[33] meddai Thomas Charles am gyfraniad arbennig Williams Pantycelyn i'r Diwygiad Methodistaidd a chaniadaeth y cysegr yng Nghymru. Yn yr emyn fe ddaw ffydd a diwylliant, profiad a dychymyg ynghyd i gyfoethogi defosiwn personol ac addoliad cynulleidfaol. Cofleidiwyd casgliadau Pantycelyn gan ddychwel- edigion y Methodistiaid am fod darlun gonest ac adlewyrchiad cywir a chyflawn o'u cyflwr rhwng eu cloriau. Diau y dymunai 'eu taclusu yn rhagorach', chwedl yntau,[34] eithr gweai gyfoeth o batrymau profiadol, o ddelweddau aneirif, a'u ffurfio'n fotiffau deniadol a ddisgrifiai anterth holl deimladau dyn ynghyd â gwae a gorawen yr achubiaeth ryfeddol a ddaeth i'w ran. Trwy'r ffurf lenyddol eneidegol hon, llwyddai i dynnu sylw, ennyn diddordeb, creu dyhead a chymell ymrwymiad i Grist yng nghalonnau miloedd o bobl. Yn wir, Williams Pantycelyn oedd un o'r hysbysebwyr gorau a gafodd yr Efengyl erioed yng Nghymru, a bu llên a chrefydd ein gwlad ar eu dirfawr ennill o'i blegid.

1 Gweler, er enghraifft, sylwadau Donald Davie, *Purity of Diction in English Verse* (Llundain, 1952), t.71; a Helen Gardner, *Religion and Literature* (Llundain, 1971), t.126.
2 *Ffarwel Weledig, Groesaw Anweledig Bethau . . . Y Drydedd Ran* (1769), XXXIII.
3 *Aleluia, Neu, Casgliad o Hymnau ar Amryw Ystyriaethau* (1744), VI, ll. 1–4.
4 *Ffarwel Weledig, Groesaw Anweledig Bethau . . . Y Drydedd Ran* (1769), LXXXIV, ll. 1–8.
5 Ibid., XXII, ll. 2–4.
6 *Gloria In Excelsis . . . Y Rhan Gyntaf* (1771), LVI, ll. 17–18.
7 Ceir ymdriniaeth ddiddorol odiaeth ar Ganiad Solomon gan Francis Landy yn *A Literary Guide to the Bible,* gol. Robert Alter & Frank Kermode (Llundain, 1987), tt.305–19.
8 'Argraffiad beirniadol gyda rhagymadrodd, amrywiadau a nodiadau o *Caniadau, Y Rhai Sydd Ar y Môr o Wydr, & . . .* William Williams, Pantycelyn,' wedi'i olygu gan Dafydd Alwyn Owen, Traethawd M.A. Prifysgol Cymru, 1980, 60, ll. 21–24.
9 Ibid., 61, ll. 29–32.
10 *Ffarwel Weledig, Groesaw Anweledig Bethau . . . Y Drydedd Ran* (1769), XXI, ll. 1–8.
11 Er enghraifft, Epistol Iago, 4: 4.
12 *Gweithiau William Williams Pantycelyn,* cyf. 2, gol. Garfield H. Hughes (Caerdydd, 1967), t.130.
13 *Gloria In Excelsis . . . Y Rhan Gyntaf* (1771), I, ll. 7–9.
14 *Ffarwel Weledig, Groesaw Anweledig Bethau . . . Y Drydedd Ran* (1769), XXXIX, ll. 29–30.
15 Ibid., XLIII, ll. 7–10.
16 'Argraffiad Beirniadol . . . *Môr o Wydr*', 92, ll. 1–8.
17 *Gloria In Excelsis . . . Y Rhan Gyntaf* (1771), LIII, ll. 7–12.
18 'Argraffiad Beirniadol . . . *Môr o Wydr*', 42, ll. 7–12.
19 *Gloria In Excelsis . . . Y Rhan Gyntaf* (1771), VII, Yr Ail Ran, ll. 33–40.
20 Ibid., XV, ll. 13–18.
21 *Ffarwel Weledig, Groesaw Anweledig Bethau . . . Y Drydedd Ran* (1769), VI, ll. 1–2.
22 'Argraffiad Beirniadol . . . *Môr o Wydr*', 12, ll. 25–26.
23 *Ffarwel Weledig, Groesaw Anweledig Bethau . . . Y Rhan Gyntaf* (1763), II, ll. 25–30.
24 *Aleluia, Neu Casgliad o Hymnau . . . Yr Ail Ran* (1745), IV, ll. 1–4.
25 *Gweithiau William Williams Pantycelyn,* cyf. 2, t.191.
26 *Ffarwel Weledig, Groesaw Anweledig Bethau . . . Yr Ail Ran* (1766), LXXXIV, ll. 1–6.

27 *Ffarwel Weledig, Groesaw Anweledig Bethau* . . . *Y Drydedd Ran* (1769), XIII, ll. 7–12.

28 *Ffarwel Weledig, Groesaw Anweledig Bethau* . . . *Y Rhan Gyntaf* (1763), LVIII, ll. 1–4.

29 *Gloria In Excelsis* . . . *Yr Ail Ran* (1772), I, ll. 5–8.

30 *Gloria In Excelsis* . . . *Y Rhan Gyntaf* (1771), XIV, ll. 19–24.

31 Dyfynnir yn Colleen McDannell a Bernhard Lang, *Heaven: a History* (New Haven, 1988) t.174.

32 *Gloria In Excelsis* . . . *Yr Ail Ran* (1772), XLIII, ll. 17–20.

33 *Trysorfa Ysbrydol* (1813), t.454.

34 *Gweithiau William Williams Pantycelyn*, cyf. 1, gol. Gomer Morgan Roberts (Caerdydd, 1964), t.1.

Pantycelyn a'r Cardis*

Ar waelod tudalen olaf cyfrol fechan a gyhoeddwyd gan Bantycelyn ym 1781, fe geir yr hysbysiad canlynol:

> Ar ddymuniad amryw Broffeswyr ieuaingc, y mae'r AWDUR yn bwriadu ail argraphu Bywyd a Marwolaeth THEOMEMPHUS; sef, os caiff Ragddywedwyr geirwir am Fil o Lyfrau. Pwy bynnag fydd am danynt, danfonent eu Henwau iddo ef, neu rai o'i Ffryns, cyn diwedd mis Mai nesaf; o herwydd y mae ef yn resolfo peidio argraphu nemawr rhagor o honynt nag a gaffo o Ragddywedwyr.

Fe wyddom ar sail ein gwybodaeth o'r fasnach lyfrau yn y ddeunawfed ganrif mai ar yr awdur yr oedd y cyfrifoldeb a'r baich o sicrhau digon o danysgrifwyr i'w gyhoeddiadau.[1] Fodd bynnag, credaf fod llawer mwy o bwysigrwydd i'r hysbysiad hwn na threfn ac ymarferoldeb y gwerthwr llyfrau a'r dyn busnes darbodus. Yn ôl yr hysbysiad, mae Pantycelyn am ailgyhoeddi ei arwrgerdd hirfaith, *Bywyd a Marwolaeth Theomemphus*, a gyhoeddwyd gyntaf ym 1764, pryd yr oedd effeithiau Diwygiad Mawr Llangeitho yn dal i gynhyrfu eneidiau'r werin. Symbyliad yr ailgyhoeddi oedd cais oddi wrth 'amryw Broffeswyr ieuaingc' ac fe all ifanc yn y fan hon gyfeirio at oedran ystadegol neu at oedran 'yn y ffydd'. Rhaid i ni gasglu bod cenhedlaeth newydd o ddychweledigion yn awyddus i ddarllen hynt a helynt Theomemphus trwy amrywiol brofedig-aethau a heresïau. Yn ôl yr hysbysiad mae'r cyhoeddi'n fater o frys: rhaid i enwau'r tanysgrifwyr ddod i law erbyn mis Mai. Mae'n

* Darlith a draddodwyd mewn cyfarfod o Gymdeithas Hynafiaethwyr Ceredigion, 16 Tachwedd 1991. Cyhoeddwyd yn *Ceredigion* 12/1 (1993), tt.41–60.

amlwg na chafodd Pantycelyn unrhyw broblem i sicrhau'r nifer angenrheidiol o danysgrifwyr oherwydd fe ddaeth yr ail argraffiad o *Theomemphus* o'r wasg yn yr un flwyddyn â'r hysbysiad, sef 1781. Hoffwn fentro – a daw eglurhad yn y man – mai'n weddol fuan ar ôl y dyddiad cau am enwau y gwnaethpwyd hynny.

Mae'n bryd gofyn pa gysylltiad oedd rhwng cyhoeddi'r ail argraffiad hwn o *Theomemphus* a'r Cardis? Fe gafwyd yr hysbysiad am danysgrifwyr ar gyfer *Theomemphus* ar dudalen gefn casgliad newydd o emynau gan Bantycelyn, sef *Rhai Hymnau Newyddion, ar Fesurau Newyddion: a Gyfansoddwyd ar Gais Cynlleidfaoedd Sir Aberteifi a Sir Gaerfyrddin.*[2] Y Cardis, ynghyd â Methodistiaid sir Gaerfyrddin, a wnaeth y cais arbennig am gasgliad newydd o emynau gan Bantycelyn. Gellir bod yn gwbl sicr mai dyma'r unig dro i'r emynydd nodi rheswm paratoi cyfrol o emynau mor amlwg gyhoeddus ar yr wyneb-ddalen fel hyn. Fe argraffwyd y casgliad gyda mân newidiadau dair gwaith yn ystod y flwyddyn, o'r un wasg yn Aberhonddu, a chan nodi'r un is-deitl am gais y Cardis bob tro. Fe gynrychiola'r gweithgarwch hwn haf bach Mihangel yn hwyrddydd gyrfa lenyddol Pantycelyn. I bob pwrpas daeth cyfnod euraid ei sgrifennu i ben yn ystod saithdegau'r ddeunawfed ganrif. Cyhoeddwyd ail ran *Gloria in Excelsis* . . . ym 1772, sef ei gasgliad swmpus olaf o emynau a'r gyfrol odidog o emynau yr awgrymodd Saunders Lewis ein bod yn tresbasu ar dir rhyfeddod wrth ei darllen.[3] Ym 1777 cyhoeddwyd y campweithiau rhyddiaith, *Cyfarwyddwr Priodas* a *Drws y Society Profiad*, a daeth rhan olaf yr enseiclopedia ar grefyddau'r byd, sef *Pantheologia*, o'r wasg ym 1779. Â bron i bedwar ugain o gyhoeddiadau i'w enw erbyn diwedd saithdegau'r ddeunawfed ganrif ar bob ffurf lenyddol o bwys, a bron pob pwnc dan haul, mae'n rhaid gofyn beth a gymhellodd Pantycelyn i sgrifennu ac i gyhoeddi'n weddol helaeth eto, a hynny ar frys yn y flwyddyn 1781? Byddai golwg frysiog ar bum mlynedd o gyhoeddi rhwng 1779 a 1784 yn ateb y cwestiwn hwnnw, ac yn cynnig i ni ddarlun o drai a llanw'r mudiad Methodistaidd.

Ym 1779 – yn ogystal â'r seithfed a'r olaf o rannau *Pantheologia* – fe gyhoeddodd Pantycelyn ei gyfieithiad o *Hanes Troedigaeth ryfedd a hynod y parchedig Mr. Thomas Goodwin, D.D.*[4] Ar ddechrau'r gyfrol mae gan y cyfieithydd air 'At y Darllenydd':

Gweled y fath Dorfeydd mawrion o Ddynion ieuaingc yn y Blynyddau aethant heibio wedi derbyn y fath Gariad, Llawenydd a Hyfrydwch ym Moddion Gras, ac Ordinhadau yr Efengyl, ac eilwaith ym mhen Amser, fel Had ar y Graig ym mhoethder y Dydd, hwythau pan daeth Temtasiynau Cnawd a Nattur, a Gofalon y Byd, a rwystrwyd, ac a aethant yn ol at eu hen Ffordd, ac a ymhyfrydant yn eu hen Bleserau: gweled hyn, meddaf, a wnaeth i mi gyfieithu Profiadau y Gwr duwiol hwn, y rhai a sgrifennodd efe â'i law ei hun, er's agos i 150 o Flynyddau aeth heibio . . .

Mae manylder sylwebaeth Pantycelyn ar gyflwr ysbrydol ei bobl yn glodwiw iawn ac yn gymorth i ni fapio llwyddiant a phinaclau, ynghyd ag isafbwyntiau'r mudiad. Byddai'n beryglus, wrth gwrs, gymryd rhagymadroddion a gweithiau Pantycelyn yn ddrych cwbl gywir i'r amseroedd. Nid hanesydd oedd Pantycelyn ond propagandydd arwrol, ac nid ysgrifennu hanes oedd ei amcan. Wrth gyfieithu hanes Thomas Goodwin – Calfinydd a addysgwyd yng Nghaergrawnt, a ddaeth yn Llywydd Coleg Magdalen yn Rhydychen ac a fu'n aelod o Gymanfa Westminster – amcan ddeidactig oedd gan Bantycelyn. Roedd am rybuddio'r eglwysi i sicrhau bod yr had a heuid ganddynt yn syrthio ar dir da ac yn magu 'blodau peraidd ieuainc' yn y ffydd. Fodd bynnag, er nad amcanai Pantycelyn ysgrifennu hanes, yn niffyg unrhyw dystiolaeth bendant arall fe all ei eiriau ein cynorthwyo i lunio rhywfaint o'r cefndir a'r cyd-destun.

Geiriau dyn digalon, gofidus yw geiriau Pantycelyn at y darllenydd ar ddechrau hanes Thomas Goodwin. Dyn sy'n pryderu am barhad y mudiad y bu ef yn ei feithrin ac yn ei arwain. Bum mlynedd yn ddiweddarach bu'n rhaid iddo amddiffyn yr un un mudiad gan iddo arddangos gormod o arwyddion o lwyddiant. Nid am y tro cyntaf yn ei yrfa lenyddol faith, fe sgrifennodd Pantycelyn *apologia* dros frwdfrydedd y Methodistiaid. Mae teitl y gwaith, sydd ar ffurf cerdd, yn disgrifio natur eu crefydd:

ATTEB I WR BONHEDDIG, A geisiodd brydyddu senn, ir ysbryd a ddesgynodd ar rai gwrandawyr bywiol yn ddiweddar, ac au gwnaeth hwy i ganu, a dublu canu Mawl i Dduw a'r Oen;

ie Bendithio, Molianu, Llawennau; Llammu, a Neidio o
Orfoledd eu Iechadwriaeth . . . [5]

Bu trawsnewid mawr mewn pum mlynedd. Fe'n hatgoffir gan y
disgrifiad o'r bywiogrwydd crefyddol o'r llenyddiaeth a luniodd
Pantycelyn adeg Diwygiad Llangeitho dros ugain mlynedd
ynghynt: bendithio, moliannu, llamu a neidio'n gyhoeddus. A
gafwyd diwygiad arall, llai adnabyddus a llai pellgyrhaeddol ei
oblygiadau yn sir Aberteifi yn gynnar yn wythdegau'r ddeunawfed
ganrif? Pe na bai gennym ond gwaith llenyddol Pantycelyn yn
dystiolaeth, er mor beryglus yw llunio hanes ar sail llenyddiaeth,
byddai'n rhaid ateb yn gadarnhaol *fod* diwygiad rhwng pryderon yr
awdur cynefin â dolur ym 1779, a'r apolygydd wynebgaled dros ei
fudiad ym 1784 a ystyria ymosodiad yn erbyn brwdfrydedd y
Methodistiaid yn bechod yn erbyn yr Ysbryd Glân. Ym 1781, fel y
gwelsom eisoes, ailgyhoeddwyd *Theomemphus,* cafwyd tri
argraffiad o'r emynau a gyfansoddwyd yn arbennig ar gyfer
cynulleidfaoedd sir Aberteifi a sir Gaerfyrddin, ac ym 1782 cafwyd
dau argraffiad o gasgliad newydd arall o emynau[6] – digon byth o
dystiolaeth, mi gredaf, i brofi bod deffroad arall newydd yn
cynhyrfu'r Methodistiaid. Rhaid ystyried ymhellach sut ac ymhle y
cafwyd y diwygiad hwn.

Ceir adroddiadau gan haneswyr y Methodistiaid am ddiwygiad
â'i ganolbwynt yn Llangeitho ym 1781. Noda John Evans,
Abermeurig, y bu cymaint â saith o ddiwygiadau yn sir Aberteifi
rhwng tröedigaeth Rowland a'i farw.[7] Edrydd John Owen,
Thrussington, am y diwygiadau a gafwyd o ganlyniad i bregethu
Rowland yn Llangeitho,[8] ond ym *Methodistiaeth Cymru,*[9] â John
Hughes, Lerpwl, ymhellach, a chofnodi hanes diwygiad ym 1781
gan ddefnyddio sylwebaeth Nathaniel Rowland.[10] Bu ei dad yn
pregethu ar yr un testun ers blwyddyn.[11] Llanwyd y gynulleidfa
eang â theimladau dwys a grymus – rhai'n galaru am eu pechod;
rhai'n llawenhau, eraill yn edifeiriol, ac eraill yn gorfoleddu yn y
gobaith o iachawdwriaeth. Cymharol ychydig o dystiolaeth bendant
arall sydd gennym am y Diwygiad hwn, heblaw am weithgarwch
llenyddol prysur Pantycelyn. Gwyddom am weithrediadau'r
sasiynau ym 1780–1 yn y De a'r Gogledd.[12] Ni wyddys am unrhyw

arwyddion anghyffredin, heblaw am sasiwn Mehefin 1781, yn y Bala, pryd yr oedd llawer wedi teithio o'r De ac y cafwyd canu a neidio ar y strydoedd.[13] Tybed ai casgliad bychan Pantycelyn o emynau i'r Cardis a achosodd y brwdfrydedd newydd ar strydoedd y Gogledd?

Mae'n amhosib bod yn gwbl bendant ynglŷn â dyddio ffenomen mor afreolus ac arallfydol â Diwygiad, eithr fe ellir mentro ychydig yn fwy gyda chyhoeddiadau Pantycelyn. A bwrw bod Diwygiad yn cynhyrfu pobl Rowland yn Llangeitho trwy 1780, gellir tybio i'r ffyddloniaid ymhlith pobl y sir a'r sir gyfagos, sir Gaerfyrddin, deimlo'r angen am emynau newydd a chyflwyno cais i brif emynydd y mudiad tua diwedd 1780 neu ar ddechrau 1781. Rhaid bod yr argraffiad cyntaf o'r casgliad newydd wedi ymddangos yn gynnar ym 1781, tua mis Mawrth, dyweder – byddai hynny'n caniatáu digon o amser i danysgrifwyr argraffiad newydd *Theomemphus* gyflwyno'u henwau cyn diwedd mis Mai. (Mewn difrif calon, mae'n anodd credu heddiw y byddai mil neu ragor am ruthro i danysgrifio i ail argraffiad o *Theomemphus*!) Fel y dywedwyd eisoes, rhaid bod *Theomemphus* wedi ymddangos yn weddol fuan ar ôl mis Mai, gan nad oes hysbysiad arall amdano yn yr ail argraffiad o'r emynau. Tybiaf, am yr un rheswm, mai ar ôl mis Mai y gwelodd yr ail argraffiad olau dydd. Nid oes modd dyddio'r cyhoeddiadau'n bendant, ond gellir awgrymu i *Theomemphus* a'r ail argraffiad o'r emynau ill dau ymddangos tua chanol y flwyddyn, ac i'r trydydd argraffiad ymddangos yn nes ymlaen, efallai yn yr hydref. Ysywaeth, digon niwlog yw'r dystiolaeth, a digon bregus yw'r damcaniaethau ar hyn o bryd ynglŷn â digwyddiadau ysbrydol a llenyddol 1780-1.

I grynhoi. Mae cymharu sylwadau Pantycelyn ar ansawdd crefydd y Methodistiaid ym 1779 a 1784 yn awgrymu y bu deffroad yn gynnar yn wythdegau'r ddeunawfed ganrif ac i'r mudiad Methodistaidd, o ganlyniad, fagu momentwm newydd. Ceir tystiolaeth Nathaniel Rowland ac eraill am ddiwygiad yn Llangeitho ym 1780-1. Cyhoeddodd Pantycelyn ddau gasgliad o emynau ym 1781 a 1782, ac ail argraffiad o'i gerdd epig *Theomemphus*. Nododd ef ei hun iddo gyfansoddi casgliad 1781 ar gais cynulleidfaoedd sir Aberteifi a sir Gaerfyrddin, y gellir tybio mai hwynt-hwy a ddeuai fwyaf o dan ddylanwad yr hyn a ddigwyddai yn Llangeitho. Daeth tri argraffiad o'r gyfrol hon o'r wasg yn yr un flwyddyn.

Gellir bod yn gwbl sicr y bu defnydd mawr a helaeth ar *Rhai Hymnau Newyddion ar Fesurau Newyddion . . .* 1781, gan y Cardis a'u cymdogion agos yn sir Gâr. Mae'n werth bwrw golwg, felly, dros emynau'r gyfrol fechan hon. Cafwyd deunaw o emynau yn yr argraffiad cyntaf, a'r un deunaw, gyda mân newidiadau, yn yr ail argraffiad. Hepgorwyd un a rhoddwyd dau newydd i mewn ar gyfer y trydydd argraffiad a gynnwys, o ganlyniad, bedwar ar bymtheg o emynau. Yn ddiamau, emynau diwygiad ydynt, addas ar gyfer proffeswyr newydd. Ceir dau emyn adnabyddus dros ben yn eu plith, sef, 'Y mae'r dyddiau'n dod i ben', a 'Gwyn a gwridog, hawddgar iawn'.[14] Ceir pum mesur ymhlith y deunaw emyn: 74.74. Dwbl; y Mesur Deuddeg; y Mesur Hir; y Mesur Cyffredin a 7787. Dwbl – y ddau gyntaf a'r olaf yn reit sionc ac yn cynorthwyo'r ysbryd o ddiwygiad a geir yn yr emynau. Er hyn, fe geir ôl brys ar y cyfan; nid casgliadau godidog Pantycelyn y chwedegau a'r saithdegau a lefara yma, ond Pantycelyn y prydydd peirianyddol y trechodd cyffro a phrysurdeb ei gomisiwn ei awen. Ni phoenai'r cynulleidfaoedd gwreiddiol am hyn o gwbl, gan mor wresog eu hawch amdanynt. Ai canmol y Diwygiad newydd a wna Pantycelyn yn y penillion hyn?

> Darfu'r gaia chwerw hir, amser sythdod,
> Pan oedd cwsg yn llanw'r tir, a phob nychdod;
> Daeth y ddwyfol nefol hin, fwyn bereiddia,
> Minnau drachtia'r nefol win: Haleluia.
>
> Tarddu maes mae'r egin grawn, mewn cysondeb,
> Hauwyd gynt yn arfaeth lawn tragwyddoldeb;
> Daeth y ddwyfol nefol hin, fwyn bereiddia,
> Minnau drachtia'r nefol win: Haleluia.[15]

Disgrifio, darlunio, a chynnal Diwygiad fyddai swyddogaeth geiriau fel hyn, a byddai'n anodd gorbwysleisio effeithiau cynulleidfa fawr yn eu canu'n llawn 'sêl, tân a mwynhad o Dduw'. Yn nodweddiadol ddigon, mae'r emynau i gyd yn groes-ganolog:

O *Galfaria* mae fy hedd, a fy mywyd,
Ac oddi yno mae fy ngwledd, nefol hyfryd.[16]

Thema amlwg arall yw trysorau haeddiant y groes yn gwrthbwyso holl gyfoeth y byd. Ac yn aml hefyd, fe geir y pechadur pennaf yn llefaru o ganol dyfnder ei amheuon a'i ofnau:

Fel pan bo terfysg, pan fo gwae,
Oll yn cynnyddu, yn parhau;
Fod f'enaid I heb fraw na phoen,
Yn llechu ym mynwes addfwyn OEN.[17]

Nodwedd amlycaf y gyfrol, fodd bynnag, yw'r disgrifiadau o arwriaeth fawr yr antur ysbrydol Fethodistaidd:

Nôl tywyllwch hir y nos, gwawr sy'n codi,
A thrwy haeddiant dwyfol loes, daeth goleuni;
Ledio y mae'r haulwen bur, fwyn bereiddia,
Tua'r sanctaidd hyfryd dir. Haleluia.[18]

Dyna'r arwriaeth, yr hyder a'r sicrwydd a ddisgrifid gan Bantycelyn yn odidog trwy ei holl lenyddiaeth. Ceisiais ymdrin yn weddol helaeth â chynnwys a chefndir emynau 1781, am mai'r Cardis yn y lle cyntaf a ofynnodd amdanynt, am fod Diwygiad yng Ngheredigion adeg eu cyhoeddi, ac am i'r bennod hon o hanes diweddar y genhedlaeth gyntaf o Fethodistiaid, ac o yrfa lenyddol Pantycelyn, gael eu hanwybyddu gennym i raddau helaeth hyd yn hyn.

Wrth olrhain cysylltiad un gyfrol fach o emynau o eiddo Pantycelyn â sir Aberteifi ym 1781, rhaid bod yn ymwybodol o gyfrol fwy, a Diwygiad mwy, a gafwyd bron ugain mlynedd ynghynt gyda chyhoeddi *Caniadau, (Y rhai sydd ar y Môr o Wydr . . .)* ym 1762.[19] Mae'n rhan o fytholeg fawr y Methodistiaid i'r gyfrol hon fod yn gatalydd i'r Diwygiad Mawr a gafwyd yn Llangeitho y flwyddyn honno. Yn ôl pob tystiolaeth, fe ystyriai Pantycelyn y cyhoeddiad hwn yn drobwynt yn ei yrfa:

Yr wyf yn barod i gredu mai dyma'r HYMNAU olaf a gewch chi
o tan y Llaw hyn byth . . .

meddai yn y gair 'At y Darllenydd'.[20] Gellir tybio iddo sgrifennu fel hyn o ganlyniad i effeithiau'r Ymraniad a flinai'r Methodistiaid drwy gydol pumdegau'r ganrif – a fyddai unrhyw ddiben cyhoeddi rhagor o emynau yn wyneb y diffyg cynnydd, a seiadau mewn amryw fannau yn edwino? Neu, a deimlai Pantycelyn yntau iddo ddisbyddu'i awen ar ôl bron ugain mlynedd o ganu a thros dri chant o emynau eisoes i'w enw? Mae'n amhosib bod yn gwbl sicr. Arwyddocâd pennaf cynnwys y gyfrol hon yw'r amrywiaeth profiad a geir yn yr emynau. Daeth yr emynydd yn llenor ac yn Gristion digon aeddfed i fedru canu'n gelfydd am ofid, siom a methiant y bywyd Cristnogol, yn ogystal ag am ei hyder a'i lawenydd amlwg. Mae emynau'r gyfrol, meddai Pantycelyn:

> . . .wedi addassu at dymherau ysprydol rhai ag sydd wedi cyfarfod ag amryw brofedigaethau, croesau, a chystuddiau o maes, ac aneirif Gystuddiau Yspryd ac ymdrechiadau o mewn; Dynion meddaf sydd wedi myned tan Dywyllwch, Culni, Anghrediniaeth, a'r Cyffelib; rhai a drafodwyd o Lestr i Lestr (cyflwr ag y mae aneirif o broffeswyr y Dyddiau hyn yn ei adnabod) . . . [21]

I bobl Rowland a ddeuai ynghyd yn Llangeitho i wrando ar yr 'oracl efengylaidd a nefol', chwedl Christmas Evans, yn traethu'n ogoneddus o Sul i Sul, yr oedd y fath gyfuniad a sbectrwm o brofiadau'n hynod o ddeniadol, o addas a grymus yn eu golwg. Ac fe gafwyd Diwygiad a barai i'r mudiad Methodistaidd ymledu dros Gymru gyfan a throi'n bennod ffurfiannol yn hanes modern y genedl.

Os emynau eang eu rhychwant profiadol ac, at ei gilydd, feistrolgar eu celfyddyd, a gyneuodd dân Diwygiad Mawr Llangeitho, gweithiau rhyddiaith drwyadl Fethodistaidd a ddaeth allan ohono. Nid oes gan Bantycelyn yr un gwaith rhyddiaith sy'n dyddio o flaen 1762: Diwygiad Llangeitho a'r ffenomena o'r fath ganu, llamu a neidio o orfoledd yng nghefn gwlad Ceredigion a droes Pantycelyn yn awdur rhyddiaith. Propagandaidd o seiadol yw eu tôn, a naill ai y mae'n rhaid eu hystyried yn anfaddeuol o unllygeidiog a digywilydd neu'n arwrol o ganmoladwy a chlodwiw. Drwy enau'r ferch ifanc yn *Llythyr Martha Philopur* . . .[22] fe gawn ddadansoddiad graffig Pantycelyn o brofiad bythgofiadwy tröedigaeth:

> . . . ond pan welais olwg ar fy nhrueni (ac mi gofiaf y lle, yr awr, y bregeth a'r pregethwr, tra fwyf yn anadlu ar dir y rhai byw), gwelais ef mor ddwfn nas gall'swn gael un pleser is yr haul. . .[23]

meddai Martha, a chawn ddarllen am y trybini teimladol sy'n wraidd y grefydd, ac am y trawsnewid aruthrol ym mhersonoliaeth ac ymddygiad y ferch ifanc o ganlyniad i'w thröedigaeth:

> . . . gwawriodd dydd arnaf. Ces deimlo mewn munud fod fy mhechod wedi ei faddau . . . mae ynof ysbryd arall, nas meddwn arno erioed o'r blaen.[24]

Rhestrir hefyd yn y llythyr un ar bymtheg o ddyfyniadau o bob cwr o'r Ysgrythur i gadarnhau ac i amddiffyn dilysrwydd y Diwygiad.

Parhau'r amddiffyniad o grefydd y Methodistiaid a wnaeth Pantycelyn yn ei waith rhyddiaith nesaf, sef yr ateb i lythyr Martha Philopur, *Atteb Philo-Efangelius*.[25] Unwaith eto, disgrifir effeith-iau'r Diwygiad Mawr, ond y mae tôn yr *Atteb* yn fwy beiddgar fyth na'r *Llythyr*. Dyma ail bentecost ar dir a daear Cymru, meddai'r athro ysbrydol: mae'r wawr wedi torri, a Haul y Cyfiawnder yn disgleirio dros y wlad. Ceir *leitmotiv* trwy'r llythyr er mwyn argraffu dilysrwydd y Diwygiad ar ddychymyg y darllenydd. Fe ddigwydd yr ymadrodd 'o'r Arglwydd y mae'r gwaith' a'r amrywiadau arno'n gyson: dull clyfar a dyfeisgar y propagandydd o greu achos y Diffynnydd:

> Fy chwaer, yn awr yr wyf yn dibennu gan addef, ar ôl rhoi golwg tros y cwbl, imi wneud fy hun yn sicr mai o Dduw mae hyn o waith, sef fod pobl yn canu yn ddiarswyd ac yn ddigywilydd, yn canmol, yn moli, ac yn bendithio Duw, dweud yn dda amdano wrth bawb, yn argyhoeddi pechod, yn sefyll tros ei enw o flaen brawdleoedd, llamu o orfoledd ei iechadwriaeth, datguddio ei ddaioni ef i'r byd.[26]

Mae *genre* y llythyr yn gweddu i'r dim i'r math hwn o fynegiant sydd o ganlyniad yn gwbl gredadwy. Ac yn ôl eich safbwynt, y mae'r gweithiau rhyddiaith cyntaf hyn naill ai'n fynegiant manwlysbrydoledig neu anfaddeuol-ragfarnllyd o ffenomen tröedigaeth a Diwygiad yr oedd ei ganolbwynt yn sir Aberteifi.

Er hyn i gyd, nid trwy ryddiaith bropagandaidd y llenor mae olrhain cysylltiadau uniongyrchol Pantycelyn â'r Cardis ond trwy ei waith yn y seiadau, ei bregethau, a'i deithiau o amgylch cefn gwlad. Yn baradocsaidd ddigon, mae'n bosib daearu Pantycelyn ar dir Ceredigion trwy lunio cyd-destun a chefndir ei weithiau mwyaf annaearol ac arallfydol, sef ei farwnadau. Hoffwn dreulio gweddill y ddarlith hon yn ymdrin â saith o farwnadau Pantycelyn sy'n ganeuon coffa i gwmni bychan o Gardis tra diddorol, gan gynnwys un o feibion disgleiriaf a phwysicaf y sir hon, sef Daniel Rowland. Drwy ystyried y rhain, cawn olrhain rhyw ychydig o hanes Pantycelyn yn y pulpud a'r seiat, ac ar aelwydydd y Cardis. Dylwn bwysleisio o'r cychwyn nad yw'r marwnadau hyn yn ddogfennau hanesyddol fel y cyfryw, nac yn ganeuon personol: ychydig o hanes y gwrthrych a llai fyth o alar personol Pantycelyn a geir ynddynt, eithr y maent yn ymdrin â phobl o gig a gwaed ac â llecynnau daearyddol pwysig i'r Methodistiaid cyntaf. O safbwynt llenyddol, nid yw'r rhain yn farwnadau yn y traddodiad Taliesinaidd arwrol o ganu marwnad. Mae iddynt eu harwriaeth a'u delfrydau a'u motiffau nodweddiadol eu hunain, ond y mae'r rheini ynghlwm wrth dragwyddoldeb a chymdeithas y saint.

Marwnad i Gardis oedd y farwnad gyntaf oll i Bantycelyn ei chanu, ac yntau'n ddeugain oed ar y pryd. Cyhoeddwyd y farwnad yn y casgliad bychan, *Rhai Hymnau a Chaniadau Duwiol*.[27] Ymhlith yr emynau a'r caniadau ceir 'Can am Farwolaeth, neu Farwnad amrywiol rai Duwiol a fyant feirw yn Sir Aberteifi yn agos i Langeitho, o ddautu yr un Amser ac o'r un Gynulleidfa honno . . .'.[28] Fe geir yn y farwnad dri ar ddeg o benillion pur afreolaidd eu mydryddiad. Mae ymateb Pantycelyn i farwolaeth y ffyddloniaid hyn yn debyg iawn i'r mynegiant o'i hiraeth escatolegol a geir yn ei emynau cynharaf:

> O na chawn i fynd fy hunan,
> At y nefol gydsain gyngan.

Eiddigeddu a wna'r bardd wrth y wledd o ganu a hyfrydwch sydd bellach yn eiddo i'r ymadawedigion. Ysywaeth, ni chawn unrhyw

wybodaeth ynglŷn â phwy yw'r meirw, na beth oedd eu galwedig-
aeth neu ymha seiat neu eglwys yr oeddynt yn aelodau:

> Mae ei [sic] Cadwynnau wedi dattod,
> Ai Cathiwed wedi darfod,
> Ei Cystuddiau au poen ai gofid
> Oll tu faes i Borth y Bywyd.

Y cyfan a wneir yn y gân hon yw delfrydu eu cyflwr nefolaidd, a
disgrifio hiraeth angerddol Pantycelyn am fod yn eu plith.

Yn sgil ymchwil fanwl Gomer Morgan Roberts,[29] gwyddom dipyn
yn fwy am wrthrych marwnad nesaf Pantycelyn i un o'r Cardis, sef
Theophilus Jones, a fu farw ym 1758. Un o Flaen-y-plwyf,
Llanfihangel Ystrad, ger Abermeurig ydoedd.[30] Bu Howel Harris yn
pregethu yno'n gyson, ac âi Pantycelyn ar dro yn ei gwmni. Bu dwy
o ysgolion cylchynol Griffith Jones, Llanddowror, yn cyfarfod ym
Mlaen-y-plwyf ar ddechrau pedwardegau'r ddeunawfed ganrif, gyda
chyfartaledd o drigain o ysgolheigion. Mae'n amlwg o'r farwnad fod
gan Bantycelyn feddwl uchel o Theophilus Jones, eithr nid teyrnged
angladdol ar gân yw'r gerdd, ond geiriau'r ymadawedig ei hun – o
du draw i'r llen! Ystrydebol ddigon yw'r hyn a ddywedir ganddo: fe
geir canu moliant unsain yn y nef; cyferbynnir cyfoeth y byd â
chyfoeth y nef a delfrydir cyflwr y pererinion a geir yno:

> Nid oes pris na chyfri yma
> O aur, mwy nag o'r tywod yna;
> Perl a gemau gyd yw'r golud
> Gan farsiandwyr tir y bywyd,
> Cariad a llawenydd cyson
> Sydd yn llifo fel yr afon
> Loew las dros y maes, i ddiodi
> 'R pererinion ga's eu maeddu
> Gan y gwers wrth ddod i fyny.[31]

Yn ôl Pantycelyn, dyma ben draw a gwobr y rhai sy'n dal ati er
gwaethaf cystuddiau ingol y bywyd ysbrydol ar y ddaear hon.

Marwnad i offeiriad o sir Aberteifi yw'r nesaf, ac ar lawer cyfrif
mae'n un o'r darnau mwyaf rhyfedd a sgrifennodd Pantycelyn. Bu
farw Lewis Lewis yn annhymig o ifanc ar 9 Mehefin 1764, yn saith

ar hugain oed. Cyhoeddwyd y farwnad, 'Crwydriad Dychymmyg I Fyd yr Ysbrydoedd . . .' yr un flwyddyn.[32] Un o Landdeiniol oedd Lewis Lewis, yn ôl marwnad arall iddo gan Morgan Rhys.[33] Ffantasi llwyr yw marwnad Pantycelyn iddo ar ffurf ymddiddan. Yn lle galaru am y golled wrth yr ymadawedig, manteisia Pantycelyn – sydd yn cysgu ac mewn breuddwyd yn ôl y gerdd – ar y cyfle i geisio atebion i rai o ddirgelion tragwyddoldeb. Noda'r bardd ar y dechrau drasiedi'r farwolaeth annhymig:

> P'odd diangaist ar y wawrddydd?
>   P'odd aeth dy gadwynau'n rhydd
> Cyn cael teimlo nerth y gelyn,
>   Cyn cael profi gwres y dydd?

Nid olrheinir dim o gysylltiad Pantycelyn â'r gwrthrych ond y mae'n rhesymol i ni gasglu y bu'r offeiriad ifanc hwn yn gefnogol dros ben i'r Methodistiaid. Llefara'r ymadawedig – yn debyg i Theophilus Jones – o du hwnt i'r llen, gan ddatgan yn gwbl blaen fod dirgelion y nef uwchlaw amgyffred daearolion. Yr unig gyfeiriad o bwys yn y farwnad yw'r dilorni ar ddysg Isaac Newton:

> Nid yw doniau mawrion Newton
>   O fawr gyfrif yn y Nef;
> Mwy yw'r lleiaf wers o'r Beibl
>   Na'i holl lyfrau enwog ef.

Propaganda gwrth-ddeïstaidd prif lenor y Diwygiad Methodistaidd yw'r llinellau hyn yn ddiamau.

Ceir awgrym cynnil ym marwnad nesaf Pantycelyn i un o'r Cardis fod y gwrthrych yn un o ddychweledigion y bardd ei hun. Yn sicr, canodd Pantycelyn farwnad lawer mwy personol i William Richard nag odid neb arall o'r Methodistiaid llai adnabyddus. Bu farw'r gwrthrych o'r ddarfodedigaeth yn ystod haf 1770, a chyhoeddwyd y farwnad y flwyddyn ddilynol.[34] Cawn hanes yr anhwylder yn y gerdd, ynghyd ag adolygiad o yrfa Richard fel pregethwr ac arolygwr seiadau. Mae'n werth olrhain ychydig o'r hanes hwn gan fod William Richard ymhlith arwyr cyntaf anghofiedig Methodistiaeth y sir. Yn Sasiwn Llanddeusant, Chwefror 1743, dewiswyd ef i arolygu seiadau Blaenhoffnant,

Dyffryn Saith, Blaen-porth, Tŵr-gwyn, Llechryd a Llanfair-orllwyn.[35] Daeth, felly, yn ôl ei eiriau ef ei hun, yn 'Superintendent over the Societies by the Sea Side from Llwyndafydd to St. Davids'.[36] Yn nyddiau cyntaf Methodistiaeth, pan geisid gosod trefn ar fugeilio ac arolygu'r dychweledigion, gallai ardal arolygiaeth, megis yn achos un William Richard, dorri ar draws ffiniau sirol os oedd hynny'n fwy cyfleus.[37] Anfonodd ei adroddiad cyntaf yn ôl i'r Sasiwn ym mis Gorffennaf 1743.[38] (Adroddiadau'r arolygwyr yw'r dystiolaeth orau sydd gennym o ddatblygiad graddol a natur y mudiad Methodistaidd yn ei flynyddoedd cyntaf.[39]) Dengys adroddiadau Richard – ac fe'u ceir yn Saesneg yn ogystal â'r Gymraeg – ei fod ef, fel eraill o'r arolygwyr, yn ŵr o ddiwylliant ac yn rhugl yn y ddwy iaith. Gwelir hefyd o'r adroddiadau ei fod yn ŵr o argyhoeddiad a chanddo seicoleg praff i ddadansoddi cyflwr ysbrydol ei bobl. Wrth restru aelodau'r seiadau – yn wryw ac yn fenyw, yn sengl ac yn briod – dyry sylwadau treiddgar arnynt, ac ar effeithiolrwydd gwaith y stiwardiaid. Er enghraifft, sonia am un John Rees, aelod o seiat Blaenhoffnant ym 1743:

> . . . under many doubts and fears . . . many hard and strong trials within, Longing for Christ.[40]

Ac ymhelaetha ychydig ar gyflwr aelodau seiat Dyffryn Saith ym mis Hydref 1746:

> Mae yno amryw eneidiau gwerthfawr sefydlog yn yr arglwydd – ond y mae amryw ohonynt yn cael ei blino gan brofedigaethau oddi fewn ag oddi allan – nid oes neb wedi gwrthgilio yn hollol na neb wedi ei chwennych.[41]

Yn ôl pob tystiolaeth, felly, yr oedd William Richard yn arolygwr galluog, cydwybodol a gweithgar. Clod uchel sydd gan Bantycelyn i'w ymdrechion yn y seiat:

> Llawer ymdrech galed ddurfin
> Ga'dd e ymhlith y duwiol werin
> Weithiau cnawd a chwant yn rhuo,
> Byd, bryd arall, yn concwero;
> Ac wrth daro rhai'n ar amcan
> Fe gai saeth am saeth ei hunan.[42]

Gwyddom hefyd yr arferai Richard bregethu'n gyson ledled cefn gwlad Ceredigion a thu hwnt. Fe'i clywyd yn traethu gan John Thomas, Tre-main, dros bedwar ugain o weithiau yn ystod y tair blynedd a chwarter a rychwentir gan ddyddiadur y pererin hwnnw – dim ond wyth o weithiau clywsai Pantycelyn yn yr un cyfnod.[43] Mae'n amlwg o'r farwnad iddo i Richard fwrw ati i bregethu yn ei ieuenctid gydag egni a sêl anghyffredin:

Chwys fel nentydd clir yn llifo,
Tarth trwy ei wisgoedd tew yn suo.[44]

Awgrymir iddo gynorthwyo yn y gwaith o ledaenu dylanwad Diwygiad Llangeitho, a cheir yr ymdeimlad o'r llinellau hyn y bu Pantycelyn ei hun yn sylwebydd agos i'r olygfa fwy nag unwaith.

Yn yr un cyfnod ag yr oedd William Richard yn arolygu hanner dwsin o seiadau mewn tair sir, ond yn bennaf seiadau gwaelod sir Aberteifi, fe apwyntiwyd Williams Pantycelyn, ar brawf, i ofalu am seiadau gogledd y sir. Derbyniodd yr alwad hon yn Sasiwn Trefeca, 27 Mehefin 1744,[45] ac anfonodd ei adroddiad cyntaf yn ôl ar 23 Hydref yr un flwyddyn.[46] Gellir ystyried y misoedd hyn ar ganol 1744 yn rhai cwbl dyngedfennol ym mywyd Williams Pantycelyn. Dyma pryd yr asiwyd am y tro cyntaf ei ddyletswyddau ymarferol, trefnyddol, â'i yrfa lenyddol. Cyhoeddodd ei gasgliad cyntaf o emynau, *Aleluja*, tua chanol neu ddiwedd mis Medi 1744,[47] yr union adeg pryd yr oedd wrthi'n paratoi ei adroddiad cyntaf i'r sasiwn. Rhaid cydnabod nad yw adroddiadau Pantycelyn i'r sasiwn cystal â rhai William Richard; nid ydynt mor fanwl nac mor bersonol. Er hynny, gwyddai'n burion am amcan a buddioldeb seiat, fel y prawf ei gronicl cyflawn o'i weithgaredd, *Drws y Society Profiad*, a chredir yn gyffredinol mai ef oedd y pencampwr mewn seiat o blith yr arweinwyr mawr. Ac ambell dro, wrth briodi ysbryd arwrol y Methodistiaid â hanes yr Hen Destament a'r genedl etholedig, mae'n medru rhagori. Er enghraifft, wrth sgrifennu am y seiadau dan ei ofal ym mis Ionawr 1748, dywed fod:

... cynydd y rhain i'm tyb i yn bur gyffelyb i lwybr plant yr Israel yn yr anialwch yr hwn oedd weithiau yn mynd yn union

tua Chanan ag ymhen gronin megis pe buasai eilwaith yn
arwen tua Aipht ag yn rhoddi llawer iawn o droiadau . . . megis
pe buasai'r arglwydd am ei drysu hwynt yn yr anialwch fel na
ddaethent oddi yno byth mwy – ond yn hyn oll yr oedd y golofn
dân a'r cwmwl niwl o'i blaen ag yn ei chymwyso i wlad yr
addewid.[48]

Ac felly diffiniad teipolegol a gawn gan Bantycelyn o gyflwr
ysbrydol y Methodistiaid. Un a siaradai iaith Canaan oedd William
Richard, yn ôl y farwnad iddo, un oedd yn brawf o'r fendith o gredu'r
Beibl, chwedl y bardd. Un ydoedd a feddai dân yn ei fynwes hyd yn
oed ar ei wely angau, ac yn un o'r ychydig iawn o gyffyrddiadau
personol a geir ym marwnadau Pantycelyn dywed y bardd iddo fod
wrth erchwyn y gwely hwnnw.

Wrth drafod marwnadau Pantycelyn i'r Cardis, dynion a gafodd
y sylw hyd yma. A dynion, wrth gwrs, oedd yr arweinwyr pwysicaf,
y pregethwyr mawr, yr emynwyr ac arolygwyr y seiadau. Eithr fe
wyddom fod merched ifanc – twr ohonynt – yn aelodau ffyddlon yn
y seiadau, ac ar eu cyfer hwy yn bennaf y sgrifennodd Pantycelyn
rai o'i weithiau rhyddiaith. Yr oedd yn naturiol ddigon i'r llenor
ganu rhai o'i farwnadau i ferched, er mai dwy farwnad yn unig sydd
i ferched a oedd yn hanu o'r sir hon. Braidd yn *chauvinist* yw
agwedd Pantycelyn tuag atynt: fe'u canmolir am eu cysylltiadau a'u
lletygarwch yn hytrach nag am eu ffydd a'u cyfraniad i'r mudiad.
Bu farw Eliza, merch George a Dorothy Price, plas Rhyd-y-
colomennod, Llangrannog, yn ddwy ar bymtheg oed ym 1780.[49] O'r
disgrifiad yn y farwnad, gellir casglu bod y teulu'n un cefnog. 'Palas
hardd' yw Rhyd-y-colomennod, ebe Pantycelyn, â chegin, gardd a
neuadd eang. Cafodd y bardd groeso yno droeon. Gellir tybio mai ar
ei deithiau i waelod y sir i bregethu y byddai'n ymweld â'r plas.
Mae'n amlwg fod y teulu'n gefnogol i'r Methodistiaid ac adroddir
am ei gysylltiad ag achos Penmorfa. Byr yw'r farwnad, ond un
ddwys ei theimlad. Cân y bardd am y drasiedi o golli blodyn hardd
o ferch a phroffeswr. Merch arall o'r sir hon y canodd Pantycelyn
farwnad iddi yw Mary Morris, gwraig Dafydd Morris, Twr-gwyn,
Rhydlewis, a mam Ebenezer Morris a ddechreuodd bregethu ym
mlwyddyn marw ei fam – 1788 – ac a gymerodd ofal Twr-gwyn ar ôl

marw ei dad ym 1791.[50] Pwysa'r baich o golli'i gyfeillion yn drwm
ar Bantycelyn yn y farwnad hon:

> Galarnadau fydd fy nhestyn
> Mae'n debygol tra'n y byd;
>
> . . . .
>
> Un ac un sy'n cael eu galw,
> Yn feunyddiol tua thre'.[51]

Yr oedd ef ei hun wedi croesi oed yr Addewid, a'i iechyd yn dirywio.
Cafodd y gwrthrych amrywiol brofedigaethau yn y ffydd, yn ôl y
bardd, ond bu'n eofn yn angau. Yr oedd yn ddiarhebol a dihafal ei
lletygarwch:

> Ond am garu, ymgeleddu,
> Gwneyd y rheidus oer yn glyd,
> Yr oedd Mary yn abl ateb
> Neb rhyw wraig o fewn y byd.[52]

Bu Pantycelyn ar yr aelwyd droeon. Gwyddom iddo ef, ac yn
enwedig Daniel Rowland, bregethu'n gyson yn Nhŵr-gwyn – y capel
cyntaf i gael ei adeiladu yn sir Aberteifi ar ôl cychwyn y Diwygiad.
Yn Nhŵr-gwyn, ym mis Tachwedd, 1757, y clywsai John Thomas,
Tre-main, Bantycelyn yn pregethu ar yr ugeinfed bennod o Efengyl
Ioan, a nodi yn ei ddyddiadur:

> Diolch i Dduw am y diwrnod hwn ac am y gennad hon. Diolch i
> Dduw am y cwbl. Amen.[53]

Byddai dagrau'n llifo, ebe'r bardd, ar ei ymweliad nesaf â'r Tŵr-
gwyn. Yn ail hanner y farwnad cyflwynir myfyrdodau dychmygol
Dafydd Morris ar ei golled, ond y mae'r rheini, ysywaeth, yn
ystrydebol ddigon, ac y mae hynny'n drueni gan fod mynegiant
Pantycelyn o'i hoffter o'r gwrthrych, a'i werthfawrogiad o'i
chymwynasgarwch, yn gwbl ddidwyll a dwys.

Gwaith llenyddol olaf Pantycelyn oedd ei farwnad i'r disgleiriaf o
Gardis, Daniel Rowland, a fu farw ar 16 Hydref 1790. Rhaid bod
Pantycelyn wedi canu'r farwnad yn weddol fuan oherwydd bu yntau
farw o fewn tri mis ar 11 Ionawr 1791. Gan mai 1791 yw'r dyddiad

ar wyneb-ddalen y farwnad – a ailargraffwyd yr un flwyddyn – mae'n bur annhebyg y gwelodd Pantycelyn ei chyhoeddi.[54] Un a ddoniwyd yn helaeth gan y nef ei hun oedd Rowland, yn ôl Pantycelyn:

> Ai rhaid marw gŵr wnai dyrfa,
>   Oerllyd, drom, yn llawn o dân, –
> Werin fyddar, fud, ddifywyd,
>   Oll i seinio nefol gân?[55]

Dyma, unwaith eto, bropaganda prif lenor y Methodistiaid, eithr fe wyddom i bregethu Rowland ac emynau Pantycelyn drawsnewid bywydau gwerin-bobl cefn gwlad Cymru yng Ngheredigion. Crynhoir yn y farwnad y cyfan o bennod gyntaf hanes y Methodistiaid: o'r 'pryd cododd haul yng Nghymru' yn ôl Pantycelyn, sef 1735, hyd at farw Rowland. Dywed y bardd y bydd miloedd dychweledigion y diwygiadau yn farwnad oesol a pharhaol i weinidogaeth cennad Llangeitho:

> Y dorf seintiau, fry ac yma,
>   Y maent arnynt ôl ei fys,
> Sydd iddo'n gareg-fedd a marwnad,
>   Ac yn bictiwr hardd, fe wys;
> Pan fo ceryg nadd a phapyr,
>   Gyda'r byd, yn myn'd ar dân,
> Gras y nefoedd ar y rhei'ny
>   Ddwg ei enw ef ymlaen.[56]

Y mae cyffro datblygiad cynnar y mudiad ac effeithiolrwydd pregethu Rowland i'w teimlo wrth i Bantycelyn ddisgrifio Boanerges Llangeitho'n cyhoeddi distryw i'r sawl a waeddai am 'safio' eu heneidiau. Aeth neges Rowland ar led i bump o siroedd y De, yn ôl y bardd. Sonnir am gysylltiad y brodyr Cymreig â'u cymheiriaid yn Lloegr, ac asiwyd Sais a Chymro ynghyd yn ôl Pantycelyn gyda chysylltiad George Whitefield â Chymru. Disgrifir geni'r Sasiwn a'i amcan o ddiogelu athrawiaeth ac o drefnu'r mudiad. Cyfleir holl ddrama theatr Llangeitho yn y gerdd:

Deuwch drosodd i Langeitho,
  Gwelwch yno ôl ei law,
Miloedd meithion yno'n dysgwyl,
  Llu oddiyma, llu o draw;
A'r holl dorf yn 'mofyn ymborth,
  Amryw'n dweyd, Pa fodd y cawn?
Pawb yn ffrostio wrth fyn'd adref
  Iddo gael ei wneyd yn llawn.[57]

Daw'r farwnad i ben yn hyderus ddigon, a Phantycelyn yn proffwydo llwyddiant mawr i'r Efengyl yng Nghymru. Dyry siars i Nathaniel – 'Uwch mewn dysg, nid llai mewn doniau'(!) – i barhau gwaith ei dad.

Yn niweddglo'r farwnad enwog hollbwysig hon i Daniel Rowland, fe gydblethir marw'r gwrthrych â marw Pantycelyn ei hun:

Mae fy amser i ar ddarfod,
  Mae fy ngalwad *just* ar dd'od,
'R wyf mewn carchar gan yr angeu,
  Fel yn llechu dan ei droed;
Ni cha'i fynd i maes o'i loches,
  Yma fymryn bach na thraw,
Ond fy Jubil', mi ddisgwyliaf
  Dyr fy nghadwyn maes o law.[58]

Daucanmlynedd yn ôl, gyda'r dymuniad hwn am dorri cadwyni meidroldeb, daeth hefyd i ben gysylltiad William Williams, Pantycelyn, â'r Cardis.

1 Eiluned Rees, 'Bookbinding in eighteenth century Wales', *Journal of the Welsh Bibliographical Society,* 12 (1983–4), t.51.
2 Argraffwyd gan Evan Evans yn Aberhonddu, 1781.
3 *Williams Pantycelyn* (Llundain, 1927), t.183.
4 Argraffwyd gan Evan Evans yn Aberhonddu.
5 Argraffwyd gan John Evans yn Aberhonddu, 1784.
6 *Rhai Hymnau Newyddion, ar Fesurau Newyddion* ... (E. Evans, Aberhonddu, 1782), 12tt.
7 *Hanes Methodistiaeth De Aberteifi* (Dolgellau, 1904), t.365.

8 *Coffhad Am Y Parch. Daniel Rowlands, Gynt O Langeitho, Ceredigion* . . . (Caerlleon, 1839), t.49 a *passim*.

9 John Hughes, *Methodistiaeth Cymru*, cyf. 1 (Wrecsam, 1851), t.249 a *passim*.

10 Adroddir hefyd gan Eifion Evans, *Daniel Rowland and the Great Evangelical Awakening in Wales* (Caeredin, 1985), t.352.

11 Mathew 11: 25-6: 'Yr amser hwnnw yr attebodd yr Iesu, ac y dywedodd, I ti yr ydwyf yn diolch, O Dad, Arglwydd nef a daear, am i ti guddio y pethau hyn rhag y doethion a'r rhai deallus, a'u datguddio o honot i rai bychain: Ie, O Dad, canys felly y rhyngodd bodd i ti.'

12 Gweler 'Atodiad A: Rhestr o Sasiynau 1763–1814' yn *Hanes Methodistiaeth Galfinaidd Cymru*, cyf. 2: *Cynnydd y Corff*, gol. Gomer Morgan Roberts (Caernarfon, 1978), t.529.

13 *Ibid.,* t.91. Gweler hefyd Eifion Evans, *op. cit.,* t.354.

14 *Rhai Hymnau Newyddion, Ar Fesurau Newyddion: A Gyfansoddwyd ar Gais Cynlleidfaoedd Sir Aberteifi a Sir Gaerfyrddin* (Aberhonddu, 1781), Hymn I a Hymn XIV.

15 *Ibid.,* Hymn V, ll. 5–12.

16 *Ibid.,* Hymn II, ll. 1–2.

17 *Ibid.,* Hymn XIII, ll. 17–20.

18 *Ibid.,* Hymn III, ll. 1–4.

19 Argraffwyd yng Nghaerfyrddin.

20 *Caniadau, (y rhai sydd ar y Môr o Wydr. . .)* (Caerfyrddin, 1762), t.iii.

21 *Ibid.*

22 William Williams, *Llythyr Martha Philopur at y Parchedig Philo Evangelius ei hathro* (Caerfyrddin, 1762).

23 *Gweithiau William Williams Pantycelyn*, cyf. 2, gol. Garfield H. Hughes (Caerdydd, 1967), t.1.

24 *Ibid.,* t.2.

25 William Williams, *Atteb Philo–Evangelius i Martha Philopur* (Caerfyrddin, 1763).

26 *Gweithiau William Williams Pantycelyn*, cyf. 2, t.30.

27 William Williams, *Rhai Hymnau a Chaniadau Duwiol* . . . (Caerfyrddin, 1757).

28 *Ibid.,* tt.24–8.

29 Gomer Morgan Roberts, *Y Pêr Ganiedydd. 2: Arweiniad i'w Waith* (Aberystwyth, 1958), t.183.

30 Ceir rhagor o wybodaeth am hanes Blaen-y-plwyf gan Tom Beynon, 'Howell Harris yn Sir Aberteifi', *Cylchgrawn Cymdeithas Hanes y Methodistiaid Calfinaidd,* 31 (1946), t.76.

31 N. Cynhafal Jones (gol.), *Gweithiau Williams Pantycelyn* (Treffynnon, 1887), t.437.

32 William Williams, *Crwydriad Dychymmyg i Fyd yr Ysbrydoedd* (Caerfyrddin, 1764).

33 Gweler Gomer Morgan Roberts, *Y Pêr Ganiedydd* 2, t.173.

34 Argraffwyd gan I. Ross yng Nghaerfyrddin.

35 *Y Pêr Ganiedydd* 2, t.185.

36 LlGC, Llsgr. Grŵp Trefeca, 3002.
37 Am ragor o wybodaeth am ddalgylch y seiadau cynnar, gweler Eryn Mant White, 'Seiadau Methodistaidd De-Orllewin Cymru, 1737–1750', Traethawd Ph.D. Prifysgol Cymru (1991), a'r bennod gyntaf yn fwyaf arbennig, 'Preswylfod Neilltuol yr Arglwydd'.
38 Dyddiad Llsgr. Grŵp Trefeca, 3002, yw 10 Gorffennaf.
39 Eryn Mant White, *op. cit.*, t.3.
40 Llsgr. Grŵp Trefeca, 3002.
41 Llsgr. Grŵp Trefeca, 3036.
42 N. Cynhafal Jones, *Gweithiau Williams Pantycelyn*, t.481. Ystyr 'durfin' yw 'taer', 'garw'.
43 Gweler R. Geraint Gruffydd, 'John Thomas, Tre-main: Pererin Methodistaidd', *Cylchgrawn Cymdeithas Hanes y Methodistiaid Calfinaidd,* 9 a 10 (1985–6), t.55.
44 N. Cynhafal Jones, *Gweithiau Williams Pantycelyn*, t.480.
45 Gweler Gomer Morgan Roberts, *Y Pêr Ganiedydd. 1: Trem ar ei Fywyd* (Aberystwyth, 1949), t.72.
46 *Ibid.,* t.87. Ceir yr adroddiad yn llsgr. Grŵp Trefeca 3025.
47 *Aleluja, neu, Casgliad o Hymnau, ar amryw ystyrjaethau* (Caerfyrddin, 1744).
48 Llsgr. Grŵp Trefeca, 3049.
49 Nid yw'r copi gwreiddiol ar gael. Ymddengys i Bantycelyn ganu marwnad yn Saesneg yn ogystal â'r un Gymraeg, a'r ddwy ar gais y teulu. Gweler J. H. Davies, *Rhestr ò Lyfrau gan y Parch. William Williams, Pantycelyn* (Caerfyrddin, 1918), t.33, am esboniad ar y cefndir.
50 Argraffwyd y farwnad gan Ioan Ross yng Nghaerfyrddin, 1788.
51 N. Cynhafal Jones, *Gweithiau Williams Pantycelyn*, t.561.
52 *Ibid.,* t.564.
53 Gweler Gomer Morgan Roberts, *Y Per Ganiedydd* 1, t.130.
54 *Marwnad y Parchedig Mr. Daniel Rowlands . . .* (Caerfyrddin, 1791).
55 N. Cynhafal Jones, *Gweithiau Williams Pantycelyn*, t.581.
56 *Ibid.*
57 *Ibid.*, t.584.
58 *Ibid.*, t.588.

'A chydgenwch deulu'r llawr'*

I

Amcan y papur hwn yw portreadu dyn a oedd yn ffigur hynod o boblogaidd ac adnabyddus yn ei ddydd ond na chofir amdano erbyn heddiw ond fel awdur dau neu dri o emynau cyfarwydd.[1]

Ganed John Thomas Job ar 21 Mai 1867 yn Llandybïe, yn un o bump o blant John a Mary Job.[2] Yr oedd y teulu'n aelodau yng nghapel Gosen y Methodistiaid Calfinaidd, a bu'r aelwyd yn nodedig am ei duwioldeb a'i chrefyddolder. Yr oedd y fam yn astudiwr brwd o'r Beibl a'r llyfr emynau ac yn edmygydd o farddoniaeth Islwyn.[3] Ewythr i Job oedd yr hynod Barchedig Thomas Job, Cynwil (1825–98), a oedd yn ddirwestwr blaenllaw ac yn un o weinidogion enwocaf yr Hen Gorff. Ymwelai'n gyson â'r aelwyd yn Llandybïe a byddai sgwrsio difyr a hirfaith yno am bob agwedd o fywyd y capel.[4]

II

O ben bwy gilydd, yr oedd Cymru'r adeg honno yn wlad ymneilltuol, yn enwog am ei duwiolfrydedd. Canolid gweithgarwch aruthrol, yn gymdeithasol ac yn ddiwylliannol, ar y capel. Dyma'r cyfnod pryd yr adeiladwyd capeli ar hyd a lled y wlad, a hynny gan fwy nag un enwad a chan osod, yn aml iawn, fwy nag un capel yn perthyn i'r un enwad mewn tref neu bentref. Addolai cynulleidfaoedd mawrion yn y cysegrau ac fe'u cyflyrid gan y diwylliant a gyflwynid iddynt. Fe'u

* Cyhoeddwyd yn *Y Traethodydd* 140 (1985), tt.16–29.

hanerchid weithiau gan bregethwyr a oedd yn fwy o actorion melodramatig nə lleisiau distaw main yr Efengyl. Dyma oes aur y cyfarfodydd crefyddol, y seiat, y Gobeithlu ac yn y blaen, bob un wedi'i anelu at ryw agwedd neu'i gilydd o'r bywyd ysbrydol – ac nid oedd hyn i gyd ond yn un wedd ar egni'r genedl ar ganol gweithgarwch ac optimistiaeth Oes Fictoria. Dylid cofio i Fyddin yr Iachawdwriaeth gael ei sefydlu ym 1865 ac i ddiwygiad rhyngenwadol masnachol-grefyddol Sankey a Moody darfu ar y wlad ym 1875. Eto i gyd, mor gynnar â'r degawd pryd y ganed Job yr oedd newid ysgubol ar y gorwel, a chredai'r Prifathro R. Tudur Jones fod trychineb crefydd Cymru yn yr ugeinfed ganrif i'w phriodoli i'r dirywiad a'r cyfnewidiadau a welwyd yn ystod y chwarter canrif 1890–1914.[5]

'Gesyd Calfiniaeth Dduw yng nghanolfan y meddwl yn hytrach na dyn, a gwneir gogoneddu Duw yn brif ac unig bwrpas bywyd'; felly y pwysleisiodd yr Athro Emeritws J. E. Caerwyn Williams hanfod Calfiniaeth,[6] eithr yn ystod y cyfnod hwn yng Nghymru, hanner olaf y bedwaredd ganrif ar bymtheg, tanseiliwyd yr hen Galfiniaeth efengylaidd a dra-theyrnasai am ganrif gron ers y Diwygiad Mawr ar ganol y ddeunawfed ganrif. Cyfeiriwyd egni diwinyddol y cyfnod at ymgecru am yr Iawn a'r union ffurf y dylai'r athrawiaeth ei chymryd,[7] a chyhoeddodd pen-ddiwynyddion y dydd lyfrau lluosog ar y pwnc llosg. Yn eu plith gellir rhestru'r Dr Lewis Edwards (ymddangosodd ei lyfr yntau ym 1860). Dyma'r cyfnod hefyd pryd yr ymgyfathrachwyd â'r 'Ddiwinyddiaeth Newydd' a geid yng nghyfundrefnau athronyddol Hegel a Ritschl, gan wanychu ymhellach y syniadau uniongred am yr Iawn. Pwysleisiai Hegel dadolaeth Duw yn boddhau ei gariad trwy'r Crist hanesyddol, tra symudodd Ritschl oddi wrth y pwyslais traddodiadol ar y cymod uniongyrchol rhwng Duw a dyn trwy'r Cyfryngwr, a'r profiad goruwchnaturiol ohono, at berthynas yr unigolyn â theyrnas Duw. Undeb moesol Crist a dynion oedd bwysicaf bellach, nes o'r diwedd, ar ddechrau'r ugeinfed ganrif, daethpwyd i ystyried yr Iawn yng ngolau moeseg a chymdeithaseg teyrnas Duw – ac y mae ôl y fath ddatblygiad i'w ganfod yn emynau aeddfed J. T. Job. Cyn mynd at y rheini rhaid talu'r sylw dyledus i'w gynhyrchion llenyddol cynnar a'i ddatblygiad fel bardd-bregethwr.

III

Dechreuodd J. T. Job farddoni pan oedd eto'n llanc, ac y mae ei
gerddi o'r cyfnod hwnnw yn tystio fod ganddo ddiddordeb mewn
amrywiaeth eang o bynciau – o glwb criced Llandybïe hyd at
athrawiaeth yr Iawn – a medr i farddoni yn y mesurau caeth a
rhydd. A gaf ddyfynnu dwy enghraifft a ganwyd ganddo pan oedd
yn ddeuddeng mlwydd oed?[8] Cerddi crefyddol yw'r rhain a sylwer
ar yr ieithwedd farddonol grefyddol:

> Mynegfys Iôn, llawn daioni – yw'r Beibl,
>   I'r byd a'i drueni;
>   Dengys wledd lawn hedd i ni
>   Ar gu lannau'r goleuni.

> Dydd hoelio Iachawdwr ar bren
> Rhwng lladron ar Galfari fryn
> Dydd trengu Tywysog y Nen
> Er canu'r pechadur yn wyn.
> Dydd rhyfedd oedd hwn onide
> Yr heulwen i wylo â drodd
> Wrth weled Etifedd y Ne'
> Yn marw ar Groesbren o'i fodd.

IV

Ganed J. T. Job, fel y dywedwyd eisoes, yn Llandybïe, ar ganol yr
hen Sir Gaerfyrddin, mewn ardal a oedd yn ddiwydiannol ac eto'n
amaethyddol ar yr un pryd. Y mae Sir Gâr yn nodedig gan mai
ynddi hi y cychwynnodd y Diwygiad Mawr ar ganol y ddeunawfed
ganrif, ac mai ynddi hefyd y magwyd y to cyntaf o emynwyr i
gynysgaeddu'r dychweledigion â deunydd cân i'w profiad. Yr oedd
plwyf Llandybïe ei hunan yn 'gylch y teimlid ynddo asbri llenyddol'[9]
a chanddo draddodiad llenyddol yn deillio o'r Oesoedd Canol.[10]
Roedd ganddo hefyd draddodiad o ganu gwerinol digynghanedd o'r
ddeunawfed ganrif ymlaen. Penllanw'r gweithgarwch hwn oedd
sefydlu Eisteddfod flynyddol yn y pentref erbyn hanner olaf y

bedwaredd ganrif ar bymtheg. Fel llanc a chanddo gryn feistrolaeth ar y gynghanedd a'r mesurau rhydd, yr oedd yn gwbl naturiol i J. T. Job ymddiddori yn y digwyddiad blynyddol llenyddol hwn a chystadlu'n aml. Wrth wneud, rhoes ei draed ar yr ysgol farddol a arweiniai o'r eisteddfod bentref i'r eisteddfod ranbarth ac yn y pen draw i'r Eisteddfod Genedlaethol: dyna'r ysgol a ddringodd nifer helaeth o'r beirdd-bregethwyr, a beirdd eraill, ar ddiwedd y bedwaredd ganrif ar bymtheg.

Pan oedd yn ugain oed dechreuodd J. T. Job bregethu, a thrwy gydol ei oes ystyriai'r weinidogaeth a llenydda fel galwedigaeth ei fywyd: "Ie, dyna fy *ideal* i – pregethwr a hwnnw'n fardd!".[11]

Ffenomen Gymreig – a fu'n wedd ar drychineb ddiweddar yng nghrefydd Cymru, ac na fu'n or-garedig at yr awen chwaith – fu'r bardd-bregethwr[12]

meddai'r Athro Bobi Jones, ond gobeithiaf, erbyn diwedd y ddarlith hon, leddfu ychydig ar eiriau llymion yr Athro.

Fel ymbaratoad am fywyd o waith yn y weinidogaeth, aeth J. T. Job i 'Ysgol y Gwynfryn' a dod o dan ddylanwad ei phrifathro adnabyddus, Watcyn Wyn.[13] Emynydd, bardd a beirniad ydoedd a gafodd ddylanwad personol cryf ar ei holl fyfyrwyr. Darllenai ei gerddi ei hunan o flaen ei ddosbarthiadau, ac annog gwreiddioldeb ac annibyniaeth meddwl. Pwysleisiai y dylai pregethwr da, 'ddeall dynion, deall y Beibl a deall ei oes'. Daeth o dan ddylanwad y 'Ddiwinyddiaeth Newydd' ac felly Duw'r Crëwr cariadlon oedd yn ei bregethau – ac yng nghynhyrchion prydyddol ei ddisgyblion, heb roi sylw dyledus i'r Duw cyfiawn sy'n ethol ac yn barnu. Bu'r ysgolfeistr yn nodedig am ei syniadau addysgiadol a gwahoddodd enwogion y dydd o wahanol feysydd i'r ysgol; yr oedd yr englynwr Gwydderig yn ymwelydd cyson. Arferai rhai o'r dosbarthiadau ateb ei gilydd mewn cynghanedd a gellir yn rhwydd gasglu fod barddoni ac eisteddfota yn gefndir i'r hinsawdd bregethwrol. Daeth yr ysgol yn fagwrfa ac yn ganolfan atyniadol i feirdd-bregethwyr y cyfnod: Gwili, yr ysgolhaig diwinyddol, T. E. Nicholas, Crwys, ac eraill llai adnabyddus, megis Dafydd Glanaman Jones, Glasnant ac Aman. Adeg rhyw aduniad canodd Job yr englyn hwn i'w hen ysgol:

I ddysg Gwalia, dyma dŵr – heb lesgau,
Palas gwydr efrydwr,
Dy Wynfryn, wyn awenwr
Athen y *South* yw yn siŵr.[14]

O 'Ysgol y Gwynfryn' fe aeth J. T. Job i Athrofa Trefeca a bu yno am bedair blynedd, o 1889 hyd 1893. Y Prifathro ar y pryd oedd y Parch. David Charles Davies, M.A., ŵyr i'r emynydd David Charles, Caerfyrddin. Yr oedd y Prifathro yn ddiwinydd ac yn athronydd o'r radd flaenaf, a chyhoeddodd nifer o lyfrau gan gynnwys esboniadau, pregethau, a darlithiau. Bu farw ym 1891 ac ymhlith y llu teyrngedau a gafodd yn y wasg, roedd ysgrif a phryddest gan J. T. Job.[15]

Cyfnod Trefeca oedd cyfnod cyhoeddi gweithiau barddonol J. T. Job am y tro cyntaf. Tynnodd un o'r cerddi sylw Syr O. M. Edwards a'i disgrifiodd fel 'dernyn trawiadol o farddoniaeth gan J. T. Job, un o fyfyrwyr Trefeca'.[16] Llais ieuenctid yn llawn o ffydd a gobaith Cristnogol a geir yn 'Mae Ochr Oleu i Bob Cwmwl'. Goleuni yw prif ddelwedd y gerdd hon – yn ogystal â nifer o emynau aeddfed Job:

Tywyll iawn oedd cwmwl pechod
Ond o'i ôl daeth Haul y Duwdod!
Goleu'r iawn fu ar y groes
Sy'n goleuo llwybrau oes!
Drist bechadur! – cod dy feddwl –
"Mae ochr oleu i bob cwmwl".

Wedi ymadael â Threfeca yr oedd J. T. Job bellach yn barod i wynebu her bywyd fel gweinidog Eglwys Iesu Grist ac aeth yn gyntaf i Nazareth, Aberdâr, ym 1893, a bu yno am bum mlynedd. Ym 1894 fe'i hordeiniwyd yn Sasiwn Aberhonddu ac yn y flwyddyn honno hefyd priododd Etta Davies, Ceinewydd, a ganed iddynt dri o blant.[17] Ym 1898, derbyniodd wahoddiad i ofalaeth Eglwys y Carneddi, Bethesda, lle y bu am bron ugain mlynedd. Yr oedd Bethesda'n lle diddorol ac mewn cyfnod diddorol gan ei bod yn adeg yr anghydfod yn Chwarel y Penrhyn. Gwelodd yr ardal gyni eithriadol a bwriwyd hollt angheuol trwy berfedd y pentref – a bywyd yr eglwys – pan ddychwelodd rhai i'w gwaith. Ar ben hyn, ar

176

droad y ganrif, fe ddioddefodd Job brofedigaethau personol enbyd. Collodd ei wraig a'i blant, a bu bron iddo yntau golli ei fywyd.[18] Cofnododd ei brofiad yng ngherddi'r cyfnod hwn. Yn un o'r cerddi, 'Hiraeth',[19] y mae'r bardd wrth feddau'r ymadawedigion. Dyma gerdd sy'n llawn o *pathos* rhamantaidd, yn llawn teimlad, ac y mae personoli yn droad ymadrodd amlwg ynddi yn ogystal â'r elfen ystrydebol o'r llais na all ateb yn ôl:

> Ond nis adwaenant lais eu Tad
> Yn galw'n awr, fel cynt;
> 'Doedd yno ond taw, yn gwylio'u stad
> Ac alaw leddf y gwynt.

Yn y diwedd, caiff gysur yn ei ffydd:

> Rwy'n teimlo bellach wrth dy fedd
> Fy mron yn ysgafnhau;
> Ac yn ymagor Ddrws yr Hedd
> Nas dichon Bedd mo'i gau.

Yn ystod ei gyfnod ym Methesda, fe darfwyd ar J. T. Job gan holl rymusterau Diwygiad 1904 (sylwer ar ddyddiadau ei fywyd – heb ei eni yn Niwygiad 1859 ond yn weinidog canol oed erbyn Diwygiad '04). Daeth y Diwygiad i Fethesda ym mis Tachwedd y flwyddyn honno a'r penllanw ym mis Rhagfyr:

> Wel, nos Iau a ddaeth. A dyna *noson fawr yr ystorm*! Pan edrychwyf yn ôl at y noson hon, nis gallaf lai na'i desgrifio fel *hurricane* yr Ysbryd Glân! Un peth a wn: bydd *Nos Iau, Rhagfyr yr 22ain, 1904* yn gerfiedig mewn llythrennau o dan yn fy nghalon am byth! . . . gwelais *Iesu Grist* ac aeth fy natur yn llymaid wrth ei draed . . .[20]

Nid angerddol na thrist mo bob digwyddiad yng nghyfnod Job ym Methesda: fe ailbriododd ym 1915 a chanodd ei gyfaill, T. Gwynn Jones, gerdd i ddathlu'r achlysur.[21] Ganed mab a merch o'r briodas hon ond bu farw'r ferch yn ifanc. Ym 1917 symudodd Job yn ôl i'r De i ofalaeth eglwys Pentowr, Abergwaun, ac arhosodd yno tan ei farwolaeth ym 1938.

V

Y mae'n hen bryd imi ddweud gair am 'y dyn ei hun', fel petai. Yn ôl pob tystiolaeth y mae'n bosib cymhwyso disgrifiad allan o un o gerddi Job ato ef ei hunan:

> Cartrefai diniweidrwydd dan ei fron
> Prydferthwch syml a harddgarwch llon
> Eisteddant ar ei wyneb.[22]

Ceir ategiad i'r disgrifiad hwn mewn erthygl ddiddorol ar gymeriad ei dad gan y Dr E. Morrice Job:

> Meddai ar y diniweidrwydd gogoneddus a geisiai weld y gorau ym mhawb . . . estynnai ei orwelion ymhell tu hwnt i enwad a chenedl.[23]

Credaf fod ail hanner y gosodiad yn allweddol bwysig i ddeall meddwl J. T. Job fel y'i hadlewyrchir yn ei waith. Yr oedd yn heddychwr ac yn wladgarwr o'i gorun i'w sawdl, ac un thema sydd yn sicr yn rhedeg trwy ei emynau, a llawer o'i farddoniaeth hefyd, yw'r awydd i weld yr hil ddynol yn troi yn un teulu mawr dan groes Calfaria.

Yn ei amser hamdden byddai Job yn bysgotwr brwd, a chanodd gerdd sy'n cofnodi'n hwyliog wefr y pysgotwr. Telyneg ffwrdd â hi ydyw, ac y mae ei chywair a'i hansawdd yn nodweddu llawer o'i gynhyrchion barddonol:

> Ond rhowch i mi fy ngenwair
>   Mi glywaf alw'r lli;
> Mae chwipio'r afon yn fy ngwaed
> Pysgotwr ydwyf i.[24]

Hwyrach nad gor-ryfygu yw awgrymu fod gennym yn y fan hon ddarlun o weinidog heb ei goler gron! Yr oedd Job hefyd yn ddarlithydd. Ei hoff destun oedd un o'i arwyr, William Williams, Pantycelyn, ac ef a gafodd y fraint o draddodi darlith ar fywyd a gwaith y Pêr Ganiedydd ar achlysur dathlu dauganmlwyddiant ei eni yn y Gymdeithasfa yn Llanymddyfri ym 1917. Fel bugail, yn ôl yr anerchiadau a sgrifennodd i'r adroddiadau blynyddol, pwysleisiai ffyddlondeb a chydweithredu.[25] Llefarai o'r pulpud bob amser mewn iaith goeth ond yr oedd yn gaeth i'w bapur. Perthynai, wrth gwrs, i'r to olaf o bregethwyr tanllyd a phregethodd ochr yn ochr â hwy droeon yn ystod ei yrfa, eithr hyd yn oed yn y cyfnod hwnnw dechreuodd y pregethwr golli ei ddylanwad fel ffigur ym meddwl y werin. Diddorol, yn wyneb yr hinsawdd bregethwrol bresennol, yw dyfynnu geiriau sy'n tystio i'w agwedd at y pulpud:

> . . . fod adegau – hyd yn oed yn hanes gwleidyddiaeth – pryd y mae'n ddyledswydd arbennig ar i'r Pulpud godi ei lef yn ei herbyn, heb ofni wyneb dyn, na respectabiliti, na dim o'r fath, sef yn yr adegau hynny pryd y mae perygl i grefydd a moesoldeb gael ei gadael i waedu ar yr heol.[26]

Fel llenor cyhoeddodd Job swm enfawr o waith – yn ysgrifau ac yn gerddi: dylem gofio, wrth gwrs, mai dyma oedd oes anterth y wasg gyfnodol Gymreig. Cyhoeddwyd yr unig gyfrol o'i eiddo, *Caniadau John T. Jôb (Iôb)* ym 1929 ac fe'i hanrhydeddwyd gan Brifysgol Cymru â gradd M.A. *honoris causa* ym 1932. Bu farw ar 4 Tachwedd, 1938 yn 71 mlwydd oed, a chafodd angladd tywysogaidd gyda chewri'r genedl o amryfal feysydd yn bresennol.

VI

Bardd eisteddfodol oedd J. T. Job yn anad dim arall: perthynai i'r sefydliad ceidwadol hwnnw a gafodd ddylanwad aruthrol, ond nid llesol, ar farddoniaeth Gymraeg y bedwaredd ganrif ar bymtheg. Amlygid y geidwadaeth eisteddfodol yn y dewis o destunau – hanesyddol a diwinyddol gan mwyaf – ar gyfer y prif gystadlaethau barddonol, a'r pwyslais aruthrol a roddid ar yr awdl fel camp bennaf y prydydd. Daeth yn uchelgais pob bardd, bron – y mae eithriadau nodedig megis Robert ap Gwilym Ddu – fod yn fardd cadeiriol yr Eisteddfod, ac yn gyson aberthwyd dillynder crefft a meddwl er mwyn cyflawni'r gamp. 'Y brydyddiaeth ddylaf a ysgrifennwyd erioed yn y Gymraeg', meddai'r Athro T. Gwynn Jones am gynhyrchion barddonol yr Eisteddfod ar ganol y bedwaredd ganrif ar bymtheg,[27] eithr erbyn cychwyn yr ugeinfed ganrif daeth tro ar fyd gyda'r Deffroad Rhamantaidd. Ond dylid pwysleisio fod yr Eisteddfod o hyd yn fan cychwyn i'n beirdd mwyaf – T. Gwynn Jones, R. Williams Parry a Syr T. H. Parry-Williams.

Yn farddonol, cyfnod J. T. Job – o fewn y sefydliad eisteddfodol – oedd cyfnod y Bardd Newydd. Dyma'r 'unig ddamcaniaeth feirniadol a gynhyrchodd y cyfnod' yn ôl Syr Thomas Parry,[28] a beirdd ymwybodol *iawn* o'u cenadwri fel beirdd oedd Gwili, Iolo Caernarfon, Ben Bowen, Ben Davies ac eraill, beirdd a gredai mai eu rhan oedd athronyddu yn ogystal â phrydyddu. Beirdd-bregethwyr oeddynt a ymgeisiai dreiddio at Dduw, y 'tu hwnt i'r llen' ond y tu mewn i'r sefydliad eisteddfodol. Rhoddaf y ddamcaniaeth farddonol hon yng ngenau J. T. Job ei hunan:

Y mae pob gwir fardd yn wir athronydd; a phob gwir athronydd yn wir fardd, eithr bod un yn cyrraedd y nod trwy gyfres o risiau rhesymegol, a'r llall trwy fewnwelediad.[29]

Er mwyn cyrchu at y nod aberthwyd eglurder meddwl ac esgeuluswyd y grefft, ac fe droes barddoniaeth yn rhyddiaith. 'Ei dueed oedd llunio ymadroddion trystfawr,' meddai Syr Thomas Parry ymhellach, 'ymhuodli'n derfysglyd a myned yn fwyfwy chwilfrydig ynghylch hanfod popeth nes gorffen yn glwt o gaddug annealladwy.'[30] Dyma'r math o farddoniaeth a damcaniaeth Blatonaidd a enynnodd ymateb Aristotelaidd Syr John Morris-Jones yn *Cerdd Dafod*.

Cam naturiol oedd i Job fel bardd eisteddfodol yn nawdegau'r bedwaredd ganrif ar bymtheg gystadlu mewn eisteddfodau rhanbarth. Ym mlynyddoedd 1892, 1894 a 1895 enillodd y gadair yn Eisteddfod Towyn, Aberhonddu ac Aberteifi ar destunau gwladgarol a chrefyddol: 'Elias yn Ogof Horeb'; 'Gerald Gymro' ac 'Y Wefus Bur'.[31] Ceisiodd am y gadair yn y Genedlaethol yn Llanelli ym 1895: 'Dedwyddwch' oedd y pwnc, a daeth yn ail i Pedrog o blith y chwech ar hugain a gystadleuodd. Bellach, mae'r brentisiaeth drosodd:

J. T. Job, dwed y bobol – heb eithriad
Mai byw athron barddol
Ydyw ef, adawa'i ôl
Hyd fedr y dyfodol.[32]

Y mae awdlau eisteddfodol buddugol J. T. Job yn rhyddieithol braidd, a'u prif rinwedd yw ffyddlondeb y bardd i'w destun. Hanesion a syniadau wedi'u mynegi'n raenus trwy rin y gynghanedd yw'r cerddi, ac yn ôl yr oes a'i creodd rhaid cydnabod i Job ganu ar destunau wrth ei fodd. Yn Eisteddfod Genedlaethol Casnewydd, 1897, cystadleuodd o dan y ffugenw 'Hiraeth' ar y testun 'Brawdoliaeth Gyffredinol'; cynllun triphlyg sydd i'r awdl a'r bardd yn trafod y frawdoliaeth yn y greadigaeth, yn y ddynoliaeth ac yng Nghrist. Clywir llais y Bardd Newydd – a oedd mor huawdl ym mhryddestau'r cyfnod – yma yn awdl Job:

> Ynte breuddwydion plantos
> Yw hud liw Utopia dlos?
> Bardd ydwyf fi'n breuddwydiaw
> Ar hyd y dydd, P'ryd y daw?[33]

Yma, ac mewn mannau eraill yn yr awdl, ceir ymholi ansicr ar ran y bardd, heb iddo gynnig unrhyw ateb i'w gwestiynau:

> Dihuna'r syniad ynwyf:–
> Druan wr, ai crwydryn wyf?
> Ynte un o "blant" Nef–
> Enaid addolir yn dioddef?[34]

Enillodd y gadair eto yn Llanelli ym 1903 ar y testun 'Y Celt' a chynllun triphlyg sydd i'r awdl hon hefyd a'r bardd yn canu i'r Celt, 'mewn hanes, cân a rhamant'. Y mae arddull drwyadl Gymreig i'r awdl hon gan fod y bardd yn pentyrru diarhebion a chyfansoddeiriau. Yr hen broffwydoliaeth 'Eu Nêr a Folant' oedd testun cystadleuaeth yr awdl pan ddyfarnwyd J. T. Job ymhell o flaen y deg cystadleuwr arall gan Syr John Morris-Jones, y Parch. J. J. Williams a Dyfed yn Eisteddfod Genedlaethol Castell Nedd ym 1918. Meddai Syr John Morris-Jones:

> Un yn unig o'r ymgeiswyr hyn a ganfu brif ergyd y testun, sef hynodrwydd ac arbenigrwydd y modd y cyflawnwyd y broffwydoliaeth.[35]

Y mae'r awdl yn gorlifo o optimistiaeth wladgarol Fictorianaidd a diwedda'r gerdd â phroffwydoliaeth newydd y bardd ei hunan:

Doed a ddêl: gwawdied elyn, – a thaered
Bytheiwyr i'w herbyn;
Hithau'r wlad wrth Iôn a lyn
A'i dwylo ar y delyn.[36]

Unwaith yn unig yr enillodd Job goron y Genedlaethol, a hynny yn Lerpwl ym 1900 ar y testun 'Williams Pantycelyn'. Yn rhyfedd iawn, nid llais y Bardd Newydd a glywir yma, eithr ceir ymgais glodwiw i bortreadu'r Pêr Ganiedydd a'i osod yn ei gyd-destun hanesyddol, crefyddol a llenyddol. Dylid pwysleisio i Job ddod i'r brig mewn mân gystadlaethau yn yr Eisteddfod yn ogystal: er enghraifft, enillodd ar y Gwawdodyn Hir yn Eisteddfod Caergybi, 1927, ar y testun 'Golyddan', ac roedd yr ymgais yn ddigon da iddo ei gosod yn *Caniadau Iôb:*

Rhoes o'i llesgedd i'r "Iesu" 'i lwysgan,
Ac o frig "Angeu" cwafriai gyngan.[37]

Yn ogystal â bod yn fardd buddugol yn yr Eisteddfod yr oedd Job, fel pob bardd buddugol arall, hefyd yn feirniad. Sylweddolodd Syr John Morris-Jones natur gyfyng beirniadaeth eisteddfodol: 'ni ellir,' meddai, 'o fewn terfynau beirniadaeth eisteddfodol drafod egwyddorion cyntaf beirniadaeth.'[38] Rhan pob beirniad llenyddol yw ei fod, ac yn amlach na pheidio, yn dadlennu cymaint o'i wendidau a'i rinweddau ei hunan fel beirniad ac fel llenor, ag ydyw am y gwaith llenyddol sydd o dan ei sylw. Y mae'n gwbl sicr i Job gyfeiliorni ar fwy nag un achlysur fel beirniad eisteddfodol ond gellir ei amddiffyn drwy awgrymu mai ef a lanwodd le Syr John Morris-Jones fel prif feirniad yr awdl ar ôl marwolaeth y cawr hwnnw o Gymro ym 1929.

VII

Un gyfrol yn unig o waith J. T. Job a gyhoeddwyd erioed, *Caniadau John T. Jôb (Iôb),* ym 1929. Dyma, wrth gwrs, oedd cyfnod cyhoeddi 'Caniadau' gan ysgol y bardd-bregethwr ac y mae cyfrolau gan Elfed, Moelwyn, Alafon a Gwili yn dyst i'r gweithgarwch. Sylwer ar ddyddiad cyhoeddi cyfrol Job, 1929, sef ar ddiwedd ei oes, pan oedd nifer mawr o'r cerddi eisoes yn gyfarwydd ac yn boblogaidd. Ni chynhwysir yn y gyfrol yr un awdl na phryddest ond ceir detholiad o gerddi yn y mesurau caeth a rhydd; un emyn yn unig a gynhwyswyd a theimlid yn gyffredinol ar y pryd na wnaeth Job gyfiawnder ag ef ei hunan yn y dethol o'r cerddi i'r gyfrol.

Cyfrol o waith bardd-bregethwr yw *Caniadau Iôb* yn ddiau. Olrheiniwyd achau llenyddol a diwinyddol y bardd-bregethwr gan yr Athro Bobi Jones:[39]

> Yr oedd ynddo, gellid dadlau, gyfuniad o ddwy dreftadaeth, heblaw cynhysgaeth y canu gwerin . . . y dreftadaeth a grisialodd y delfryd 'poblogaidd' o ddiwylliant, o'r bardd gwlad ac o ysgafnder llenyddol . . . Rhyddfrydiaeth ddiwinyddol oedd yr ail dreftadaeth, a honno'n eclectig gan dynnu oddi ar sawl ffynhonnell, eithr yn arbennig o gryf o gyfeiriad Schleiermacher a'i bwyslais ar oddrychaeth a theimlad dynol (ac, os caf ychwanegu, ei weledigaeth o undod rhwng crefydd a diwylliant), a Ritschl a'i bwyslais ar yr elfennau moesol ar draul y goruwchnaturiol. Y diwedd oedd, pan nad oedd yr ymennydd ar waith yn llym (sef, fel arfer), fod y bardd-bregethwr a goleddai'r ddwy dreftadaeth hyn yn ei gôl Gymraeg naill ai'n ymgolli mewn niwl haniaethol neu mewn pwll o sentiment, a heb ganllawiau eglur wrthrychol a hanesyddol i roi ffurf ar unrhyw ymwybod o brofiad a allai fod ganddo.

A barnu yn ôl safonau beirniadol ac ysgolheigaidd llym y mae'r dadansoddiad yn un campus, eithr, i wrthbwyso'r feirniadaeth, dylid pwysleisio fod lle sicr a diogel i'r bardd-bregethwr yn niwylliant y cyfnod a bod iddo gynulleidfa barod o werin ddiwylliedig gapelog.

Yn ei adolygiad o'r gyfrol, cyhudda W. J. Gruffydd Job o 'ddiffyg menter wrth edrych ar y byd'[40] gan 'mai o'r pulpud yr edrych ef ar fywyd'[41] ac os oes angen clorianu'r gyfrol a rhoi fframwaith iddi, gellir datgan fod Job yn canu am Dduw'r Creawdwr a chyflwr delfrydol credinwyr yn ei greadigaeth. I feirniadu'r gyfrol yn gyfiawn, rhaid cydnabod fod y bardd o dan straen i reoli'r elfen bregethwrol ynddo ond ei fod ar yr un pryd yn ymarfer meistrolaeth lwyr ar ei grefft, oblegid bardd cywrain sydd yma, yn sicr o'i ddefnyddiau. Y mae holl brofiadau'r bardd yn gefndir i'r gyfrol a chlywir yma lais gwladgarwr, heddychwr a Christion gan fod nifer helaeth o'r cerddi yn ddrych i gychwyn gwewyr ysbrydol yr ugeinfed ganrif; thema sydd yn sicr yn rhedeg drwy ei gerddi diweddar yw ei bryder ynghylch canlyniadau moesol cynnydd.

Cân y bardd ar amryfal destunau. Y mae yma gerddi gwladgarol, megis 'Gŵyl Ddewi Sant':

> O gwêl, fy Ngwlad! a thi yn rhwysg
> Dy gynnydd dirfawr weithion –
> Ai pur dy fron? Ai glân dy foes?
> Ai sanctaidd dy obeithion?
> Glŷn wrth y Groes o oes i oes,
> A'th delyn fyth heb dewi;
> Ac ymgryfhâ, gan ddilyn ôl
> Y gwrol, dduwiol Ddewi.[42]

Y mae nifer o gerddi'r gyfrol yn deillio o gyfnod y Rhyfel Mawr – ei gyfnod gorau fel bardd ac emynydd – a thema'r cerddi hyn yw'r cyferbyniad rhwng bychander dyn a mawredd Duw. Un o feiau amlwg y detholiad yw fod yma ormod o gerddi a ganwyd i bersonau arbennig. Wrth gynhyrchu'r fath gerddi nid oedd Job ond yn dilyn un o gonfensiynau prydyddol ei oes – confensiwn sydd gennym o hyd – ac yn anffodus, y mae nifer o bersonau y canodd Job iddynt wedi mynd i ebargofiant. Ceir amryw o gerddi storïol a disgrifiadol, a rhaid cydnabod fod cryn gamp ar y canu baledol yn y gyfrol. Y mae eu rhediad yn llyfn, a chân y bardd â rhwyddineb melys. Dengys y gerdd, 'Henffych Wanwyn',[43] ei fod yn feistr ar sawl ffigur llenyddol:

> Wanwyn llygadlas! Llama o dwyn i dwyn,
> A meddwa fryn a maes â'i wyntoedd gwin,
> I'w deyrnas dring, a chyfyd bebyll swyn
> Amryliw – lle bu sathr y gaeaf blin.

Haen yn ein traddodiad diwylliedig erioed fu'r cyfuniad cryf rhwng Cerdd Dant a Cherdd Dafod, ac yn llinach beirdd eraill megis Ieuan Glan Geirionydd, Ceiriog a Thalhaearn ceir cerddi yn y gyfrol hon a fwriadwyd i'w datgan i gyfeiliant. Ceir yma nifer o gerddi i blant yn ogystal â chyfieithiadau ar ddiwedd y gyfrol. Y mae un gerdd eto yn

hawlio'n sylw, oblegid o dan y teitl 'Mawl Ac Erfyniad'[44] llwyddodd
Job i gymysgu *genres* a chanu emyn i'r iaith:

Atolwg, Iôr, bendithia'n llên
A ffrwythau 'i hawen hi;
A rhag pob halog ddawn, O Dduw
Daionus, gwared ni.

Nid cyfrol o lenyddiaeth fawr mo *Caniadau Iôb*, ond cyfrol
ddarllenadwy o lên boblogaidd, uniongyrchol ei hapêl.

VIII

Down yn awr i drafod emynau Job, ei gynhyrchion llenyddol gorau
a'r unig reswm y cofir amdano, os cofir amdano o gwbl, erbyn
heddiw.

Nid oes angen mewn cyhoeddiad fel hwn gynnig diffiniad o emyn,
na thraethu am ei nodweddion llenyddol, nac ychwaith olrhain
hanes ei ddatblygiad fel ffurf lenyddol. Felly man cychwyn ein
trafodaeth yw geiriau D. J. Williams: 'Ef yn sicr', meddai am Job, 'a
etifeddodd helaethaf athrylith ysbrydol emynwyr mawr Sir
Gaerfyrddin . . .'.[45] Ceisiaf gloriannu'r farn hon yn ôl y dystiolaeth
a geir mewn dwsin o emynau gwreiddiol Job yn *Llyfr Emynau a
Thonau y Methodistiaid Calfinaidd a Wesleaidd*.[46] (Cyhoeddwyd tri
o'i emynau yn *Y Caniedydd*, a phump yn y *Llawlyfr Moliant*). Fe
ddylid pwysleisio, wrth gwrs, nad dyma'r cyfan o'i gynnyrch
emynyddol. Ceir ganddo gyfieithiadau ac emynau achlysurol yn
britho cylchgronau'r cyfnod, a chanwyd nifer o emynau tra nodedig
ganddo yn y cyfnod 1929–38, sef y cyfnod rhwng cyhoeddi y *Llyfr
Emynau a Thonau* a'i farwolaeth.

Emynydd i'w oes oedd Job, fel pob emynydd mawr, ond ni
pherthyn ei emynau, fel llawer o'i farddoniaeth, yn gyfan gwbl i Oes
Fictoria. Ni cheir y pwyslais mawr ar 'waith' a geir yng ngwaith
Elfed, na chwaith linellau fel y rhain gan J. J. Williams sy'n andwyo
emyn adnabyddus:

Cedwi'r weddw dan dy gysgod
A'r amddifad yn dy law.[47]

'Derbyn pob oes yr emynydd a haedda,' meddai beirniad diweddar,[48] ac y mae'n sicr fod oes Job yn bur wahanol i angerdd mawr y Diwygiad ar ganol y ddeunawfed ganrif pryd y blodeuodd yr emyn fel ffurf lenyddol a rhoi mynegiant i brofiad personol y credadun:

> It was the time when the Free Church mind, in England and Wales alike, was breaking out of its obsession with personal experiences and personal ethics and looking both hopefully and critically at the wider social scene. Men began to cry out for social justice, for world peace and unity and progress; and it seemed possible for a generation or two to see these things as the realisation of the Kingdom of God on earth.[49]

Canu'r deyrnas newydd a geir felly gan y to olaf o emynwyr mawr, Moelwyn, Tecwyn Evans, Nantlais, Dyfed, Elfed, Job ac eraill. Yn oes yr Efengyl Gymdeithasol, canent am frawdgarwch a chyfiawnder. Bu rhagflaenydd iddynt ym mherson R. J. Derfel, a'i ymgais i gysoni Sosialaeth a Christnogaeth. Cyhoeddwyd ei emynau ym 1865 ac fe gynhwysant linellau fel y rhain:

> Darostwng ben y balch i lawr
> A chod y tlawd i'r lan.[50]

Yng ngwaith Job yn anad yr un emynydd arall ceir beirniadaeth gref ar ddyneiddiaeth fodern, a hawdd nodi'r cerrig milltir yn ymestyn trwy Darwin, ond yn bennaf trwy Nietzsche. Yn ei ddarlith ar y diweddar Athro J. R. Jones, dywed y Dr Meredydd Evans:

> Pennaf cabledd dyn yw ei duedd barhaus i geisio diorseddu Duw a gosod efô ei hunan yn Ei le.[51]

A'r ymwybyddiaeth o'r pechod hwn sydd wrth wraidd emynau gorau Job:

> Darostwng falchder calon dyn,
> A nwydau'r blin orthrymydd;
> A dysg genhedloedd byd o'r bron
> I rodio'n isel ger dy fron;
> Iôr Union, bydd Arweinydd.[52]

Ac ymhellach:

Maddau, dirion Arglwydd, ddirfawr fai y bobloedd,
Maddau rwysg annuwiol ein holl benaethiaid ni.[53]

Traethu gyda dwyster ac angerdd argyhoeddiad y mae Job am
fychander a cholliineb dyn o flaen maintioli'r Hollalluog Dduw.

Cyn cloi gydag ychydig o sylwadau ar themâu a delweddau
emynau J. T. Job, hoffwn ddilyn trywydd gwahanol a cheisio
cymhariaeth rhwng ffurf a deunydd emynau'r Pêr Ganiedydd ac
emynau Job.

Rhaid pwysleisio ar y cychwyn fod bwlch o gan mlynedd a hanner
yn sefyll rhwng y ddau emynydd. Cyhoeddwyd y rhan gyntaf o
gyfrol gyntaf Williams Pantycelyn ym 1744 ac ysgrifennodd Job ei
emyn cyntaf o bwys ym 1894. Yn ystod y cyfnod hwnnw datblygodd
yr emyn yn helaeth fel ffurf lenyddol. Bu dylanwad y canu carolaidd
ar emynau Ann Griffiths ac Edward Jones, Maes-y-Plwm; a
gloywder crefft yw prif nodwedd emynau Robert ap Gwilym Ddu ac
Ieuan Glan Geirionydd. Rhwng Williams a Job hefyd fe orwedd y
rhan fwyaf o'r bedwaredd ganrif ar bymtheg a sentimentaleiddiwch
Oes Fictoria a'r ymgecru diwinyddol. Daethpwyd i ystyried yr
Ysgrythur yn ffynhonnell ac nid yn awdurdod. Yn y ganrif honno
hefyd datblygodd y capeli eu diwylliant cerddorol ac fe fedr Cymru
ymffrostio yn rhai o gyfansoddwyr emyndonau gorau'r byd. Drwy
gydol y ganrif, bu gwaith safoni a golygu ar yr emynau gwreiddiol
nes pan ymddangosodd *magnum opus* y Saeson, *Hymns Ancient
and Modern,* ym 1861, awgrymodd un beirniad y buasai "Hymns
Asked for and Mutilated" yn well teitl.

Emynydd praff ei grefft yw J. T. Job; emynydd yn ymaflyd yn ei
arddull yw Pantycelyn, ac y mae ôl y frwydr i'w weld yn ei ddefnydd
o'r iaith a'i chystrawen ac yn y tyndra eithaf rhwng y mydr a'r
rhythm yn ei emynau. Wrth draethu am nodweddion crefft eu
hemynau dylid wrth gwrs wrthbwyso unrhyw sylwadau â'r amodau
a oedd yn cyflyru eu cynnyrch. Er enghraifft, bu'n rhaid i
Bantycelyn arloesi gyda mesurau a chwilio amdanynt yng ngwaith
ei gymheiriaid yn Lloegr. Cyn ei gyfnod ef y Mesur Salm, y Mesur
Hir, y Mesur Byr a'r Mesur Cyffredin yn unig a ddefnyddid gan yr
emynwyr Cymraeg; yn achos Job, y mae ef yn feistr ar gan mlynedd

187

a hanner o ddatblygiad a cheir amrywiaeth mawr yn ei ddefnydd o fesurau o'r cychwyn cyntaf, er y dylid pwysleisio bod llinellau wythsill a seithsill yn fwy cyffredin na dim arall yn ei waith. Gwneir defnydd o'r gynghanedd gan Williams a chan Job. Yn ei emynau cynnar yn unig y ceir y gynghanedd gan Bantycelyn, o fewn y llinell, bron yn ddamweiniol, fel y credir bod yr arfer yn ôl dylanwad y canu rhydd cynnar ar ei grefft prydyddol; i Job mae'r gynghanedd yn wedd ymwybodol ar ei grefft ac fel arfer fe'i hymestyn dros fwy nag un llinell:

> O ddydd i ddydd ei hedd a dd*aw*
> Fel gwlith ar *dd*istaw *dd*ôl.[54]

Y mae gan Bantycelyn batrymau cyfoethog o ailadrodd yn ei emynau: ni cheir hyn gan Job nac ychwaith y trychu a'r sangu sydd mor amlwg yng nghystrawennau Pantycelyn – y mae llinellau Job yn rhyddieithol lyfn. Bu defnydd Pantycelyn o dafodiaith a geiriau Saesneg yn ei farddoniaeth yn achos i lawer ei gollfarnu, ond y mae ôl tafodiaith Sir Gaerfyrddin ar emynau Job hyd yn oed, mewn ymadroddion megis 'yn glau' ac 'o'r bron'. Wrth drafod defnydd y ddau o'r Ysgrythur, rydym ar dir cyffredin: oni alwodd Luther yr emyn yn 'miniature Bible'? Y mae Pantycelyn a Job fel ei gilydd yn gwau ymadroddion ysgrythurol i mewn i linellau eu hemynau a gwêl y ddau y Beibl fel cyfosodiad, ond nid un Hegelaidd: dyna egwyddor *cysgodeg* ('typology') lle yr ystyrir yr Hen Destament yn gysgod o'r Newydd a Christ yn gyflawniad o'r proffwydoliaethau. Ceir enghraifft drawiadol o hyn yn emyn enwocaf Job:

> Y mae'r balm o ryfedd rin
>   Yn Gilëad;
> Ac mae yno beraidd win
>   Dwyfol gariad;
> Yno mae'r Physygwr mawr,
>   Deuwch ato,
> A chydgenwch, deulu'r llawr –
>   Diolch iddo![55]

Rhaid cydnabod fod yr egwyddor yn fwy datblygedig a chymhleth yng ngwaith y Pêr Ganiedydd ac yn sylfaen i emynau cyfain ar dro, eithr y mae iaith ffigurol yr Ysgrythur yn britho emynau'r ddau fardd – yn ddelweddau, yn drosiadau, ac yn symbolau ac y mae'r ddau, yn eu hemynau cynnar, yn dibynnu ar enwau ysgrythurol fel trosiadau.

Saif un gwahaniaeth aruthrol fawr rhwng Pantycelyn a Job. Wrth draethu am emynau Elfed awgrymodd yr Athro Bobi Jones fod adnabyddiaeth Pantycelyn o Dduw wedi troi'n ymdeimlad ohono'n unig yng ngwaith Elfed.[56] A gaf i estyn y dadansoddiad ac awgrymu fod profiad Pantycelyn wedi troi'n weledigaeth yng ngwaith Job? Yng ngwaith y Pêr Ganiedydd ceir canu'r enaid unigol yn traethu am brofiad mawr a newydd y Diwygiad, am ei berthynas galonnog â Christ. Nid oes gan Job unrhyw ganu serch, eithr ceir ganddo ganu'r deyrnas newydd yn traethu am berthynas Crist â'r ddynoliaeth i gyd: 'Cofia'r *byd,* O! Feddyg Da', yw ei weddi ef. Rhoddir pwyslais gwahanol gan y ddau ar ymateb calon y credadun i Dduw: i Bantycelyn mae'r galon yn deml i Dduw ac yn brofwr ei ras, ond sôn am 'falchder calon dyn' y mae Job: angerddoli gan y naill, moesoli gan y llall. Drachefn, mae'r ymwybyddiaeth o *bersona* a grea'r ddau yn eu gwaith yn wahanol: pererin yn crwydro yn yr anialwch yw Pantycelyn gan amlaf, 'y fi' cynulleidfaol, llwythol; 'Mae'r nos yn ddu, a *ninnau* 'mhell' yw cri J. T. Job: sôn y mae ef o hyd am 'bobloedd', 'cenhedloedd', 'teulu' a 'gwlad'. Ystyrir Pantycelyn fel 'bardd y groes' a chân i 'Gwaed y groes sy'n codi fyny / 'R eiddil yn goncwerwr mawr'; eithr prif gonsýrn Job yw dylanwad moesol y groes: 'Aed *golau'r* Groes a'r nefol ddydd / Drwy wledydd daear lydan'.

I orffen, ychydig o sylwadau cyffredinol ar emynau Job yn y *Llyfr Emynau a Thonau.* Fe gân am Dduw fel Creawdwr; Crist y Prynwr a'r Meddyg Da; ceir emyn i'r Sulgwyn; Crist yn briod yr Eglwys a cheir emynau yn annog cenhadaeth o'r Efengyl. Deillia ei themâu o'i weledigaeth ac felly fe orwedd thema 'undod' y tu ôl i'w emynau i gyd: undod y greadigaeth; undod Cristnogion yn ei gariad; undod y teulu dynol mewn mawl am ei aberth; undod y ddynoliaeth fel etifeddion yr Ysbryd Glân; undod yr Eglwys fel Corff Crist ac undod nef a daear yn y Deyrnas Newydd. Delwedd ganolog yr emynau, fel y crybwyllwyd eisoes, yw goleuni, sydd i lawer yn haniaeth, ac sy'n cynrychioli'r goruwchnaturiol ym mhrofiad y credadun. Cân y bardd am oleuni'r nef sy'n gymorth ar y daith ym mhroses sancteiddhad;[57] cân am oleuni'r Ysbryd Glân ac am oleuni'r nef fel bendithion y Creawdwr, ac wrth gwrs, fe gân yr emynydd yn ffyddiog am oleuni'r groes.

Yn 'Emynau Cenedlaethol a Chymdeithasol' Job, ceir Cristion yn ymateb yn bositif i bennaf pechod ei oes – os oes modd graddoli pechod – sef rhyfyg dyn o flaen Duw'r Hollalluog, ac yn y fan honno yr erys gwerth yng ngwaith yr emynydd hwn ac o'r herwydd, dylai fod canu gydag arddeliad arnynt gan 'deulu'r llawr' am sawl cenhedlaeth i ddod.

1 Fersiwn diwygiedig o bapur a ddarllenwyd yn Y Ganolfan Uwchefrydiau Cymreig a Cheltaidd ar brynhawn Llun, 12 Mawrth 1984. Hoffwn ddiolch i'r Prifathro Dewi Eirug Davies a'r Dr R. Geraint Gruffydd am eu sylwadau defnyddiol ar y pryd, i'r Athro Bobi Jones am sgwrs dra gwerthfawr wedi hynny, ac i'r Athro Emeritws J. E. Caerwyn Williams am ei ddiddordeb hynaws a charedig a'i anogaeth i gyhoeddi'r ddarlith hon.

2 Am fanylion bywgraffyddol, gweler Y Bywgraffiadur Cymreig hyd 1940, t.143; Gomer Morgan Roberts, 'John Thomas Job (1867–1938)', Y Traethodydd 122, 1967, tt.98–103; idem., Y Breswylfa Lonydd (Llandybïe, 1943), tt.20, 21, 24; James Morris, Hanes Methodistiaeth Sir Gaerfyrddin (Dolgellau, 1911), tt.319, 325, 326.

3 J. T. Job, 'Marw Goffa Mrs. Mary Job, Ammanford', Y Goleuad, 4 Mai 1898, t.12, col. 1: 'Yr oedd Islwyn yn ei thrydanu yn lân'. Fe ddylid pwysleisio, wrth gwrs, fod ysgrif fel hon a'r disgrifiad sydd ynddi yn hollol gydnaws â meddylfryd yr oes y pryd hwnnw, pan ddelfrydid yr aelwyd Gristnogol a bywyd teuluol.

4 James Morris, Cofiant a Dywediadau y Parch. Thomas Job, D.D. (Dolgellau, 1899), yn arbennig tt.222–27; dywed J. T. Job, 'Nis gallaf byth ddiolch digon am y fraint o gael fy nwyn i fyny ar aelwyd yn sŵn y fath adgofion bendigedig'.

5 Gweler ei ddwy gyfrol gynhwysfawr, Ffydd ac Argyfwng Cenedl (Abertawe, 1981, 1982).

6 J. E. Caerwyn Williams, 'Edward Jones, Maes-y-plwm', Trafodion Cymdeithas Hanes Sir Ddinbych 10 (1961), t.103.

7 Am amlinelliad o'r dadleuon hyn a'r cyfnewidiadau diwinyddol a welwyd yn ystod y cyfnod hwn, gweler John Watts Williams, 'Hanes Athrawiaeth yr Iawn yng Nghymru yn y bedwaredd ganrif ar bymtheg', Traethawd M.A. Prifysgol Cymru (1939).

8 Copïais y rhain, a nifer eraill, o weithlyfr y bardd ifanc sydd ym meddiant ei fab, Dr E. Morrice Job, Aberystwyth. Diolchaf iddo am ei

ganiatâd caredig; am ei bresenoldeb yn y Ganolfan y prynhawn y darllenais y papur; am ei sylwadau gwerthfawr o wybodaeth bersonol yr adeg honno, ac am yr holl gymorth a gefais ganddo yn ystod y cyfnod y bûm yn ymchwilio ar fywyd a gwaith ei dad.

9 John Thickens, *Emynau a'u Hawduriaid* (Caernarfon, arg. diwygiedig 1961), t.118.

10 Amlinellir y traddodiad hwn gan Gomer Morgan Roberts ym Mhennod IX o'i *Hanes Plwyf Llandybïe* (Caerdydd, 1939).

11 J. T. Job, 'Alafon', *Y Traethodydd* 71 (1916), t.173.

12 Bobi Jones, 'Y Bardd-Bregethwr', *Barn*, Mawrth 1983, t.76.

13 Yr oedd yr ysgol hon yn un o rwydwaith o ysgolion ymneilltuol cyffelyb trwy Gymru'r adeg honno, a cheir manylion amdani a'i phrifathro yn Penar Griffiths, *Cofiant Watcyn Wyn* (Caerdydd, 1915), tt.46–58; Geraint Dyfnallt Owen, *Ysgolion a Cholegau yr Annibynwyr* (Llandysul, 1939), tt.198–200; Huw Walters, 'Ysgol y Gwynfryn', *South Wales Guardian*, 16, 23 Ionawr 1975; idem, 'Ysgol y Gwynfryn', *Y Genhinen* 26 (1976), tt.40–43.

14 Griffiths, *Cofiant Watcyn Wyn*, t.49.

15 Ceir y bryddest a enillodd wobr yn Eisteddfod Llundain ym 1893 yn *Y Traethodydd* 47 (1892), t.73, yn ddeg ar hugain o benillion, a'r ysgrif, 'Y Prifathraw D. Charles Davies, M.A., yn Nhrefeca', yn *Y Traethodydd* 48 (1893), t.181.

16 Gweler *Cymru* 1 (1891) am sylw 'O.M.' a'r *Traethodydd* 156 (1891), t.419 am y gerdd.

17 Gweler eto *Y Bywgraffiadur Cymreig*, t.413.

18 Ceir tystiolaeth i hyn mewn cerdd ddwys hiraethus yn *Cymru* 22 (1902), t.251, 'Y Pedwar Darlun ar y Mur'. Cyfansoddwyd y gerdd ym mis Chwefror 1902:
> 'R'ym ninnau'n dod i'r Nefol Wlad –
> Ein dau – Aneirin bach a'i dad.

19 *Y Traethodydd* 61 (1906), t.19.

20 'Y Diwygiad ym Methesda', cyfres o erthyglau fel y'i cofnodwyd yn *Y Diwygiad a'r Diwygwyr: Hanes Toriad Gwawr Diwygiad 1904–05* (Dolgellau, 1906), t.217. Diddorol sylwi fod R. Tudur Jones, *Ffydd ac Argyfwng Cenedl*, 2, t.140, a Gomer Morgan Roberts, 'Rhai o brofiadau'r Diwygiad', *Cyfrol Goffa Diwygiad 1904–5* (Caernarfon, 1954), t.61 yn dyfynnu'r adroddiad hwn. Cyhoeddir erthygl gennyf, 'J. T. Job a Diwygiad 1904', yn y rhifyn nesaf, sef Rhifyn 8 – 1984, o *Gylchgrawn Cymdeithas Hanes y Methodistiaid Calfinaidd*. Ynddi cofnodir ymateb a phrofiad J. T. Job yn ystod Diwygiad '04 ynghyd â'r cefndir angenrheidiol am y Diwygiad a Streic Fawr y Penrhyn. [*Cyhoeddwyd yr erthygl yn y cylchgrawn hwnnw, tt.37–44*]

21 'I'r Bardd J. T. Job ar ei briodas â Miss Katie Jones-Shaw, Bryneglwys, gyda dymuniadau goreu yr Awdur', *Y Goleuad*, 1 Hydref 1915, t.4.

22 'Cyflwynedig i Mr. a Mrs. Davies, Park House, New Road, Llandilo, ar farwolaeth eu hanwyl fab JOHN CORNELIUS DAVIES, yn 19 mlwydd oed', *Y Drysorfa* 62 (1892), t.29.

23 'Beth sydd mewn enw?', *Y Faner,* 27 Chwefror 1981, t.16.
24 'Guto'r Pysgotwr', *Y Llenor* 12 (1933), t.70.
25 Gweler yn arbennig *Adroddiadau Pentowr (MC) Abergwaun* (Abergwaun, 1918 –).
26 *Y Traethodydd* 66 (1911), t.73.
27 *Llenyddiaeth Gymraeg y Bedwaredd Ganrif ar Bymtheg* (Caernarfon, 1920), t.33.
28 *Hanes Llenyddiaeth Gymraeg hyd 1900* (Caerdydd, 4ydd arg. 1979), t.282.
29 'Canmlwyddiant geni Islwyn', *Y Drysorfa* 102 (1932), tt.303–06.
30 Thomas Parry, *op. cit.,* t.284.
31 Ymddangosodd y tair cerdd hyn mewn cylchgronau yn fuan wedi iddynt gael eu dewis yn gerddi buddugol. Gweler *Y Traethodydd* 49 (1894), t.58 am 'Elias yn Ogof Horeb'; *Y Geninen* 12 (1894), t.58 am 'Gerald Gymro', ac *Y Traethodydd* 54 (1899), t.81 am 'Y Wefus Bur'. Pryddestau yw'r cerddi ill tair.
32 *Cymru* 17 (1899), t.243.
33 *Cofnodion a Chyfansoddiadau Eisteddfod Genedlaethol 1897 (Casnewydd-ar-Wysg),* t.21.
34 Ibid., t.21.
35 *Cofnodion a Chyfansoddiadau yr Eisteddfod Genedlaethol 1918 (Castell Nedd),* t.2.
36 Ibid., t.34.
37 *Caniadau gan John T. Jôb (Iôb)* (Caernarfon, 1929), t.117.
38 'Swydd y bardd', *Y Traethodydd* 57 (1902), t.464.
39 Bobi Jones, *op. cit.,* t.77.
40 *Y Llenor* 8 (1929), t.191.
41 Ibid., t.190.
42 *Caniadau Iôb,* t.78.
43 Ibid., t.16.
44 Ibid., t.59.
45 'Y Parch. J. T. Job, M.A., Byr Werthfawrogiad gan D. J. Williams, Abergwaun', *Western Telegraph* (Hwlffordd), 10 Tachwedd 1938, t.10.
46 *Llyfr Emynau a Thonau y Methodistiaid Calfinaidd a Wesleaidd* (Caernarfon a Bangor, 1929).
47 Ibid., emyn rhif 39, ll. 9–10.
48 Dafydd Owen, 'Symboliaeth emynwyr', *Y Traethodydd* 130 (1975), t.106.
49 H. A. Hodges, 'Flame in the mountains: aspects of Welsh Free Church hymnody', *Religious Studies* 3 (1967), t.411.
50 Gweler ymdriniaeth Susan Elizabeth Williams, 'Astudiaeth o fywyd a phrydyddiaeth R. J. Derfel', Traethawd M.A. Prifysgol Cymru (1975).
51 *Proffwyd ac Argyfwng* (Llandybïe, 1982), t.5.
52 *Llyfr Emynau a Thonau,* rhif 721, ll. 3–7.
53 Ibid., rhif 725, ll. 9–10.
54 Ibid., rhif 447, ll. 13–14.

55 Ibid., Rhif 165, ll. 9–16. Yr wythfed bennod o Lyfr Jeremeia yw sylfaen y pennill, eithr y mae Job yn canu ei fawl i Grist.
56 'Llofrudd yr emyn?', *Barn* 182, tt.83–5.
57 *Llyfr Emynau a Thonau*, rhifau 447, 537.

Rhai agweddau ar yr emyn
Cymraeg diweddar*

Mae'n debyg i'r diweddar Fred Pratt Green rywdro flino ar
drafodion pwyllgor golygu emynau ac ysgrifennu ar ddarn o bapur
a oedd o'i flaen: 'How can we sing the praise of Him / Who is no
longer He?' Mae'r sylw bachog hwn yn cyfleu llawer o gyfyng-
gyngor ac argyfwng ffydd emynwyr ac addolwyr yr ugeinfed ganrif
a'r mileniwm newydd. Ei gyfarch ag arddull anffurfiol oedd ateb y
gweinidog Wesleaidd a fu'n gefn i ddadeni'r emyn Saesneg yn
chwedegau'r ugeinfed ganrif. Yn debyg i emynwyr eraill megis Fred
Kaan, Brian Wren, Alan Gaunt, Caryl Micklem, defnyddiai Pratt
Green ieithwedd drawiadol o ddiriaethol i ddaearu'r haniaethau
tragwyddol ym mhrofiad ei gynulleidfaoedd. Wedi'r cyfan, pa
ddirnadaeth a feddir heddiw o wrthrych ein mawl, yn sgil
marwolaethau torfol rhyfeloedd byd a thrychinebau'r ugeinfed
ganrif, llu o ddarganfyddiadau gwyddonol, dylanwadau difaol
materoliaeth a seciwlariaeth a dirywiad moesol y cyfnod diweddar?
Awgrymaf nad hawdd ateb y cwestiwn hwnnw, ac yn sicr anodd yw
dod o hyd i ateb yn ein hemynau.

Yma yng Nghymru, ysywaeth, ni chafwyd dadeni ym maes
emynyddiaeth yn y cyfnod diweddar. Beirdd-bregethwyr, uchel eu
parch ac aruthrol o boblogaidd, yw'r gorau o'n hemynwyr bron yn
ddieithriad. Daliant ati i 'ganu'r gân' er gwaetha'r 'cilio o'r
cynteddau' ac er gwaethaf poblogrwydd cynyddol traddodiad arall o
ganu mawl i Dduw, sef y caneuon addoliad. Y mae eu gwaith yn
goeth ac yn urddasol, ac weithiau'n gwbl ysbrydoledig. Fe'u

* Cyhoeddwyd yn Y Traethodydd 156 (2001), tt.102–10.

cynrychiolir yn bur helaeth yn y gyfrol *Caneuon Ffydd* ac amcan yr erthygl hon yw bwrw golwg dros rai o themâu a nodweddion ein hemynau Cymraeg diweddar, gan bwyso ar waith Gwilym R. Tilsley [Tilsli] (1911–1997), W. Rhys Nicholas (1914–1996), a Tudor Davies (1923–2010) am enghreifftiau priodol.

Swyddogaeth bennaf emyn yw datgan mawl i Dduw a mynegi'r gwahanol agweddau ar brofiad ffydd. Mae'n glod personol a chynulleidfaol gerbron y Duw hollalluog sy'n Greawdwr ac yn Waredwr. Mae'r ffaith i'r emyn oroesi cyhyd, ac i *Caneuon Ffydd* ymddangos o gwbl, yn brawf o angen pobl Dduw i ganu clodydd yr Arglwydd sy'n rym perthnasol yn eu bywydau, pa mor denau bynnag fo'r amgyffrediad hwnnw bellach. Felly, cawn emyn gan Tilsli sy'n ddatganiad cadarn o'r ffydd drindodaidd uniongred (rhif 48). Dechreua pob pennill gyda mawl sydd hefyd yn gyffes ffydd: 'Moliannwn ein Tad yn y nefoedd'; 'Mawrygwn y Mab, ein Gwaredwr'; 'Clodforwn yr Ysbryd tragwyddol'; 'Gogoniant i'r Drindod fendigaid'. Mewn emyn gan Rhys Nicholas, defnyddir byrdwn pob pennill, sydd ar yr un mesur â thôn ei emyn enwocaf, i draethu'r mawl:

> moliannwn ef, Cynhaliwr cadarn yw,
> y sanctaidd Iôr a'r digyfnewid Dduw. (133)

Prin bod trafod rhagluniaeth Duw yn bwnc ysol erbyn hyn, ond y mae ei foli ar gân yn arwain yn naturiol at fyfyrdod ar yr agwedd hon o'i hanfod. Mae'n wedd sylfaenol ar brofiad y credadun ei fod yn derbyn y drefn ddwyfol ar fywyd dynol:

> rho inni ras i dderbyn trefn dy gariad
> heb ryfyg ffôl nac ofnau am a ddaw. (137)

> o loches dy law cawn syllu'n ddi-fraw
> a chanfod daioni ym mhopeth a ddaw. (792)

Cenadwri'r emynydd yw y tardd ymddiriedaeth a hyder yn ddigymell o gredu mai Duw yw'r Pensaer Mawr.

Dadansoddwyd gwewyr ysbrydol ail hanner yr ugeinfed ganrif gan lawer athronydd a diwinydd, ond yng Nghymru y disgrifiad a arswydodd grefyddwyr fwyaf yn ddiamau oedd un J. R. Jones, 'argyfwng gwacter ystyr'. Er y bu'n ffasiynol i bregethu am hyn, prin y rhoddwyd sylw i'r mynegiant o unrhyw fath o ymateb yn ei erbyn yn ein hemynau. Ac eto, fe dybiwn fod pwyslais ein hemynwyr diweddar, sef y deuir o hyd i ystyr bywyd yng Nghrist, yn ymateb uniongyrchol i ddirywiad ysbrydol ail hanner yr ugeinfed ganrif. Ceir yr enghraifft fwyaf trawiadol yn emyn aruthrol o boblogaidd Rhys Nicholas, 'Tydi a wnaeth y wyrth' (791):

> mae ystyr bywyd ynot ti dy hun;
> yr wyt yn llanw'r gwacter drwy dy air,
> daw'r pell yn agos ynot, O Fab Mair.

Ym marn llawer, yr emyn hwn, a oedd yn fuddugol yn Eisteddfod Pantyfedwen, Llanbedr Pont Steffan, 1967, oedd emyn gorau'r ugeinfed ganrif yn gyfan. Mae'n gân o orfoledd pur sy'n mynegi ffydd bersonol y credadun yng Nghrist y Gwaredwr. Cynnwys weledigaeth a phrofiad yr emynydd; sonnir am yr emynydd yn 'gweld' ym mhob pennill a gellir ymdeimlo â gwefr a gogoniant y profiad bywiol yn ysbrydoli'r credadun i ganu'i Halelwia. Daliaf fod y cyfeiriad at Grist yn 'ystyr bywyd' yn genadwri gwbl fwriadol y mae'n rhaid ei deall yng nghefndir trafodaethau diwinyddol y cyfnod. Mae gan Tudor Davies yntau emyn sy'n cyfleu'r un neges, a hynny'n afaelgar dros ben. Cân yn ysbrydoledig o gadarnhaol:

> O Grist, y gwir am ystyr bod a byw,
> i ti'r Unigryw, plygwn.
> Halelwia! Amen. (386)

Mae hwn yn emyn ysgrythurol, ac nid dyma'r unig un yn *Caneuon Ffydd* i ddathlu Crist, 'y ffordd, y gwirionedd, a'r bywyd'. Hoffaf yn fawr y cyfeiriad at yr 'Unigryw', gan mai'r Iesu anghymharol yw prif destun emynyddiaeth Cymru. Fe geir, felly, yn *Caneuon Ffydd* adran helaeth o emynau ar 'Yr Arglwydd Iesu'.

Ym 1758 fe ddywedodd Williams Pantycelyn mewn rhag-ymadrodd i gyfrol o'i emynau, 'fod Crist yn ganolbwynt i'r Cwbl'. Am iddo yntau ganu mor Grist-ganolog a chroes-ganolog, felly hefyd ein traddodiad emynyddol hyd heddiw. Ys gwir bod angen bellach dreiddio llawer ymhellach y tu hwnt i'r delweddau i ddod o hyd i fynegiant o athrawiaeth yr Iawn neu gyfiawnhad trwy ffydd ond fe ddeil myfyrio ar gymdeithas â Christ a'i ddioddefiadau a'n gwaredigaeth rhag pechod yn destun sylfaenol. Ac yn yr emynau ar Berson Crist y daw'r emynwyr agosaf at ganu Pantycelynnaidd. Emyn gwir odidog yw 'Tyrd atom ni', Rhys Nicholas (222). Diau i'r dôn 'Berwyn' helpu i wreiddio'r penillion yn ein hymwybod, a'u tywys 'o'r glust i'r galon', ond y mae golud arbennig i fynegiant a chrefft y geiriau hefyd:

> Tyrd atom ni, O Grëwr pob goleuni,
>   tro di ein nos yn ddydd;
> par inni weld holl lwybrau'r daith yn gloywi
>   dan lewyrch gras a ffydd.

Cân yr emynydd yn rhwydd yn nhraddodiad canu Pantycelyn, Morgan Rhys ac eraill a'n tynnu'n agos at ddirgelwch cymdeithas â Duw yng Nghrist. Mae'n hawdd amgyffred y delweddau, ac y mae'r cydbwysedd rhwng y cytseiniaid a'r llafariaid yn creu sain felys hefyd. Mae saernïaeth yr emyn i'w chanmol, a'r uchafbwynt yn aruthrol o rymus:

> canmolwn fyth yr hwn sydd yn gwaredu,
>   bendigaid Fab y Nef.

Diau bod profiad yr emynydd yn cynnal ei eiriau, ac nid yw'n syn, felly, y ceir yn *Caneuon Ffydd* emynau eraill o eiddo'r emynydd hwn sy'n sôn am effeithiau dyrchafol cymdeithas â Duw. Er enghraifft, emyn 195, y mae pob un o'i benillion yn cychwyn gyda'r geiriau, 'Iôr anfeidrol, yn dy gwmni'. Daw'r dyfyniad o'r ail bennill:

> Iôr anfeidrol, yn dy gwmni
>   mae fy nos yn troi yn ddydd,
> mae rhyfeddod dy oleuni
>   heddiw yn bywhau fy ffydd.

Y Duw sy'n trawsnewid bywyd ac yn ysbrydiaeth gyson i'r credadun a geir yma. Mewn emyn cynnar o'i eiddo bron na allwn deimlo rhyddhad Rhys Nicholas, wrth iddo ymaflyd yn sicrwydd grym cariad Duw. Yr oedd 'Gwn pa le mae'r cyfoeth gorau' (313) yn un o gasgliad o chwe emyn a ddaeth â gwobr yn Eisteddfod Genedlaethol, Caerffili, 1950, i'r emynydd. Nododd y beirniaid y pryd hwnnw, sef Crwys a William Morris, fod rhagoriaethau arbennig yn perthyn i'w waith, megis bod ei benillion yn ganadwy a bod 'symlrwydd a graen yn eu gloywi'. Ceir patrwm arbennig i'r emyn wrth i'r pennill cyntaf sôn am orfoledd y Cristion, yr ail am Waredwr y Cristion a'r trydydd am waith y Gwaredwr a mawl y Cristion o ganlyniad, a daw'r emyn i ben ag uchafbwynt nodweddiadol o emynau Rhys Nicholas:

> clod a moliant
> fydd yn llanw 'mywyd mwy.

Fel y ceisiwyd ei awgrymu wrth grybwyll ymateb yr emynwyr i argyfwng gwacter ystyr yr ugeinfed ganrif, rhaid deall ein hemynau diweddar yng nghyd-destun dylanwadau bywyd modern a chyflwr crefydd y cyfnod. O ganlyniad, ceir cyfeiriadau cynnil at wyddoniaeth, materoliaeth, emynau'n hiraethu am y deyrnas neu adfywiad crefyddol, a llawer o emynau'n deisyf ar ran amgylchiadau cymdeithas a heddwch byd. Yr emyn cymdeithasol a blwyfodd orau yn serch y cynulleidfaoedd yn bendifaddau yw 'Cofia'r newynog, nefol Dad' (816), gan Tudor Davies. Mae'n debyg i'r geiriau ddod at yr emynydd yn ddigymell adeg Wythnos Cymorth Cristnogol 1971 a threfnwyd i'w cyhoeddi'n syth yn *Y Goleuad*. Fe fentrwn awgrymu bod sawl reswm y tu ôl i boblogrwydd yr emyn yma. Yn un peth, y mae llawer iawn o addolwyr Cymru bellach yn ymwneud yn frwd ac yn gyson â gwaith Cymorth Cristnogol. Hefyd, gellir maentumio mai efengyl y Samariad trugarog yw'r unig ddirnadaeth a fedd llawer o ddysgeidiaeth Iesu Grist. Bu trychinebau megis newyn Ethiopia yng nghanol yr wythdegau yn sbardun i ganu emyn mor addas ei genadwri ar gyfer argyfwng mor enbydus. A gellir nodi un cyd-ddigwyddiad ffodus arall, sef i'r emyn gael ei gyhoeddi wedi'i briodi â'r dôn 'Arizona' yn *Atodiad* y Methodistiaid ar yr union adeg pryd yr oedd pregethu a chenhadu am yr angen i gynnal breichiau cyd-ddyn o ganlyniad i broblemau cyfandir yr Affrig. Yn gwbl ddiamau, y mae'n emyn perthnasol i'n hoes, ac yn farddoniaeth grefftus yn ogystal. Yn y pennill cyntaf, darlunnir y dioddefwyr y mae 'angau'n rhythu yn eu gwedd', yn boenus o lachar. Fe'n hatgoffir yn yr ail bennill mai teulu yw'r ddynoliaeth wedi'r cyfan, ac y dylai cymeriad y Cristion ymdebygu i drugaredd Duw. Down at ddameg y Samariad trugarog yn y trydydd pennill, a'r angen am arweiniad i anrhydeddu'n cyfrifoldebau a geir yn y pedwerydd. Ceir uchafbwynt anochel ond grymus yn y pennill olaf wrth i'r emynydd gyflwyno'r cyfan o'n deisyfiadau i Dduw:

> Holl angen dyn, tydi a'i gŵyr,
> d'Efengyl a'i diwalla'n llwyr;
> nid digon popeth hebot ti:
> bara ein bywyd, cynnal ni.

Bellach, trawsnewidiwyd 'Colled ennill popeth arall', Pantycelyn, yn gân erfyniol, angerddol am well Cristnogion yn ymborthi ar fywyd yr Efengyl er mwyn gwasanaethu Crist yn y byd.

Mewn emyn ar yr un thema, y mae Rhys Nicholas yn cyffwrdd â materoliaeth yr oes fodern. Yn ail hanner pennill cyntaf rhif 841, ymbilia:

> maddau inni bob dallineb
> sydd yn rhwystro grym dy ras,
> a'r anghofrwydd sy'n ein llethu
> wrth fwynhau ein bywyd bras.

Y mae'n ffaith ddiymwad i lwyddiant materol yr oes fodern filwrio yn erbyn llwyddiant cenhadaeth yr Efengyl, ond fe'n hatgoffir yn yr emyn yma o'r angen i'r rhai sy'n arddel y ffydd fod yn 'gyson hael' a 'derbyn cyfrifoldeb' am gyni a chyflwr 'yr anghenus rai'.

Gellir dadlau i ddatblygiadau technolegol a darganfyddiadau gwyddonol ychwanegu at ein 'bywyd bras' yn y cyfnod diweddar. Yn sicr, y mae cyflymdra'r newidiadau yn syfrdanol ac nid hawdd yw i grefydd ddygymod â'r cyfnewidiadau sylfaenol yn ein dirnadaeth o ddirgelwch byw a bod. Anodd peidio ag osgoi'r casgliad i gyfeiriadau at Dduw'r cyfanfyd ddod yn boblogaidd ac yn amlycach yn ein hemynau wedi'r ras i'r gofod yn y chwedegau. Y mae'r fath gampau wedi ehangu meddwl ein hemynwyr – a phawb ohonom, wrth gwrs – yn yr un ffordd ag y bu Pantycelyn ddwy ganrif a hanner yn ôl yn canu clodydd ei Greawdwr yn ei gerdd epig *Golwg ar Deyrnas Crist*. Bellach gallai Tilsli ddatgan yn hyderus:

> i ti nid oes un cilfach o'r cyfanfyd
> nad yw yn amlwg olau fyth o'th flaen. (137)

Dyna'r ochr gadarnhaol i'r datblygiadau diweddar: dyfnheir ffydd y Cristion wrth ddysgu rhagor am gyfrinachau'r cread. Ond ceir agwedd negyddol ar y gallu hynod a fedd y ddynoliaeth bellach, fel y noda Rhys Nicholas:

> Maddau inni oll am gredu
> mai nyni sy'n cynnal byd
> a bod gwaith ein dawn a'n clyfrwch
> dan dy fendith di o hyd. (100)

Yn y pen draw, wrth gwrs, y mae perygl y camddefnyddir y gallu hwn sy'n ymylu ar fod yn ddawn ddwyfol. Gwelwyd hyn lawer gwaith eisoes yn hanes yr ugeinfed ganrif. Fel Pantycelyn o'i flaen, gŵyr Tilsli at ble i gyfeirio'r cryfder a droes yn wendid:

> Yn dy ddoethineb rhoddaist inni allu
> i ddofi natur a meistroli'r byd,
> ond yn ein balchder troesom i ormesu,
> ac ar ddifetha'n gilydd aeth ein bryd;
> O rasol Arglwydd, tro'n calonnau ni
> i geisio'r hedd a geir ar Galfarî. (137)

At y groes y try'r emynydd am ddealltwriaeth o wir gymod a heddwch.

Wrth i wyddoniaeth ein harwain, o bosibl, at ddibyn diddymdra, naturiol ddigon i'n hemynwyr feddwl am fath arall o gyflawniad hanes. Hiraeth am y deyrnas newydd a geir yn llawer o emynau'r cyfnod diweddar, a honno'n thema – fel eraill o'r themâu a drafodir yn yr erthygl hon – a amlygwyd gyntaf yng ngwaith beirdd-bregethwyr dechrau'r ugeinfed ganrif. Dyheu a gobeithio am y deyrnas y mae Tudor Davies mewn emyn llithrig ei fydryddiad ac unol ei genadwri. Dyma bennill olaf rhif 266:

> I'n plith doed dy deyrnas i'r oesoedd i ddod
> gan fyw i'r dyfodol drwy d'Eglwys er clod;
> cenhedloedd ac ieithoedd a'u doniau ynghyd
> mewn mawl yn cyffesu Gwaredwr y byd.

Cymysglyd, a dweud y lleiaf, i'n dirnadaeth ddynol fu'r berthynas rhwng amser a thragwyddoldeb erioed, ond yma y mae'r emynydd yn datgan yn drawiadol mai un diben sydd i'n hanes.

Mae'n syn meddwl gymaint o newid a fu yn hanes dyn a chyflwr crefydd yng Nghymru yn ystod oes a gweinidogaeth yr emynwyr a drafodir yma. Er i'r erthygl hon fod yn llawdrwm braidd ar brofiad a dealltwriaeth credinwyr yr oes o'r ffydd, yr oedd Rhys Nicholas, er enghraifft, yn barod bob amser i ddatgan ei hoffter o gwmni 'seintwar', chwedl y bardd ei hunan yn ei 'Salm i'r Gweddill', a ddaeth i'r brig mewn cystadleuaeth yn Eisteddfod Genedlaethol y Fflint, 1969. Yn yr emyn adnabyddus, 'Molwn di, O Dduw'r canrifoedd', (98), cyfuna'r emynydd ei hoffter at y cysegr a'i gyd-addolwyr â hiraeth am lewyrch newydd yn hanes ein crefydd:

> dyro inni sêl adfywiol,
> anfon y cawodydd gwlith
> fel bo sŵn y gorfoleddu
> eto'n atsain yn ein plith.

Gwelir yma eto thema gyson yng ngwaith yr emynydd hwn, sef mai clod a mawl i Dduw yw hanfod addoli gyda'r awgrym pellach fod gorfoledd llafar yn arwydd o grefydd fyw. Ysgrifennwyd yr emyn yma yn 1956 ar achlysur ailagor Capel yr Annibynwyr, Llwyn-yr-hwrdd lle y maged Rhys Nicholas, ar ôl gwaith adnewyddu'r adeiladau adeg trydydd Jwbili'r Achos.

Gan mai beirdd-bregethwyr yw'r emynwyr hyn, erys dwy wedd ar eu cynnyrch emynyddol i'w trafod, sef crefft yr emynau, ac emynau 'achlysurol' a ganwyd o ganlyniad uniongyrchol i anghenion eu galwedigaeth. At ei gilydd, beirdd crefftus a gofalus yw'n hemynwyr diweddar, llawer ohonynt yn ffigurau llenyddol amlwg y genedl, megis Tilsli. Mae gwaith y beirdd-bregethwyr yn barhad ac yn ychwanegiad gwerthfawr at y traddodiad o ganu emyn yn y Gymraeg a gychwynnwyd yn nyddiau anterth y Diwygiad Methodistaidd yng nghanol y ddeunawfed ganrif. Yn wir, ymdeimlir ar adegau fod eu gwaith rywsut yn talu gwrogaeth i'r traddodiad hwnnw. Soniwyd eisoes fod emynau Rhys Nicholas, lle y mynega'r gymdeithas rhyngddo a Christ, yn ymdebygu, os nad mor angerddol, i ganu personol Pantycelyn i'w Waredwr. Ceir adleisiau adnabyddus mewn emyn o waith Tudor Davies, a ganwyd fel

'Gweddi mewn Profedigaeth' (703), ond a ymddengys yn *Caneuon Ffydd* yn yr adran 'Y Bywyd Cristnogol a'r Bywyd Tragwyddol'. Sonnir yn y pennill cyntaf am wendid y credadun yn troi'n gadernid yn llaw Duw. Bu emynwyr Cymru ymhob cyfnod yn hoff o ddefnyddio cyferbyniadau cynddelwaidd, megis tywyllwch/goleuni, er mwyn traethu am effaith y dwyfol ar yr enaid dynol. Ceir sawl adlais yn ail bennill yr emyn:

Ti all droi'r ystorm yn fendith
i'n heneidiau blin a gwyw;
gennyt ti mae'r feddyginiaeth,
sydd â'i rhin yn gwella briw;
grym dy gariad
inni'n brofiad, digon yw.

Gallaf glywed llais Nantlais, Job a Phantycelyn yn llefaru eto yn y llinellau hyn; diau bod adleisiau eraill yma hefyd, ac wrth gwrs, y mae'r mynegiant yn drwyadl ysgrythurol. Nid beirniadaeth mo hyn, fel y cyfryw. Byddai beirniaid seico-ddadansoddol yn ei hystyried yn wedd gadarnhaol. Wedi'r cyfan, y mae'r emynydd wedi'i drwytho'i hun yn ein hemynau mawr ac anochel, felly, iddynt ddylanwadu arno. Soniodd mewn llythyr personol ataf y llynedd ei fod yn myfyrio'n gyson ar waith ein hemynwyr, ac 'yn aros i feddwl am brofiadau mawr, rhyfeddol ac ysgytiol emynwyr mawr ein cenedl . . .'

Nodwedd arall ar grefft yr emynwyr hyn yw eu hymgais i ganu emynau sydd ag undod eglur iddynt. Cyflawnir y gamp hon weithiau drwy ailadrodd motiff o bennill i bennill, neu drwy ddynwared yn fwriadol gystrawen a meddwl o'r naill bennill i'r llall. Gwelsom eisoes i Tudor Davies ddefnyddio un o ddatganiadau aruthfawr Crist o'i hunaniaeth, 'y ffordd, y gwirionedd a'r bywyd', i greu emyn ffres ac anhepgorol werthfawr. Defnyddiodd Rhys Nicholas yr un adnod adnabyddus yn emyn 342 a chychwyn ei benillion: 'O Iesu, y ffordd ddigyfnewid'; 'O Iesu'r gwirionedd anfeidrol'; 'O Iesu, y bywyd tragwyddol'. Y mae'r graen sydd ar waith yr emynwyr hyn, gydag ond ychydig enghreifftiau o anawsterau mydryddol, yn brawf o'u safon fel beirdd ac o'u gofal parhaol wrth lunio mawl i Dduw.

Ceir toreth o emynau 'achlysurol' yn *Caneuon Ffydd* er na ddefnyddir y pennawd hwnnw arnynt. Gwelsom eisoes i Tudor Davies ganu 'Gweddi mewn Profedigaeth' yn erfyniol a dwys. Ceir yn y gyfrol emynau i'w canu mewn priodas a bedydd, a gellir eu croesawu gan mai pur denau ar y cyfan fu'r adrannau hyn mewn casgliadau blaenorol. Ni fyddwn am honni bod yr emynau yma'n arbennig o ysbrydoledig ond y maent yn hynod o bwrpasol, ac yn dangos perthnasedd y ffydd Gristnogol ar adegau allweddol ein bywydau.

Ymhlith yr emynau diweddar a ganwyd i ddathlu digwyddiadau arbennig y calendr Cristnogol ceir ambell berl. Er enghraifft, carol Tilsli, 'Dyma'r dydd i gyd-foliannu' (440):

> Dyma'r dydd i gyd-foliannu
> Iesu, Prynwr mawr y byd,
> dyma'r dydd i gyd-ddynesu
> mewn rhyfeddod at ei grud;
> wele'r Ceidwad
> yma heddiw'n faban bach.

Da oedd cyfosod y garol hon â gwaith Morgan Rhys, 'Peraidd ganodd sêr y bore': y mae rhywbeth o'r un ffresni a gorfoledd syml yn y ddau, a'r ddau hefyd yn pwysleisio bod rhamant hen stori'r Geni yn fythol bresennol a pherthnasol. Ceir yr un pwyslais yng ngharol aruthrol boblogaidd Rhys Nicholas, 'A welaist ti'r ddau?' (470), sef hanes Geni Bethlehem o safbwynt gŵr y llety. Dyfais dda oedd defnyddio'r safbwynt yma i adrodd yr hanes, gan fod yr emynydd yn llwyddo i'n gwneud yn sylwebyddion agos iawn o ddigwyddiadau'r stabl. Mae'r pennill olaf yn arbennig o effeithiol:

> A deimli di heddiw fod rhyfedd wyrth
> yn datod y cloeon, yn agor pyrth?
> O tyred, O tyred, heb oedi mwy,
> i lety'r anifail i'w gweled hwy.

Yma pwysleisir potensial bywyd newydd drwy Grist yn y byd sydd ohoni, hynny yw, na ellir cyfyngu ar ddeinameg y bywyd hwnnw. Gwelir yr un canu cadarnhaol yn emyn Pasg urddasol yr un emynydd (557). Defnyddir testun sylfaenol y ffydd Gristnogol fel *leitmotiv* ym mhob pennill: 'mae Crist ein Pasg o hyd yn fyw'. Gwawr newydd a bywyd newydd yw canlyniadau buddugoliaeth Crist, yn ôl yr emynydd, a chwistrellir pob pennill â mawl cadarnhaol:

O cadwn ŵyl, mae'r aberth drud
yn iachawdwriaeth i'r holl fyd.

Gwelir yma wedd arall ar ein hemynau diweddar – a bu hyn yn wir ers rhyw ganrif ymron – mai yn dorfol, bron yn ddieithriad, y cyflwynir y mawl, ac nid yn bersonol, fel yn nyddiau Pantycelyn. 'Canu'r gân' ar gyfer eu cynulleidfaoedd a wnaeth ein hemynwyr diweddar gan amlaf, a honno'n gân addas a graenus.

Ailddiffinio'r emyn:
y cyd-destun perfformiadol*

Cerddi crefyddol a fwriadwyd i'w perfformio ar y cyd yn gyhoeddus yw emynau; cyfansoddiadau mydryddol ydynt sy'n gerddi mawl i Dduw. Disgrifiant brofiad ffydd y cynulleidfaoedd sy'n eu perfformio ar gerddoriaeth fel rhan greiddiol o'r addoliad Cristnogol. Y perfformiadau hyn o emynau mewn cyd-destun cysegredig sy'n eu gosod ar wahân i fathau eraill o lenyddiaeth, fel y sylwodd llawer beirniad mewn llawer oes a llawer gwlad. Dywedodd C. S. Lewis[1] mai 'enghraifft eithafol o lenyddiaeth fel celfyddyd gymhwysol' yw emynyddiaeth; hynny yw, y mae gan emynau swyddogaeth benodol sy'n *raison d'être* iddynt. Fy nadl yw fod rhaid i ddiffiniad cyflawn o emynau gymryd i ystyriaeth eu perfformiad a byddaf yn dyfynnu o emynau, rhai'n gyfarwydd ac eraill, efallai, heb fod mor adnabyddus. Bydd y dyfyniadau o'r testunau yn gymorth i gyflwyno'r ddadl ac i'n harwain tuag at ddiffiniad newydd o'r emyn. Ni all y dyfyniadau ddechrau dihysbyddu cyfoeth emynydda mewn llawer gwlad a chyfnod, nac ychwaith lwyddo i godi adlais ymhob un a ddichon darllen y sylwadau hyn, ac felly ychydig a ddywedaf am ansawdd yr emynau a ddyfynnir. Fy mhrif fwriad fydd dadansoddi perfformiad emynau ac ateb rhai cwestiynau sylfaenol ynghylch hynny: Beth yn hollol sy'n digwydd imi, y credadun, wrth imi ganu emynau a llefaru'r hyn a fynegwyd ar fy rhan gan emynwyr? Beth yw ystyron ac arwyddocâd emynau inni, y

* Darlith a draddodwyd yn Saesneg yng Nghynhadledd yr *Internationale Arbeitsgemeinschaft für Hymnologie* yn Nova Scotia, 2003. Ymddangosodd cyfieithiad Almaeneg o'r testun yn *I. A. H. Bulletin* 30/31 (2002/2003).

gynulleidfa, yn ein perfformiadau cyfunol? A ellir dadlau fod ieithwedd emynau'n berfformiadol mewn ffordd sy'n cynorthwyo ac yn cynnal eu perfformio? I ba raddau y mae'r cyd-destun perfformiadol sy'n briodol i emynau wedi effeithio ar eu ffurf, eu cynnwys a'u statws fel celfyddyd lenyddol? Efallai y bydd ateb rhai o'r cwestiynau hyn yn ein harwain tuag at ddiffiniad o emynau a fydd yn gyffredinol wir, o oes i oes, o wlad i wlad.

Yr wyf am ddechrau trwy ystyried swyddogaeth emynau yn yr addoliad Cristnogol. Gwag a diystyr yw bodloni ar ganu'r geiriau heb brofiad nac amcan crefyddol. Gall clywed emynau mewn cyd-destun anghrefyddol a mannau seciwlar fod yn brofiad annifyr, oherwydd gwyddom fod rhaid eu harfer i geisio bendith Duw a'i arweiniad, i ddatgan cred ac i ddisgrifio cyflwr y credadun. Dylai'r rhai sydd â phrofiad gwirioneddol o'r Duw byw, profiad sydd yn rhoi cyfeiriad iddynt mewn perthynas â'u bywyd daearol a'r bywyd tragwyddol y gobeithiant amdano trwy ffydd, ganu emynau. Eu diben yw dwyn y ffyddloniaid yn nes at Dduw, 'i *feithrin* a *phuro* bywyd y llwyth', fel y dywedodd yr Athro Vincent Newey yn ei astudiaeth o farddoniaeth William Cowper.[2] Cymhelliad ydynt i weithgarwch pellach, cyfle i ddyfnhau ein ffydd a'n hadnabyddiaeth o Dduw ac i ennill mwy o ddealltwriaeth ohono. Mewn addoliad y digwydd hyn: trwy'r amrywiol gyfryngau a ddefnyddiwn ceisiwn anfon negeseuon at Dduw a'u derbyn ganddo yntau trwy ei Ysbryd Glân. Yn y cyswllt yma bydd effeithlonrwydd perfformio'r emynau yn holl-bwysig.

Yn y lle cyntaf, felly, yr wyf am awgrymu mai gweithredoedd ieithyddol cymunedol sydd, mewn gwirionedd, yn ddefodau, yw perfformiadau emynau. Gan amlaf, safwn a chanwn gyda'n gilydd, gan lefaru'r testunau a pherfformio'r gerddoriaeth. Y mae yma weithredu corfforol, geiriol a cherddorol:

Diolchwn oll i Dduw
â llaw a llais a chalon,
cans rhyfeddodau mawr
a wnaeth i ni blant dynion.[3]

Bydd cynulleidfa o gredinwyr llawen ger bron eu Crëwr, yn sicrhau fod perfformio'r geiriau hyn yn ddatganiad ystyrlon o fawl ac yn ddefod berthnasol i'w profiadau o Dduw yn y gymdeithas gyfoes. Yn anffodus, cynodiadau negyddol sydd i ddefod a welir yn rhywbeth diffrwyth, ystrydebol, diystyr a heb fywiogrwydd. Ond y mae defod wirioneddol, sy'n cynnwys mwy nag un cyfrwng, y tu hwnt i amser a lle ac yn ffordd ragorol o feddwl am berfformiadau emynau. Y mae'r Athro Stanley Tambiah wedi diffinio defod 'yn system gyfathrebu symbolaidd a grewyd gan ddiwylliant'.[4] Y mae traddodiad a chyd-destun addoli wedi deddfu *sut* y perfformiwn emynau; y mae ein ffydd yn sefydlu *pam* y perfformiwn emynau:

> F'enaid, mola Dduw'r gogoniant,
>   dwg dy drysor at ei draed;
> ti a brofodd ei faddeuant,
>   ti a olchwyd yn y gwaed,
>   moliant, moliant
> dyro mwy i'r gorau gaed.[5]

Wrth ganu'r geiriau hyn mewn gwasanaeth Cristnogol bydd y credadun wyneb yn wyneb fel petai â'r Duw byw, yn ei addoli yn ei gysegr (gan amlaf) ac yn offrymu iddo'r mawl a'r addoliad sy'n ddyledus iddo.

Er bod emynau'n elfennau sy'n digwydd droeon yn yr addoliad Cristnogol ac mewn amrywiol fannau yn y litwrgi, neu mewn Ymneilltuaeth yn cynnig litwrgi brofiadol amgen, bydd pob perfformiad yn un unigryw na ellir ei ail-greu. Pan ddeuwn i addoli, bydd pob un ohonom yn dwyn gyda ni gyfeiriad meddwl gwahanol ac, fel petai, becyn gwahanol o feddyliau, teimladau a phrofiadau sy'n rhoi ffurf i'n bywydau a'n profiadau o Dduw ar yr achlysur hwnnw. Gan hynny, y mae gennym, yr adeg honno, anghenion unigryw a dyheadau sydd yn cael eu bodloni – neu ddim – i raddau gwahanol. Nid yr un yn hollol fydd ein cyfansoddiad emosiynol a deallusol, fel unigolion a gyda'n gilydd, ar adegau gwahanol er inni gofleidio ystyr yr emyn bob tro y byddwn yn ei berfformio. Y mae synied am emynau mewn addoliad fel defodau ystyrlon a pherthnasol yn caniatáu inni sylwi ar effaith oddrychol yr emyn arnom fel unigolion a'i effaith gyffredinol arnom ar y cyd fel cynulleidfaoedd.

Rhaid inni yn awr ystyried testunau'r emynau eu hunain a holi a yw'r iaith a arferir gan emynwyr yn cyfoethogi eu perfformio. J. L. Austin, flynyddoedd yn ôl yn ei lyfr *How to Do Things with Words*, a awgrymodd fod rhai gosodiadau yn weithredoedd ynddynt eu hunain, hynny yw, nad ymadroddion perfformiadol mohonynt. Pan ddywedwn, er enghraifft, 'Rwy'n mynd i'r siop', nid ydym mewn gwirionedd wedi gwneud dim, fwy na dweud ein bod am wneud rhywbeth sy'n gofyn am weithredu pellach. Ond ar y llaw arall, os dywedwn 'Molwn yr Arglwydd', yr ydym yn wir wedi cyflawni'r weithred a ddisgrifir gan y geiriau. Ymadroddi perfformiadol yw ymarllwys fel hyn. Dywedodd Austin fod y geiriau allanol, yn achos iaith berfformiadol, i lawer pwrpas yn ddisgrifiad o'r perfformiad mewnol.[6] Ymddengys hyn yn ddisgrifiad arbennig o briodol o'r hyn y cais emyn ei gyflawni:

> Dduw Dad, i'th enw rhoddwn glod,
>   i ti ein mawl ddyrchafwn;
> ffyddlondeb yr anfeidrol Fod
>   â llawen floedd gyffeswn;
> ynghyd, dan nawdd dy ras, ein Duw,
> O tywys ni â'th eiriau byw,
> Dy fendith heddiw geisiwn.[7]

Gweithred o ymrwymiad ar y cyd fyddai perfformio'r pennill hwn a sylwn ar y berfau: rhoi clod (*praise*), dyrchafu (*address*), cyffesu (*confess*), ceisio (*seek*): y mae eu llefaru yn weithredoedd ynddynt eu hunain. Y mae emynau'n gyforiog o ferfau fel y rhain: mwynhau, caru, disgwyl, ymddiried, diolch, ofni, gorfoleddu, rhyfeddu, gobeithio, addoli, mynegi, ac ati; hynny yw, y mae dweud 'gorfoleddaf', 'mynegaf', er enghraifft, yn berfformio'r gweithred-oedd a ddisgrifir gan y berfau perfformiadol hyn.

Y mae emynwyr pob oes yn reddfol wedi arfer iaith fel hyn, sydd, wrth gwrs, yn nodwedd mor drawiadol o iaith y Beibl. Y math hwn o fynegiant sy'n disgrifio orau brif nodweddion y cyflyrau ysbrydol a'r gweithredoedd sy'n brofiad Cristnogol, yng ngeiriau Fred Kaan, 'bywyd cariad ar waith'.[8] Oherwydd hyn, nid oes fawr o wahaniaeth sylfaenol yn y mawl a fynegir ac a anogir gan Charles Wesley a Timothy Dudley-Smith os cymherir dau o'u penillion mwyaf cyfarwydd, er gwaethaf y bwlch o ryw ddau gan mlynedd sydd rhyngddynt:

> Ye servants of God, your Master proclaim,
> and publish abroad his wonderful name;
> the name all-victorious of Jesus extol;
> his kingdom is glorious and rules over all.

> Tell out, my soul, the greatness of the Lord!
>   Unnumbered blessings give my spirit voice;
> tender to me the promise of his word;
>   in God my Saviour shall my heart rejoice.

Gall iaith berfformiadol ddigwydd mewn emynau sy'n llai amlwg orfoleddus a chadarnhaol. Arferai'r mewnddrychol William Cowper (yng nghyfieithiad Lewis Edwards) iaith berfformiadol yn effeithiol iawn:

> Na farna Dduw â'th reswm noeth,
>   cred ei addewid rad;
> tu cefn i len rhagluniaeth ddoeth
>   mae'n cuddio wyneb Tad.[9]

Berfau perfformiadol yw 'barnu' a 'credu' sydd â swyddogaeth allweddol yn ieithwedd emynau. Y mae emynau modern hwythau'n berfformiadol yn ogystal â bod yn fwy cymunedol a chyfunol:

> We would be one in hatred of all wrong,
>   one in our service of all things sweet and fair,
> one with the joy that breaketh into song,
>   one with the grief that trembles into prayer,
> one in the power that makes thy children free
>   to follow truth, and thus to follow thee.

Wrth ganu'r geiriau hyn bydd y gynulleidfa'n gweithredu'r ymrwymiad sydd ynddynt ac felly'n perfformio'r emyn ymhob ystyr i'r gair hwnnw.

I grynhoi: yr wyf wedi awgrymu fod perfformio emyn yng nghyddestun yr addoliad Cristnogol yn weithred ieithyddol gymunedol sy'n cyfateb i ddefod. Hefyd, fod testunau emynau'n llawn iaith berfformiadol yn yr ystyr ein bod, wrth ganu'r emyn, yn perfformio'r gweithredoedd geiriol y mae'r geiriau'n ein hymrwymo ni iddynt. Yr wyf am fynd ymhellach ac ystyried sut y bydd credinwyr unigol a chynulleidfaoedd yn ymgysylltu â phrofiadau'r emynwyr ac yn eu meddiannu yn eu haddoliad.

Barddoniaeth gymdeithasol yw emynau yn yr ystyr mai hwy yw *vox populi*, llais y cyhoedd crefyddol sy'n ceisio mynegiant i amrywiol nodweddion hanfodol gymhleth y profiad Crisnogol. Fel y gofynnodd Elizabeth Jennings yn hollol gywir, 'Sut y gall dyn neu fenyw wybod beth yw eu profiad nes iddynt geisio sôn amdano?'[10] Cyfrifoldeb a braint benodol yr emynydd yw mynegi ar ran eraill yr hyn na allent ei ddweud mewn ffordd mor briodol drostynt eu hunain. Ond y cwestiwn a gwyd wedyn yw profiadau pwy sydd yn yr emyn – ai rhai'r emynydd, ai'r rheini y mae ef fel bugail yn tybio eu bod ganddynt neu eu hangen arnynt. Yn fwy ffurfiol, pwy yw 'Fi' a 'Ni' ein hemynau a sut ydym yn esbonio ymwisgo â'r *persona* mabwysiedig hwn wrth inni ganu?

Wrth drafod emynau Isaac Watts priodolodd Pauline Parker iddo ef 'y darganfyddiad y gall cri bersonol yr un fod hefyd yn llais y llawer'.[11] Mewn emynau cydgysylltir yr unigol a'r cyfunol, y cymhelliad personol a chymdeithasol, a chredaf y bydd dadansoddiad pellach o iaith emynau yn egluro'r mater hwn, sydd wedi peri penbleth i lawer o feirniaid a diwinyddion.

Ystyriwn enghraifft o waith Shirley Erena Murray:

> Take my gifts and let me love you,
> God who first of all loved me,
> gave me light and food and shelter,
> gave me life and set me free.

Y mae ymwybod ag 'yma' a 'nawr' yn amlwg yn y geiriau hyn, fel y mae'r hyn y deisyf y credadun ar i Dduw – sy'n cael ei gyfarch ac sydd eisoes wedi gwneud llawer yn y gorffennol i weddnewid y bywyd hwn – barhau i'w wneud yn y bywyd hwnnw. Yn ôl yr emyn, y mae Duw yn cael effaith arnaf ac yn cyfarfod â mi trwy ras. Y mae'r mynegiant yn bersonol, yn y person cyntaf unigol. Sut y gallwn ddisgrifio orau beth sy'n digwydd wrth inni ganu'r geiriau hyn? Y mae'n eglur fod yr unigolyn yn dod yn 'fi' y testun a hefyd fod y 'fi' hwnnw yn 'fi' cymunedol, 'fi' y ddau neu dri sydd wedi ymgynnull, neu efallai y cannoedd neu'r miloedd sydd yn addoli Duw gyda'i gilydd yn gyhoeddus. Beth sy'n digwydd yn ieithyddol yw fod yr unigolyn a'r gynulleidfa yn rhoi perfformiad deictig o'r testun. Wrth deicsis golygir, yn ieithyddol, ddiffinio safbwynt y llefarwr mewn perthynas â'r hyn a leferir, hynny yw, person, amser, lle. 'Fi, nawr, yma' yw'r mynegiant symlaf o gyd-destun lle ac amser person; yr ydym bawb yn byw mewn amser a gofod. Pan ganwn emynau, deuwn yn 'fi' neu'n 'ni' y testun, a hynny sy'n diffinio ble yr ydym mewn perthynas â Duw, boed y cyfeiriad at 'Ti' neu 'Ef'. Gosodir pob emyn yn y presennol dramatig a bydd bob amser ymwybod â rhyw leoliad ysbrydol, cyfriniol. Eglurodd Rowan Williams hyn trwy awgrymu fod mewn ysbrydolrwydd Cristnogol amser gofodol:

> tirlun gyda phersonau sy'n ymateb i anghenion dirfodol dynol, ond sydd yn hanfodol anhanesyddol; yn ymateb i'r gobaith y cyflawnir, fan arall, yr achubiaeth nas cyflawnwyd yn yr 'yma' a'r 'nawr'.[12]

Dyma ddisgrifiad rhagorol o'r hyn a gawn mewn emynau. Yn yr enghraifft y buom yn ei thrafod ni allwn ddiffinio ble a phryd yn hollol y mae 'yma' a 'nawr' emyn Shirley Murray ond ein 'yma' a'n 'nawr' ni ydyw wrth inni ei berfformio a deuwn yn un â hi ac â phob Cristion sy'n gwirioneddol geisio effaith grym gweddnewidiol Duw yn eu bywydau. Bydd deall deicsis yn ein cynorthwyo i ddeall iaith emynau a'r hyn a ddigwydd wrth inni eu perfformio.

Deffrôdd awydd ynof i geisio datrys cwestiwn geiriau pwy a ganwn wrth berfformio emynau pan oeddwn yn astudio emynau hynod bersonol ac angerddol Diwygiad Methodistaidd y ddeunawfed ganrif yng Nghymru. Gofynnwyd imi droeon a thro, 'Profiadau pwy maen nhw'n eu canu? eu profiadau eu hunain? rhai'r cynulleidfaoedd? cyfuniad o brofiadau o wahanol adegau ac amrywiol leoedd?'. Tybiwn i mai deicsis a gynigiai'r eglurhad gorau i gwestiynau o'r fath. Am mai esboniad ieithyddol ydyw, nid yw'n dibynnu ar farn oddrychol ond ar ddadansoddiad ffurfiol. O ganu'r llinellau hyn gan Ann Griffiths, er enghraifft, a dadansoddi'r deicsis, gellir gwerthfawrogi beth a olygai Rowan Williams wrth 'amser gofodol' a 'thirlun . . . sydd yn hanfodol anhanesyddol':

Beth sydd imi mwy a wnelwyf
ag eilunod gwael y llawr?
Tystio 'rwyf nad yw eu cwmni
i'w gystadlu â'm Iesu mawr:
    O am aros
    yn ei gariad ddyddiau f'oes.

Y mae hon yn enghraifft arbennig o dda er mwyn gwerthfawrogi
effaith yr iaith berfformiadol ('gwneuthur', 'tystio') a sut y mae'r
deicsis testunol, 'imi', 'mwy', 'aros', 'ddyddiau f'oes' yn sicrhau fod yr
emyn yn dod yn fyw i'r unigolyn a'r gynulleidfa.

Bydd dadansoddi deicsis testunol hefyd yn gweithio gydag
emynau heb fod yn y person cyntaf unigol. Lluosog yw'r mynegiant
yn yr emyn hwn gan Alan Gaunt; saif 'ni' y gynulleidfa dros 'ni' y
ddynoliaeth:

Great God, transform our politics;
restrain our ruthless selfishness;
by Christ's self-sacrifice in us
display your love's effectiveness.

Y mae'r gynulleidfa yn cydweddïo am i Dduw ymyrryd yn y bywyd
dynol, ac y mae'n amlwg mai yma ac yn awr y dymuna'r emynydd i
hyn ddigwydd.

Er bod y deicsis lluosog yn arbennig o briodol yn yr
emynyddiaeth ddiweddar y mae llawer ohoni'n ymwneud â chyflwr
y byd a'r problemau byd-eang sy'n bygwth y ddynoliaeth, yr ydym i
gyd yn gwybod nad dyma'r cyfan. Y mae ein llyfrau emynau'n llawn
testunau o gyfnodau lawer sy'n mynegi mawl a dyheadau pob un
ohonom ynghyd. Yn ogystal ag ysgrifennu emynau yn y person
cyntaf ac mewn modd y gellid eu canu'n rhwydd gan gynull-
eidfaoedd, llwyddodd Isaac Watts, a rhoi un enghraifft yn unig, i
addasu deunydd ysgrythurol yn gelfydd i'r llais cyfunol lefaru:

Cydunwn â'r angylion fry,
    ein tannau yn gytûn;
deng mil o filoedd yw eu cân,
    er hyn nid yw ond un.[13]

Trawsnewidiwyd gweledigaeth Llyfr y Datguddiad yn fardd-oniaeth, yn bennill cynulleidfaol; y mae'r gynulleidfa'n dod yn un â chân dragwyddol mawl. Rhy niferus yw'r enghreifftiau o emynau sy'n defnyddio'r person cyntaf 'ni' i ganiatáu imi eu dadansoddi yma a digon fydd dweud fod cynulleidfaoedd yr un mor gyffyrddus â'r mynegiant cyfunol o brofiad Cristnogol ag ydynt â'r ymdywallt mwy goddrychol a phersonol. Y dyddiau hyn yn wir, dichon ein bod yn teimlo'n fwy cysurus gyda deunydd fel hyn.

Hyd yma bûm yn ymdrin ag agweddau geiriol perfformio emynau, y weithred ieithyddol gyfunol sydd yn ddefod yn llawn ymadroddi perfformiadol a pherfformiad deictig o'r testun. Y mae'r ffaith fod emynau'n cael eu perfformio wedi bod yn rhwystr weithiau rhag eu cymryd o ddifrif. Y mae sylw Donald Davie yn enwog:

> Nid yw medrusrwydd yn ddigon mewn bardd; teimlwn ei fod yn ddigonol mewn emynydd.[14]

Y mae'n anffodus mai prin fu'r beirniaid llên a briodolodd i emynau statws llenyddiaeth fawr; eithriad yw'r Athro Richard Watson yn ein dyddiau ni.[15] Y mae'r beirniaid wedi ymateb fel hyn oherwydd mai fel perfformiadau cerddorol mewn addoliad y bwriadwyd emynau yn bennaf. Gwelir y cyd-destun perfformiadol yn rhwystr i fywioldeb farddonol yr emyn, a'r geiriau'n ostyngedig neu'n eilradd i'r dôn. Disgrifiad yr Athro Watson o emyn yw 'testun cerddorol a llenyddol'. Yn fynych, bydd y dôn mor gofiadwy â geiriau emyn a bydd priodas lwyddiannus emyn a thôn yn cyfrif am boblogrwydd emyn. Yng ngeiriau Graham Laycock:

> Y mae rheswm yn hawlio mai testun emyn sydd bwysicaf ym mhob cyd-destun a'r gerddoriaeth yn eilradd. Ond y mae hir arfer, profiad a'r natur ddynol yn deddfu'n wahanol. Y gerddoriaeth, bron bob amser, a fydd yn cyfrif am lwyddiant a phoblogrwydd emyn a pha mor gofiadwy fydd.[16]

Er y byddwn bawb yn gweld mor wir yw'r sylw hwn, bydd meddwl am berfformio emyn mewn addoliad fel defod yn ein cynorthwyo i werthfawrogi mewn ffordd fwy ffafriol gyfraniad geiriau a cherddoriaeth gan fod y ddwy yn elfennau anhepgor yn nefod canu emynau. Anghyflawn fyddai perfformio emyn yn gyhoeddus yn yr addoliad heb y gerddoriaeth; y gerddoriaeth sydd yn cwblhau'r ddefod. Fel y dywedais eisoes, y mae tair gweithred yn nefod perfformio emynau – geiriol, cerddorol a chorfforol. Y mae'r tair agwedd yn gyd-ddibynnol, a'r ddefod yn amherffaith os yw un yn eisiau.

Un math yn unig o farddoniaeth a berfformir, wrth gwrs, yw emynau. Er enghraifft, bwriedir llawer o gelfyddyd werin ar gyfer ei pherfformio'n gyhoeddus ac efallai bod synied am emynau yn gelfyddyd werin yn gymhariaeth ddefnyddiol. Fel y dywedodd George Sampson yn ei ddarlith i'r Academi Brydeinig dros drigain mlynedd yn ôl:

> Barddoniaeth y dyn tlawd fu'r emyn, yr unig farddoniaeth a ddaeth i'w galon erioed . . . diwinyddiaeth y dyn cyffredin yw'r emyn.[17]

Nid dilorni'r emyn yw synied fel hyn amdano, oherwydd y mae gan farddoniaeth werin o bob math ei chymhlethdod ymwybodol gywrain ei hun: strwythur mydryddol gofalus, defnydd medrus o ailadrodd a gwrthgyferbyniad; dyfeisiadau mnemonig; amgodio ieithyddol trwy gyfrwng ieithwedd neilltuedig a throsiadau, ac arddull uniongyrchol, syml, ddramatig i gyflwyno'r deunydd i galon a meddwl y gynulleidfa. Y mae'r Athro Richard Watson wedi'n hatgoffa am y tebygrwydd rhwng emynau a baledi yn y cyswllt hwn:

> . . . gellir cyffelybu emynau . . . i faledi, lle y gosodir y golygfeydd dramatig ym mhatrymu rheolaidd penillion, rhythmau pwerus celfyddyd gyntefig neu werin.[18]

Mewn rhai gwledydd a diwylliannau, ac mewn oesau a fu, beirdd gwlad oedd llawer o'r emynwyr cyn eu tröedigaeth a daeth llawer at emynydda gyda'r gwaddol celfyddydol a diwylliannol hwn.

Gwelwn felly fod synied am emynau fel barddoniaeth werin yn ychwanegu at eu nodweddion perfformiadol. Er enghraifft, ceir, yn sicr, ailadrodd a gwrthgyferbynnu ym mherfformiadau emynau pan ystyriwn eu strwythur cyfan. Y mae eu penillion yn rheolaidd gyda'r un mydr a mesur – dyna elfen yr ailadrodd, ond amrywia cynnwys pob pennill – dyna elfen y gwrthgyferbynnu. Gwelir ailadrodd a gwrthgyferbynnu hefyd yn strwythur mewnol yr emyn. Defnyddia llawer o emynwyr ailadrodd i greu effaith gynyddol, ddramatig ac emosiynol, yn ddigon tebyg i faledwyr ond gyda bwriad llawer mwy dwys a difrifol:

> af ymlaen dan weiddi, "Pechais",
> af a syrthiaf wrth ei draed,
> am faddeuant, am fy ngolchi,
> am fy nghannu yn y gwaed.

Y mae yma gri gynhyrfus am achubiaeth a'r ailadrodd yn ein gwthio ni ymlaen i'w phenllanw wrth i ninnau hefyd geisio gwybod beth yw eithaf y profiad Cristnogol. Gall ailadrodd fod yn ddyfais strwythurol i bwysleisio undod y llinellau a pheri iddynt fod yn fwy cofiadwy. Enghraifft ragorol o hyn yw emyn cynhaeaf Fred Pratt Green:

> Am holl ffrwythau'i greadigaeth
>> diolch i Dduw;
> am ei roddion rhad a helaeth
>> diolch i Dduw;
> am droi'r tir, a'r hau a'r plannu,
> am y tyfu a'r aeddfedu,
> am y fraint o gynaeafu
>> diolch i Dduw.[19]

Effaith unol, berfformiadol, ddefodol a litwrgaidd sydd gan y gytgan a ailadroddir ac ychwanegir at hyn gan y ffurfiau berfol, a chan yr odlau sy'n clymu'r cyfan ynghyd.

Nid wyf wedi ymdrin â'r holl amrywiol fathau o ailadrodd a'r patrymau sydd i'r ddyfais mewn emynau. Ond yr wyf wedi pwysleisio mai un arall o nodweddion perfformiadol emynau yw'r defnydd o ailadrodd, un a oedd yn arbennig o addas pan oedd emynau'n bennaf yn rhan o ddiwylliant gwerin ond sydd heddiw hefyd yn rhyfeddol o effeithiol.

Y mae gwrthgyferbynnu hefyd yn greiddiol i berfformiadau emynau. Y mae emynau'n symud o ddechrau i ddiwedd, ac y maent yn datblygu yn yr ystyr fod y gynulleidfa wrth eu perfformio wedi cyflawni'r ddefod ac y dylsai newid cyflwr fod wedi digwydd. Pan eistedd cynulleidfa ar derfyn emyn, nid yr un yn hollol ydyw â phan gododd i'w ganu. Bydd y credadun yn ennill dirnadaeth a gwybodaeth ym munudau unigryw y perfformio. Dylai perfformio'r emyn beri dyfnhau meddwl a chreu effaith deimladol. Fel y disgrifiodd Martin Buber ontoleg y profiad Cristnogol, 'bydd sylwedd ysbrydol y person yn aeddfedu'.[20] Rhaid bod rhyw drawsnewid, pa mor fach bynnag y byddo, sy'n gwrthgyferbynnu â chyflwr y credadun ar ddechrau'r perfformio. Ar wastad dyfnach, bydd cynnwys emynau yn gorfodi'r trawsnewid hwn gan fod pob emyn, rywfodd neu'i gilydd, yn sôn am ymyrraeth Duw yn y bywyd dynol. Y mae penillion emynau, gan hynny, yn llawn o wrthgyferbyniadau archdeipaidd. Er enghraifft, dibynna effaith emyn adnabyddus Henry Scott Holland am y genhadaeth gymdeithasol ar ei ddefnydd o wrthgyferbyniadau. Y mae'r emynydd yn deisyf ar 'Arglwydd yr arglwyddi a Brenin y brenhinoedd':

> With thy living fire of judgement
>   purge this land of bitter things;
> solace all its wide dominion
>   with the healing of thy wings.

Gwrthgyferbyniad rhwng llywodraeth felys Duw a 'phethau chwerw' cymdeithas sydd yma; a bod Duw yn dwyn 'iechyd', yn yr ystyr Cristnogol o 'gyflawnder', yn groes, yn ymhlyg, i ddrygau cymdeithas. Â'r emyn yn ei flaen:

> Still the weary folk are pining
>   for the hour that brings release;
> and the city's crowded clangour
>   cries aloud for sin to cease;
> and the homesteads and the woodlands
>   plead in silence for their peace.

Yma y mae'r gwrthgyferbyniadau'n amlycach: blinder / adnewyddiad; caethiwed / rhyddid; sŵn / tawelwch; distawrwydd / tangnefedd. Byddai perfformio'r emyn hwn yn ddatblygiad gan ei fod yn amcanu peri trawsnewidiad sylfaenol yn y bywyd daearol.

Elfennau anhepgor yn y perfformiad o emyn, felly, yw ailadrodd a gwrthgyferbynnu. Ond er bod ffurfiau eraill ar farddoniaeth a berfformir yn gyhoeddus neu ar y cyd yn arddangos nodweddion tebyg, y profiadau a fynegir mewn emynau a'u dibyniaeth ar gyfeiriadau ysgrythurol sy'n gosod nod amgen arnynt. Nid digon yw dadansoddi emynau yn nhermau ymadroddi defodol, perfformiadol, deicsis ac elfennau eraill gan y gellid arfer y rhain wrth drafod perfformiadau cyhoeddus a mathau eraill o farddoniaeth. Dibynna emynau Cristnogol ar y mynegiant o'r profiad a geir trwy achubiaeth trwy Grist. Profiad amlweddog yw hwn a gall fod ynddo elfennau cadarnhaol a negyddol. Yn ei hastudiaeth *Unafraid to Be*, disgrifiodd Ruth Etchells y profiad Cristnogol yn berffaith:

> Nid ynddo ef ei hun o gwbl y mae hyder y Cristion ond yn yr wybodaeth fod y Duw y mae wedi ymrwymo iddo ac sydd ei hun yn anfeidrol ac yn bersonol, yn abl i'w gadw ym mhob amgylchiad, pa mor wan ac ansicr y gŵyr ei fod ynddo ei hun.[21]

Y mae emynau Cristnogol yn neilltuol am eu bod yn defnyddio'r ysgrythur i esbonio a dilysu'r profiadau a fynegir. Rhaid i unrhyw ddiffiniad cyflawn o emynau gymryd hyn i ystyriaeth.

Y mae'r mwyafrif o emynau'n ysgrythurol mewn rhyw ffordd neu'i gilydd. Wedi'r cyfan, yn y salmau mydryddol y mae gwreiddiau emynyddiaeth gynulleidfaol ac y mae gan emynau ddyled fawr i'r salmau am eu hieithwedd, eu delweddaeth a'u dadansoddiad o brofiad y credadun ger bron Duw. Fel y dywedodd Barbara Lewalski, y mae'r salmau 'yn grynhoad o deimladau dynol, dadansoddiad neu ddadelfeniad llym o enaid pob un Cristion.'[22] Y mae llawer o emynau'n gyforiog o gyfeiriadau o'r testun cysegredig nes eu bod yn debyg i fynegair, a'r croesgyfeiriadau'n goleuo ei gilydd. Ail-lunio neu aralleirio rhannau o'r ysgrythur a wneir mewn emynau eraill ac y mae emynwyr erioed wedi tueddu i nodi dylanwad yr ysgrythur ar eu gwaith. Y mae emynwyr ymhob cyfnod wedi bod ymhlith efrydwyr disgleiriaf y Beibl. Lluniodd rhai emynau cyfan ar sail adnodau cyfarwydd o'r Beibl; Horatio Bonar, er enghraifft, yn defnyddio geiriau o'r Testament Newydd yn ei emyn 'Mi glywais lais yr Iesu'n dweud'[23] ac G.W. Doane yn patrymu emyn ar ddatganiad enwog Iesu yn Efengyl Ioan, 'Myfi yw'r ffordd, y gwirionedd a'r bywyd' (fel y gwnaeth W. Rhys Nicholas a Tudor

Davies yn Gymraeg[24]). Un o'm hoff emynau diweddar yw ail-lunio Elizabeth Cosnett o un o rannau enwocaf y Beibl, 1 Corinthiaid 13:

> However loud the shout,
> however clear the call,
> a word without love
> means nothing at all.

Y mae'r cyfieithiad syml ac uniongyrchol hwn yn llefaru'n eglur wrth ein dydd a'n hoes ni. Ddyddiau gynt lluniwyd rhai emynau i gyd-fynd gyda phregethau neu gyda golwg ar anghenion bugeiliol am astudiaethau beiblaidd. Ychydig o emynau sydd nad ydynt rywfodd neu'i gilydd yn ddyledus i'r Beibl am eu hieithwedd neu'u cyfeiriad meddwl a sail ansawdd lenyddol llawer i emyn yw dylanwad y Beibl arnynt. Egyr cyfeiriadaeth feiblaidd fyd rhyngdestunol sy'n ehangu dychymyg y credadun ac yn bywhau'r rhannau o'r ysgrythur a'r emyn yntau. Gan hynny, rhaid i'r rhai sy'n perfformio emynau fod yn ysgrythurol-lythrennog. Yn ôl pob tebyg, bydd yr ysgrythur wedi cyfoethogi profiadau'r emynwyr a defnyddiant yr ysgrythur i gyflwyno athrawiaeth, diwinyddiaeth ac emosiwn i'r gynulleidfa. Yn fynych, bydd emynwyr yn dychwelyd droeon a thro at yr un wythïen gyfoethog o ddelweddau beiblaidd ac yn eu patrymu o'r newydd i geisio serio'r gwirioneddau tragwyddol ar galonnau a meddyliau'r gynulleidfa. Yng ngeiriau Dr Glyn Tegai Hughes, 'Y mae emyn yn rhagdybied cyflwr penodol, a pharodrwydd i dderbyn yn y gynulleidfa . . .'.[25] Os yw geiriau emynau i fod yn effeithiol a'r perfformiad yn ddilys, y mae'n bwysig nad yw'r cyfeiriad ysgrythurol yn dianc rhag dychymyg y credadun.

Bydd yr emynydd yn dehongli'r ysgrythur ar ein rhan er mwyn cyflwyno trosiadau am gyflwr enaid y credadun. Deuwn mor gyfarwydd â'r ymadroddi trosiadol nes ein bod bron yn derbyn geiriau'r emyn yn llythrennol. Sylwodd yr Athro John Lyons ar hyn wrth drafod y trosiad:

> Efallai yn wir y bydd achlysuron, a benderfynir gan sefyllfa sosio-ddiwylliannol y math llenyddol, pan fydd defnydd trosiad mor gyffredin nes bod y derbynnydd yn gallu hepgor y camau

cynharaf yn y rhesymu . . . a chymryd ei bod yn debycach fod
gosodiad i'w ddeall yn drosiadol nag yn llythrennol.[26]

Y mae cynulleidfaoedd sy'n perfformio emynau sy'n cynnwys
cyfeiriadau ysgrythurol, yn tystio i realiti ysbrydol yn eu bywydau
a all fod yn ddwys bersonol ac o dragwyddol bwys a llythrennol
iddynt hwy er mai yn drosiadol y caiff ei fynegi. Nid yw hyn yn
amlycach yn unman na'r modd y defnyddia'r emynwyr gysgodeg
(teipoleg, *typology*[27]) feiblaidd lle y mae'r cyfeiriad ysgrythurol yn
cynorthwyo'r credinwyr i wireddu patrwm o weithredu hanesyddol.
Dibynna cysgodeg ar ddehongliad ffydd o air Duw, i ganfod undod o
weithredu – patrwm hanes – rhwng yr Hen Destament a'r Newydd.
Y mae rhai o'r delweddau mwyaf adnabyddus mewn emynau yn
drosiadol ac yn gysgodaidd, a chysgodaidd hefyd yw llawer o'r
cyfeiriadau at Grist y Gwaredwr:

> Bererin llesg gan rym y stormydd,
>   cyfod d'olwg, gwêl yn awr
> yr Oen yn gweini'r swydd gyfryngol,
>   mewn gwisgoedd llaesion hyd y llawr.

Y mae gweld y bywyd Cristnogol fel pererindod yn llawn
trafferthion ac ymdrech yn ein dwyn ni yn ôl at ddrama hanesyddol
gyffrous y Genedl Etholedig yn yr Hen Destament. Fel y tywysodd
Duw yr Israeliaid a'u cynnal, felly hefyd y mae'n achub y pererin
unigol trwy'r cyfamod newydd yng ngwaed Crist a ddarlunnir yma
yn Oen yr aberth a'r Archoffeiriad. Bydd y cyfuniad hwn o
ragluniaeth a barddoniaeth yn arbennig o ystyrlon i'r credadun
wrth ganu'r geiriau hyn gan Ann Griffiths a bydd y gwaith achubol,
Heilsgeschichte llawer canrif – cyfnod yr Hen Destament, aberth y
groes, dechrau'r bedwaredd ganrif ar bymtheg (cyfnod yr emynydd
ei hun), presennol dryswch y credadun, a'r dyfodol tragwyddol – yn
dystiolaeth ac yn ymrwymiad bywiol.

Perfformio emynau yn yr addoliad fu tan sylw gennyf hyd yn hyn
gan mai'r bwriad yw ceisio ailddiffinio'r emyn yn y cyd-destun
perfformiadol. Ond y mae, wrth reswm, gyd-destun arall lle y
gwerthfawrogir emynau. I lawer iawn o gredinwyr y mae emynau
mor werthfawr â'r Beibl fel cymorth i ddefosiwn personol ac y mae

emynau wedi'u darllen mewn llawer gwlad a llawer oes gan y rhai sy'n awyddus i anwesu eu llinellau yn eiriau o lawenydd, cysur ac anogaeth ar bererindod bywyd. Nid yr un yw'r hyn sy'n digwydd wrth inni ddarllen emynau ag a ddigwydd wrth inni eu canu. Digon tebyg yw'r profiad a ddaw o ddarllen emyn i hwnnw a geir o ddarllen unrhyw farddoniaeth grefyddol, er y dichon ein bod yn disgwyl i fwy graddau y bydd yr hyn a fynegir gan yr emynydd yn siarad yn uniongyrchol â ni am ein ffydd yn Nuw, ein profiad ohono a'n cyflwr presennol. Pan ddarllenwn emynau, nid ydym yn mabwysiadu'r geiriau yn yr un modd ag mewn perfformio: ni fydd defod na pherfformio deictig, ac er y bydd nodweddion perfformiadol emynau yn bresennol, ni fyddant yn dylanwadu ar y darllen fel y byddent ar y perfformio. Ond yn fynych, bydd gwybod yr hanes y tu ôl i'r gân yn goleuo tystiolaeth y testun mewn ffordd sydd yn fwy arwyddocaol pan ddarllenwn na phan berffformiwn. Ac os oes gennym unrhyw wybodaeth am gefndir yr emynydd neu am gyd-destun hanesyddol neu ddiwinyddol y cyfansoddi, gellir dychmygu neu 'ddarllen i mewn' y gynulleidfa wreiddiol y bwriadwyd y llinellau ar ei chyfer.

Yr wyf am derfynu gan gynnig y diffiniad newydd o emynau a addawyd yn nheitl y papur hwn. Buwyd yn ystyried perfformiadau emynau fel defodau; beth sy'n digwydd, mewn gwirionedd, yn ieithyddol ac yn brofiadol i gredinwyr unigol a chynulleidfaoedd pan ganwn; ffurf ac ieithwedd emynau; a phwysigrwydd deall effaith cyfeiriadau ysgrythurol. Cynigiaf, felly, y diffiniad hwn:

> Cerdd o fawl i Dduw mewn mydr rheolaidd yw emyn. Cyflwyna agwedd neu agweddau o'r profiad Cristnogol, yn bennaf mewn iaith drosiadol, ysgrythurol a pherfformiadol. Gosodir ef ar gerddoriaeth ac fe'i bwriedir i'w ganu gan gynulleidfaoedd yn rhan o'r addoliad. Fel y cyfryw, gweithred ieithyddol ar y cyd ydyw, sydd yn berfformiad defodol a deictig o'r testun.

Fy nadl, felly, yw na ellir diffinio a gwerthfawrogi emynau'n llawn heb ystyried eu priod swyddogaeth, sef cael eu perfformio mewn addoliad Cristnogol. Credaf fod y diffiniad ffurfiol a gynigiais yn berthnasol o oes i oes ac o wlad i wlad. Yn y diwedd, crynhoir diben ein holl addoliad yng ngeiriau emyn Alan Gaunt:

May we yet reap love's harvest, Lord,
of justice and sufficiency;
and all be fed and spirit-filled,
with praise increasing endlessly.

A dywedwn bawb, Amen.

(Cyfieithiad Brynley F. Roberts)

1 C. S. Lewis, *English Literature in the Sixteenth Century* (Oxford, 1954), t.112.
2 Vincent Newey, *Cowper's Poetry: a Critical Study and Reassessment* (Liverpool, 1982), t.301.
3 Cyfieithiad J. Henry Jones o emyn Martin Rinkart, 'Nun danket alle Gott'.
4 Stanley Jeyaraja Tambiah, *Culture, Thought and Social Action* (Cambridge, Mass., 1985), t.128.
5 Cyfieithiad G. Wynne Griffith o emyn H. F. Lyte, 'Praise, my soul, the King of heaven'.
6 J. L. Austin, *How to Do Things with Words* (Oxford, 1976), t.9. Astudiaeth o iaith berfformiadol yw'r llyfr hwn ar ei hyd.
7 Cyfieithiad D. Eirwyn Morgan o 'Our Father God, thy name we praise', sef trosiad E. A. Payne o emyn o'r 16fed ganrif yn yr *Anabaptist Ausbund.*
8 'a life of love in action', o'r emyn 'For the healing of the nations', *Caneuon Ffydd*, rhif 958.
9 'Judge not the Lord by feeble sense'.
10 Elizabeth Jennings, *Christian Poetry* (New York, 1965), t.111.
11 Pauline Parker, 'The hymn as a literary form', *Eighteenth-Century Studies* 8 (1975), tt.392–419, ar dud. 412.
12 Hoff gan Rowan Williams sôn am brofiad y crediniwr fel byd neu dirlun a grewyd gan weithgarwch Duw yn yr hanes ysgrythurol ond lle y trig y bobl sydd wedi caniatáu i'r gweithgarwch hwnnw lywio eu meddwl a'u mynegiant. Gweler, er enghraifft, 'Beyond aesthetics: theology and hymnody', *Bulletin of the Hymn Society of Great Britain and Ireland* 15 / 4 (1997), tt.73–8, ar dud. 77, ac yn fwy penodol, 'Tirwedd Ffydd: Darlith Flynyddol Cymdeithas Emynau Cymru am 2001', *Bwletin Cymdeithas Emynau Cymru* 4 (1–2) (2008–9), tt.1–12, ar dud. 2, 'Mae canu Cristnogol, felly, yn bodoli yn rhannol i ddarparu map ar gyfer tirwedd ffydd.'
13 Cyfieithiad Ieuan Glan Geirionydd o 'Come, let us join our cheerful songs'.
14 Donald Davie, *Purity of Diction in English Verse* (London, 1952, arg. 1967), t.71.

15 [Sylw golygyddol: Pwysig yw cofio yma mai yn Saesneg ac mewn cyd-destun Saesneg y traddodwyd y ddarlith hon].

16 Graham Laycock, 'Words and music: should they get together?', *Bulletin of the Hymn Society of Great Britain and Ireland* 8 (1977), tt.244–6, ar dud. 245.

17 George Sampson, 'The century of divine songs', Warton Lecture on English Poetry, *Proceedings of the British Academy* (1943), tt.37–54, ar dud. 37.

18 Richard Watson, *The English Hymn: a Critical and Historical Study* (Oxford, 1997), t.26.

19 Efelychiad Rhidian Griffiths o 'For the fruits of his creation'.

20 Martin Buber, cyf. Ronald Gregor Smith, *I and Thou* (Edinburgh, 1937), t.63.

21 Ruth Etchells, *Unafraid to Be: a Christian Study of Contemporary English Writing* (London, 1964), t.66.

22 Barbara Lewalski, *Protestant Poetics and the Seventeenth-Century Religious Lyric* (Princeton, 1979), t.42.

23 Cyfieithiad o 'I heard the voice of Jesus say'.

24 Gweler *Caneuon Ffydd*, rhifau 342, 386.

25 Glyn Tegai Hughes, *Williams Pantycelyn* (Writers of Wales) (Cardiff, 1983), t.2.

26 John Lyons, *Semiotics and the Philosophy of Language* (London, 1984), t.127.

27 Am y term hwn a'r ffurf Gymraeg arno gweler 'Williams Pantycelyn a'r Beibl', uchod, tt.77–91.